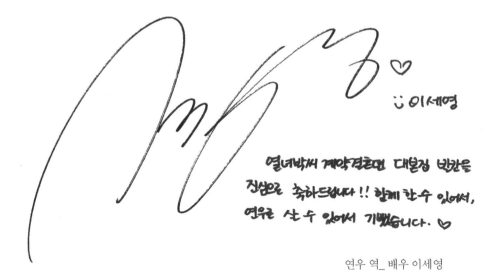

이세영 ♡

열녀박씨 계약결혼뎐 대본집 발간을
진심으로 축하드립니다 !! 함께 할 수 있어서,
연우로 살 수 있어서 기뻤습니다. ♡

연우 역_ 배우 이세영

열녀박씨 계약결혼뎐
대본집 발간은 진심으로 축하드립니다 !
태하로 살아갈 수 있어 행복했습니다.
사랑합니다.

태하 역_ 배우 배인혁

주 영영 (a.k.a 에이프릴)

이 영영로 만날을 수 있어서
정말 다행입니다. 이름답고 따뜻한
이야기 써줘서. 감사합니다 ♡

사월 역_ 배우 주현영

열녀박씨 계약결혼뎐
대본집 받가 축하합니다.
보신 분들 모두 행복하시길 기원합니다.!!

감독_ 박상훈

열녀박씨 1
계약 결혼뎐

일러두기

1. 대본의 특성상 구어체를 살렸으며, 이 책의 일부 맞춤법과 작가의 의도를 따른다.
2. 대사와 지문에 쓰인 구두점과 문장의 행갈이 방식 또한 작가의 집필 방식을 따랐다.
3. 인물 중 '강회장'과 '이석주'는 해당 대본을 토대로 작품 내에서 부산 사투리로 연기했다.
4. 최종 대본을 실었으므로 방송되지 않은 부분이 포함되어 있거나 방영된 장면과 다를 수 있다.
5. ●는 독자의 이해를 돕기 위한 작가의 설명이다.

열녀박씨 계약결혼뎐 1

고남정 대본집

오브제

용어 정리

S# (번호) 신Scene. 한 장면. 같은 시간과 장소 안에서 일어나는 일련의 상황이나 사건.

/ (지문) 같은 장소와 같은 신에서, 다른 연출이 필요할 때 사용.

(C.U) 클로즈업. 피사체의 일부를 근접 촬영하여 화면에 크게 나타내는 기법.

(E) 이펙트Effect. 주로 화면 밖에서의 음향이나 대사에 의한 효과음.

(F) 필터Filter. 전화기에서 들리는 것처럼 필터를 거쳐 들리는 목소리.

(NA) 내레이션. 화면 밖에서 들려오는 목소리.

(O.L) 오버랩Overlap. 현재 장면과 다음 장면을 겹칠 때 사용하는 기법.

CUT TO 컷 투. 장면 전환. 같은 장소에서 시간이 흐른 경우, 또는 여러 장소의 상황을 동시에 오가며 보여줄 때 사용.

디졸브Dissolve 두 개의 화면이 겹치거나 시간이 경과한 경우.

몽타주Montage 기존에 촬영한 여러 장면을 편집하여 하나의 새로운 장면을 만들어내는 기법.

블랙아웃Black Out 화면이 꺼진 것처럼 어두워진 상태.

인서트Insert 신이 진행되는 중간에 특정 사물이나 상황을 강조하기 위해 삽입한 화면.

플래시컷 화면과 화면 사이에 인서트로 삽입한, 빠르게 움직이는 화면.

틸업till up 피사체의 아래부터 위로 이동하는 촬영 기법.

화이트아웃White Out 화면에 환하게 불이 들어온 것처럼 하얗게 되는 상태.

차례

기획의도

2023년 나노 시대, 대한민국에 뚝 떨어진 유교걸!

단체와 소속보단 개인의 삶이 더 중요한, 아주 작고 작은 개개인을 위한 시대. 사람들은 말한다. '나'만 잘 살면, '나 혼자'만 괜찮으면 된다고. 그러나 아이러니하게 취향이 맞는 사람들끼리의 커뮤니티는 예전보다 훨씬 많아졌다. 왜 그럴까? 아주 단순한 답이겠지만, 인간은 혼자 살지 못하기 때문이다. 이처럼 우리는 모두 보이지 않는 선들로 이어져 있다. 착각에 빠져 가족이든 친구든 그 선을 언제든 끊어버릴 수 있다고 여기고, 어리석게도 그 일을 진짜 행하는 경우가 날로 늘어나고 있지만 말이다. 그런데 만약, 지금의 나노 시대에 전~~혀 어울리지 않는! 19세기, 함께 살아가는 게 덕목이라 여긴 조선의 유교걸이 나타난다면?! 유교걸의 눈에 비친 나노 시대는 과연 어떤 모습일까? 휘황찬란 신문물 속에 살아가는 나와 당신, 그리고 우리가 마냥 행복해 보일까? 우리는 많은 걸 이뤄오면서 어쩌면 그만큼 많은 걸 잃었을지도 모른다. 사람을 사랑하고, 주변을 돌아보며 함께하는 소중한 순간들, 그리고 그 안에서 진심으로 행복해하는 '나 자신'을.

그래서… 결국, 사람이고 사랑이다.

티베트 한 작은 마을의 사람들은 '영혼의 순례길'을 떠난다고 한다. 칠순 노인에서 어린아이까지 이마와 양손, 양 무릎을 낮춰 절을 하며 무려 2,500km의 길을 가는데, 자신의 죄를 고백하며 모든 죽어간 이들의 안녕과 평화로운 미래를 위해 경건히 기도한다. 오롯이 타인을 위한 자비의 기도인 것이다. 그들의 선한 의지가 지금의 나와, 우리를 살리고 있는 건 아닐까? 마치 나비효과처럼, 아무도 모르는 사이에. 연우의 삶이 그렇다. 연우에겐 그녀의 안녕과 평화로운 미래를 위해 기도해주는 사람들이 있었다. 그래서 연우는 '죽음'과 '시공간'을 뛰어넘어 지금의 대한민국에 올 수 있었다. 그 힘에 의해 태하라는 남자를 만나 운명을 뛰어넘는 사랑을 했다, 부럽게도.

그러니 판타지지만 현실이다.

연우가 시공간을 넘어 이 세상에 온 것은 판타지지만, 연우를 위해 기도하고 연우가 꿈꾸는 가치를 존중한 태하의 사랑은 현실이다. 마치 티베트의 어느 작은 마을 사람들의 기도처럼. 이 드라마는 코믹하고, 달달하고 간지럽겠지만, 전하는 진심은 따뜻하길 원한다. 그래서 나노 시대엔 살짝 촌스러워 보일 수 있는, 그러나 절대 잊혀선 안 되는 사랑의 가치, 그리고 그걸 만들어내는 사람의 이야기를 그려보았다. 코믹 판타지 로맨스란 아주 예쁜 옷을 입혀서 말이다.

🌸 작가의 말

드라마 작가가 된다는 건, 제게는 아주 오랜 바람이었습니다. 그리고 이렇게 200년을 뛰어넘어 끝내 운명을 거머쥔 연우와 태하처럼 저 역시 많은 분의 사랑과 응원, 도움으로 제 운명을 손에 쥐었습니다. 정말 감사드립니다.

처음 이 작품을 접하고 작업을 해나가면서 '잇닿은 인연'과 '사람의 선의'에 대해 많은 생각을 했습니다. 인연과 선의처럼, 보이지도 않고 손에 잡히지도 않는 그런 것들이 어쩌면 우리를 살아가게 하는 건 아닐까? 하고요. 그래서 다시 만난 연우와 태하가 '오랜 시간 누군가를 위해 기도한 그 바람이 드디어 운명이 되었다' 말하던 장면을 쓰면서 참 벅차고 기뻤습니다. 이젠 너무 흔해 그 가치마저도 흐릿해진 '사랑'에 대한 얘기를 너무나 따뜻하고 멋진 두 사람을 통해 이야기할 수 있었으니까요.

부족하고 또 부족했지만, 보는 내내 즐거우셨길 바랍니다. 울고, 웃고, 또 때론 욕도 하면서 현실 속 답답함을 잠시라도 잊을 수 있었다면 그걸로 저는 충분합니다. 앞으로도 쾌속 질주! 유쾌 상쾌한 드라마로 다시 또 찾아뵙길 기도하겠습니다.

언제나 버팀목이 돼 주신 부모님, 〈열녀박씨 계약결혼뎐〉의 사랑스런 박하커플이 되어 준 이세영, 배인혁 배우님을 비롯한 모든 배우님, 그리고 스태프분들께 진심으로 감사드립니다. 우리 드라마를 위해 가장 많은 애써주신 박상훈 감독님과 오랜 기간 저를 믿고 지켜봐 주신 김성욱EP님, 김승모님, 김상헌 대표님, 최희석 상무님, 문선호 팀장님, 늘 든든했던 하늘이와 세론PD님, 그리고 원작자 김너울님께도 고마운 마음을 전합니다. 또 늘 곁에서 응원해준 친구들과 돌쇠, 선후배 작가님들께도 무한 애정을 보냅니다!!

그리고 〈열녀박씨 계약결혼뎐〉을 아껴주신 배롱이, 촉호, 그리고 모든 시청자분과 "잇닿을 수 있어 기쁘고, 행복했습니다!"

마지막으로 이 긴 여정의 시작이 되어 준, 격하게 아끼고 사랑해서 떠나보내기가 너무 마음 아팠던 조선태하(현대태하이기도 한)와 용맹 토끼 연우의 첫 만남(맨 처음 써두었던)을 여러분께 작은 선물로 드립니다.

고남정 드림

p.s. 배우님들의 폭풍 애드리브와 감독님의 멋진 연출&편집을 맘껏 즐기시라고 원 대본 그대로 정리해봤소. 비교해서 보는 재미도 놓치지 말고 무조건 재.밌.게 보셔야 하오~!!

～ S#1. 호은당 안채 / 낮

단아하게 차려입은 연우모가 매파와 차를 두고 마주 앉아 있다.

연우모　　(우아한) 종친이신 제현대군 댁에서 들어온 혼처라 내 기쁘긴
　　　　　하지만 우리 애 이제 고작 열둘이라 걱정이 많구면.
매파　　　걱정은요~ 이 댁 애기씨야 한양 제일의 신붓감이죠. 음전*하
　　　　　시고, 용모도 빼어나신 게! 집안도 워낙 훌륭하시지 않습니까!
연우모　　(손사래 치며) 훌륭은 무슨… (하면서도 좋은)

～ S#2. 연우 방 / 낮

연우모와 매파가 들어오는데 이부자리가 펴 있고 사람이 있는 듯 이불이
볼록하다.

매파　　　! (작게) 아이쿠~ 주무시는 모양이네요.
연우모　　(이상한) 오침을 하는 아이가 아닌데… (흠) 연우야, 애미다. 자

● 음전하다: 말이나 행동이 곱고 우하하다, 또는 얌전하고 점잖다.

24

는 게냐? (조용하자, 이불 앞까지 와서) 연우야… (하며 이불을 들어 올리자)

사람 목처럼 동그란 베개가 데구루— 굴러 나온다. 연우모와 매파, 사람 목인 줄 알고 '으악!' 놀라서 자리에 주저앉는다!! 연우모, 빠직해서 주먹 꼭 쥐며 '박연우!!' 외치는.

〜 S#3. 도성 거리 / 낮

청나라에서 가져온 선물과 공작새 등을 실은 수레를 끌며 사신단 일행이 지나가고 있다. 사람들, 다들 신기한 듯 구경 중인데, 그 뒤로 연우(*12세)와 사월(*11세)이 다급히 뛰어온다.

연우   (사람들 뒤에서 까치발로 보며) 사월아! 숙부님 보여?!

사월   (연우 따라 까치발) 아뇨! 사람 뒤통수만 보입니다.

연우   (하…) 어디 계시지? (몇 번 점프하다가 치마를 주섬주섬 모아 몸을 숙여 사람들 다리 사이로 기어가려 하는데)

사월   !! (연우 잡으며) 안 돼요! 금쪽 같이 귀한 애기씨가 땅바닥을 기다뇨?!

연우   그게 무슨 상관이야?! 난 저 앞으로 꼭 갈거라구! (다시 가려는데)

사월   (막으며) 옷이 더러워지면 마님께 몰래 나간 거 딱 들킬 걸요?!

연우   (아차!) … (번뜩!, 크게) 와~ 여기 돈이 엄청 많이 떨어져 있네~~!

사월   ?! (엥? 돈?? 하면서 바닥 살펴보는)

연우의 말에 앞에 있던 사람들, '돈?' '어디 어디?' 하며 돈을 찾느라 자리를 이탈해서 여기저기 살핀다. 연우, 그 틈에 사월과 함께 앞자리로 낼름 가버리는.

연우   (웃으며) 이제야 잘 보이네. 사월아, 숙부님 좀 찾아봐! (고개 빼고 숙부 찾는) 이번엔 꼭 청나라 지도 가져다 주신댔거든. (신난)
사월   (꿍얼) 며칠 후면 큰 대감마님 뵈러 오실 텐데, 뭣 하러 이 생고생이신지.
연우   (사신단 물건 보며) 저기엔 뭐가 들었을까? 서책? 시계? (오!) 폭약?!
사월   전 그냥 다 금이면 좋겠네요, 금!!
연우   (큭) 뭐, 금?! (웃으며 돌아보는데, 헉! 표정 돌변하는)

보면, 좀 떨어진 곳에서 마천댁이 몸종들과 함께 연우를 찾으며 오고 있다. 연우, 헉! 해서 몸을 숙이곤 사월의 손을 잡고 재빨리 내뺀다!

⌢ S#4. 오솔길 / 낮

연우와 사월 걸어오고 있다.

사월   (수심 가득해서) 어쩝니까? 마님께서 아셨으니 불호령이 떨어질 텐데.
연우   걱정 마. 혹여 매를 드셔도 나 혼자 맞을 테니.
사월   (!) 그건 안 되죠. (각오 다진) 종아리를 맞아도 제가 맞겠습니다.
연우   (장난, 바로) 그래~ 알겠어! 꼭이다? (큭)

사월	(우씨─) 아, 애기씨!! (하다가) 근데… 정말 청나라에 가실 거예요?
연우	어. 꼭 갈 거야! 청나라든 서역이든 발 닿는 곳은 전부 다!
사월	(헐!) 그럼 혼인은요? 그리구 여인 혼자 그 먼 나라를 어찌 다 간답니까?
연우	(흠~) 혼인이야 (바로) 안 하면 되고, 혼자가 걱정이면 사월이 너랑 가지.
사월	(당황) 예? (혼잣말로 꿍얼) 난 혼인할 건데… (하는데)

이때, 깔깔 웃는 도령들의 목소리가 들린다. 보면, 좀 떨어진 곳에서 도령 1, 2가 태하(*13세)의 서책을 뺏어 들고 괴롭히고 있다.

도령1	왜~ 또 스승님께 고자질해 봐! (차!) 고작 시험 중에 협서@@@ 좀 봤다고 그걸 일러바치냐?! (태하 어깨 툭─ 치는)
태하	(도령1에게 책을 뺏으며) 잘못을 하고도 부끄러움조차 모르는 너희완 더 할 말 없어! (가려는데)
도령2	어딜 도망쳐! (하며 태하를 잡아 바닥에 던진다)
태하	(바닥에 넘어지며) 윽! (하는데)
도령1	(태하 가슴을 발로 누르며) 어때? 이건 부끄럽지 않으냐?
태하	(심장이 조여오는 듯 하며 아프다, 숨을 몰아쉬는데)

이때! 어디선가 도토리가 순차적으로 날아와 도령1의 이마와 도령2의 엉덩이를 딱!! 때린다. 도령들 아프다고 난리고, 놀란 태하가 주변을 살피는데 좀 떨어진 곳에서 새총을 겨누고 있는 연우를 발견한다! 이내 도령들도 연우를 보고 '너!' 하며 쫓아가자 연우와 사월 그대로 도망친다. 태하도 벌떡 일어나 그 뒤를 쫓고. 한편, 한참 도망치던 연우, 사월에게 '넌 저리로

가!' 하고 다른 쪽으로 가고 사월은 '애기씨!' 하다가 근처 바위에 몸을 숨기고 주변을 살피는데 이때 검은 그림자가 천천히 다가온다!

(CUT TO) 연우, 주변 살피며 오는데 도령1이 튀어나와 연우의 팔을 낚아챈다!

연우   ! (아프다… 빠져나오려 안간힘을 쓰는) 이거 놔! 놓으라고!!

도령1   어딜 건방지게 계집 따위가 덤벼들어?! (손목 잡아 비트는)

연우   (빠직!) 계집?! (쩌리는)

도령1   (비웃듯) 그럼 네 년이 사내냐? (하다가) 아~ 직접 확인해보면 되겠네! 계집이면 (손을 연우 가슴에 가져가며 엉큼하게) 여기가 봉긋하게,

연우   ! (재빨리 도령1의 손 낚아채 꽉! 문다)

도령1   악!! (손을 빼며 쌩난리 치다가) 이게! (연우 멱살을 잡는데)

일각에서 나타나는 태하! 붙들린 연우를 보고 다급히 바닥의 나뭇가지를 집어 드는데.

연우   비겁한 놈! 아깐 둘이서 한 사람을 괴롭히더니, 이젠 힘으로 겁박질이냐?

도령1   (하!) 네 년이 정녕 매운맛을 봐야 정신 차리겠구나?! (손을 번쩍 들고)

태하   ! (헉! 해서 나뭇가지 들고 달려 나가려는데)

연우   (O.L) 이 (분노 상승, 버럭) 개!!!!!

도령1/태하   !! (갑자기 소리 지르자 잠시 놀라 각자 제자리에서 멈칫)

연우   (매섭게) 귀 비루나 털어먹을 놈아!! (그래도 턱으로 도령1을 받아

버린다!)

도령1   억!!! (하며 그대로 뒤로 쓰러지는데 쌍코피 팡! 터지고)

태하   !! (나뭇가지 들고 그 자리에 얼음!)

연우   (머리 만지며) 한 번만 더 계집년이라고 해 봐. 그땐 그 잘난 사
        내놈 구실도 못하게 만들어 줄 테니! (손 탁탁— 털고 고개 돌리다
        태하 발견) ?!!

태하, 헙! 해서 재빨리 나뭇가지 휙— 바닥에 던지고. 언우는 왜 저래? 싶
은데 이때, 이때, 뒤에서 사월이를 붙든 마천댁이 '애기씨~'하면서 다급
히 오고 있다. 그 위로,

연우모   (화난, E) 무슨 짓을 하고 다니는 게야!

∼ S#5. 호은당. 안채 마당 / 낮

연우모, 화가 잔뜩 나 있고. 연우와 사월 그 앞에서 고개를 푹 숙이고 서
있다.

연우모   허락 없이 저잣거리에 나간 것도 모자라, 사람을 때려 코피를
        내?! (하… 하다가, 화를 애써 삭이며) 왜 그랬니? 이유가 뭐냐구!

연우   …… (입 꾹 다물고)

연우모   (답답) 어허~! 어찌 그랬냐니까!

사월   (눈치 보다, 나서서) 저 그것이,

연우모   (말 자르며, 엄하게) 사월이 네게 물은 것이더냐!

사월   ! (찔끔해서 입 다무는데)

연우	(보며) 제가 그놈을 때린 건 명백한 사실이니, 변명은 안 하겠
	습니다.
연우모	(하!) 뭐라? 그럼 어떤 벌이든 달게 받겠다, 이 말이야?
연우	(끄덕) 예. (하는데)
태하	(E) 괜찮다면 그 벌은 제가 받겠습니다.

보면, 태하가 마천댁의 안내를 받으며 들어와 선다. 연우, 놀라서 보는데.

태하	저를 도와주려다 그리된 것이니까요. 그러니 이제그만 노여움
	푸시고 용서해 주십시오. (고개 살짝 숙이며 부탁하는)
연우모/연우	(흠… / 하며 태하 보는) / (왜 저러지? 싫지만 싫지는 않다)

∼ S#6. 연우 방 안 / 저녁

연우, 입 삐죽 내밀고 앉아 있다. 보면, 연우 앞에 자수틀과 그 옆으로 2~3단씩 잔뜩 쌓여 있는 옷감들이 보인다. 사월은 옷감들을 차곡차곡 정리하고 있다.

연우	(손으로 옷감 툭툭— 치며) 빨간색, 노란색, 파란색… 아주 가지가
	지다. (하…) 종일 해도 열흘 며칠은 꼬박 걸릴 텐데… (하아…)
사월	그래도 그 도련님 덕에 요 정도로 그쳤으니 얼마나 다행이에
	요~
연우	(그건 그렇지… 하며 태하 생각하는) …
사월	(태하 떠올리며) 근데 그 얼굴 보셨어요? 오뚝한 콧날에 눈매도
	크고 깊은 게 엄~청 잘 생겼던데. (아쉬운) 이름이라도 여쭤볼

걸 그랬나?

연우   (자기도 모르게 인정) 그러게… (흠~)

사월   (어라?!) 애기씨도 그리 보셨어요? (오!) 왜, 마음에 드셨습니까?

연우   ! (둘러대며) 아니거든! 그냥 이름을 몰라 감사 인사도 못 했다, 그거지!

하는데 이때, 문이 열리며 연우 조부가 들어온다. 연우와 사월, 자리에서 일어나는.

S#7. 호은당. 별채 뒷마당 / 저녁

연우와 호은이 배롱나무 아래 함께 서 있다.

호은   그 도령이 네게 계집이라고 막말을 했어? 그래서 코를 깨준 게야?

연우   예. 게다가 동무까지 괴롭히는 아주 못된 놈, (하다) 도령놈,이었습니다.

호은   (훗─ 웃으며) 그래, 그 계집이란 말이 그리 화가 나더냐?

연우   … 그 말보다, 담긴 뜻이 더 싫습니다. 여인이라서 해선 안 된다, 할 수 없다. 그러는 것 같아서… 분명 공자께선 가르침이나 배움엔 차별이 없다 하셨습니다. 누구나 배우면 군자가 될 수 있다구요. 헌데 어찌 전 사내들처럼 공부할 수도 없고, 관직은 커녕 제 동네도 멋대로 다닐 수 없단 말입니까? 고작 여인이란 이유만으로요.

호은	그럼 어미에게 사실대로 얘길 하지, 어찌 그냥 벌을 받은 게 야?
연우	… 어머님께서 아시면 속상해하실 테니 그냥 벌 받겠다 한 것 입니다. (흠)
호은	(연우가 대견한, 머리를 쓰다듬으며) 그랬구나, 우리 연우가. (미소)

⌒ S#8. 연우 방 / 다른 날, 새벽

연우, 자고 있는데 문이 벌컥 열리며 사월이가 '애기씨!' 하며 뛰어 들어온다.

연우	(눈 비비고 일어나 앉아, 사월을 보며) 왜… 무슨 일인데…
사월	(연우 앞에 와서, 울먹) 애기씨… 큰 대감마님께서… (울음이 터진다)
연우	(아직 잠이 덜 깬) 응? 할아버님…? (하다) 할아버님이 왜…? (하는데)

⌒ S#9. 호은당, 사랑채 안 + 마당 / 낮

상복을 입은 집안 어른들(*남자)이 모여 있다. 상석엔 연우 작은할아버지가 보이고.

작은조부	재원이 너, 네가 형님께 얼마나 큰 불효를 했는지 알고는 있느냐? (하…) 손주 하나 보지 못하고 눈을 감으시다니. 집안이 어찌 되려고, 쯧쯧쯧. 남들은 첩실이나 양자라도 들여 대를 잇는

32

다는데 왜 그리 고집인지.

연우부   송구하옵니다. 허나 숙부님, 그건 제 뜻도 아버님의 뜻도 아
           닙,(니다)

작은조부   (O.L) 정녕 집안의 대를 끊을 생각인 게야! (하!) 첩실도 양자도
           다 싫으면 장손 자리도 내놓거라!

사랑채 마당/ 그 얘길 다 듣고 서 있는 연우, 주먹을 꼭 쥐는.

사랑채 안/

작은조부   연우 그 아인 어차피 출가외인이 될 거고, 그럼 박씨도 아닌 게
           지.

연우부   (화가 나 주먹을 꼭 쥐지만, 애써 참는)

어른1   (말리며) 작은 형님, 그만하시지요. 상중 아닙니까.

작은조부   (큼…) 혼담이 들어오면 빨리 시집이나 보내거라. 양자 문젠 그
           후에 다시, (하는데)

이때 문이 벌컥 열리고 연우가 방으로 들어온다. 다들 놀라서 쳐다보는.

연우   (꾸벅 인사하곤) 말씀 중에 죄송합니다. 하오나, 작은 할아버님
           께서 참으로 이상한 말씀을 하시기에 소녀 잠시 허락도 없이
           들었사옵니다.

다들   (어허~ / 큼큼… / 뭐 하는 게야! 하면서 불편한 기색을 표현하는)

연우부   (당황하며) 연우야! (하는데)

연우   제 아버님은 함양을 본관으로 하는 문부사공파 17대손인 박,
           재자 원자 되십니다. 아버님 딸인 저 또한 박가구요. 헌데 왜

출가외인이 되면 더는 그게 아니라 하시는지요? 제가 김가와 혼인하면 김연우가 되는 겁니까?

작은조부   (기막힌) 뭐라?!

연우부   (연우에게) 어허! 예가 어디라고, (하는데)

연우   (O.L) 또! 할아버님께선 생전에 단 한 번도 제 부모님께 불효했다 하신 적 없으셨습니다. 하여 묻겠습니다. 아들을 못 낳은 게 그리 큰 죕니까? 원치 않는 첩을 들이고, 양자를 볼 만큼 잘못된 일이냔 말입니다.

작은조부   (파르르 떠는) 예가 어디라고 감히 계집애가 목소리를 높여?!

연우   (지지 않고) 전! 계집애가 아닌! 돌아가신 할아버님의 하나뿐인 손녀이고, 연우란 이름을 가진 박씨 집안 사람입니다.

연우부   (벌떡 일어나, 연우 손잡으며) 나오거라!

연우   (버티며) 허나 출가외인이 돼 더는 박씨 가문 사람이 될 수 없다 하시면 그런 혼인 따윈 절대 하지 않을 겁니다!! (하는데)

연우부   (더는 안 되겠다 싶어, 연우 뺨을 후려친다)

연우/다들   !!!!! / (뒷목 잡고 있다가 놀라서 보는)

연우부   (돌아서서) 정말 송구합니다. 여식을 잘못 키운 제 탓이니 부디 노여움 푸시지요. (고개 숙여 인사하고, 연우 손잡아 밖으로 끌고 나간다)

사랑채 마당/ 연우부가 연우와 나오자, 연우모 놀라서 한달음에 다가온다.

연우모   (연우 얼굴 보다가) ! (연우부에게) 때리셨습니까?

연우부   (연우를 보는데 맘 안 좋은) 방으로 데려가세요. (하는데)

연우   (대청에서 뛰듯 내려와 마당을 가로질러 어디론가 뛰어간다)

연우모   (!!) 연우야!! (힐끔 원망스레 연우부를 보더니 연우를 쫓아간다) 연

34

우야!!

연우부   (속상하고 답답해 한숨만 나오고)

〰 S#10. 초원 / 낮

이를 앙다문 채 말을 타고 정신없이 달려가는 연우의 모습.

〈인서트// 연우와 할아버지의 즐거운 추억 몽타주
- 배롱나무에다 연우 키를 대고 선을 그으며 놀란 듯 보는 호은.
- 연우가 말을 타고 있고, 흐뭇한 표정으로 보고 있는 호은 위로.

호은   (E) 뭐든 네가 원하는 걸 하려므나. 이 할애비가 언제나 지켜볼
          터이니.〉

연우, 눈물이 날 것 같지만 꾹 참고 열심히 말을 타고 간다.

〰 S#11. 숲 / 낮

태하, 돌탑을 쌓을 돌을 찾고 있는데 다다다— 말 달려오는 소리가 들린다.
보면, 연우의 말이 태하를 향해 오고 있다! 연우, 태하를 발견하고 급히 고
삐를 잡아채자 히잉— 멈춰서는 말! 그 반동으로 연우가 말 위에서 떨어지
자 태하가 재빨리 연우를 안으며 바닥으로 쓰러진다. 잠시 후 정신 차린 연
우, 그제야 태하에게 안겨 있다는 걸 보고.

연우   (힉!, 벌떡 일어나 옷매무시를 가다듬으며) 뭐, 뭐 하는 거야!!

태하	(몸을 일으켜 세우며) 으… (하다가) 괜찮냐고 묻는 게 먼저 같은데….
연우	(아차!) … 괜찮,(아? 하려는데)
태하	(고쳐 앉으며) 생각보다 꽤 무거운 것만 빼면 괜찮아.
연우	! (휙- 보며, 빽!) 무겁긴. 누가!
태하	(홋- 옷을 털며) 기운이 넘치는 걸 보니 다치진 않은 모양이구나? (하다가) 근데 말 타는 건 어디서 배웠어? 잘 타던데?
연우	!! (할아버지가 떠오른다) …. (눈물이 뚝- 떨어지는)
태하	!! (당황) 왜 그래? 아파? 다친 거야? (하는데)
연우	(울음 참으려는) 할아버지… (흑) 할아버지가 가르쳐 주셨… (눈물 터지고)
태하	(그제야 연우의 하얀 상복 발견하고) …. (말없이 지켜주듯 바라보는)

〰 S#12. 숲속 냇가 / 낮

연우, 냇물에 손에 담가 맛있게 물을 마신다. 태하는 뒤쪽 바위에 앉아서 보고 있고.

연우	이제 좀 살겠다. (태하 옆에 와 앉는) 근데 아까 거기서 뭐 하고 있었어?
태하	(흠…) 돌을 찾고 있었어, 돌탑을 쌓으려고. (사이) 예전에 어머니랑 자주 만들었거든. 간절히 바라고 또 바라면 언젠가 꼭 이루어진다고.
연우	그래? (잠시 생각하다가) 그럼, 나랑도 같이 만들자!

(CUT TO) 연우와 태하, 함께 돌탑을 쌓고 있다. 조심조심 작은 돌탑을 쌓는 둘.

연우	(마지막 돌을 얹고선) 다했다!! (태하 보며) 무슨 소원 빌었어?
태하	(아프지 않게 해주세요, 였지만) … 넌?
연우	나? (흠~) 비~밀! (하다가) 실은 조금만 덜 혼나게 해달라고 빌었어.
태하	(걱정) 정말 작은할아버님께 그렇게 소리치고 나온 거야?
연우	(끄덕, 칫!) 진짜 웃겨. 계집이든 사내든, 사람인 건 똑같은데. (태하 보며, 괜히) 좋겠다~ 넌, 사내로 태어나서.
태하	아니, 오히려 난 네가 부러운 걸?
연우	? (보는)
태하	… 난… 뭐든 마음껏 할 수가 없어. 너처럼 말을 탈 수도 없고, (그립다) 어머님이 보고 싶어도 뛰어갈 수도 없으니까.
연우	왜? 왜 못하는데?
태하	…… (가슴에 병증이 있단 말을 할 수가 없다)
연우	(보다가, 태하의 복건을 확! 낚아채 도망친다) 그럼 이것도 못 뺏겠네?!
태하	! (연우 쫓아가며) 하지마! 이리 줘~ 달라니까!!

태하, 연우를 열심히 쫓는데 뛰다 보니 콩닥콩닥— 심장 뛰는 소리가 나쁘진 않다. 앞에서 뛰어가던 연우가 틱! 바닥에 앉자, 태하도 숨을 몰아쉬며 연우 옆에 앉고.

연우	(복건을 주며) 잘만 뛰면서 뭘.
태하	(하… 하… 거친 숨을 몰아쉬며) 오랜만이야. 이리 뛰어 본 건.

연우   (숨을 가다듬고) 난, 나중에 꼭 청나라에 갈 거야. 여인이라서
         안된다고 하면, 더 갈 거야. 그러니까 너도, (태하 보며) 어떤 것
         에도 널 가두지 마. 봐, 이렇게 뛰어도 괜찮잖아. (웃어 보이는)

태하   (환히 웃는 연우의 모습에 심장이 마구 두근거린다. 아름답고, 아름답
         다)

연우   (아!) 참! 이름이 뭐야? 난 연우야, 박연우.

태하   (마음속에 담아두듯이) 박. 연. 우? (하는데)

이때, 저쪽에서 '애기씨~ 연우 애기씨~' 하며 연우를 찾는 사람들의 목
소리가 들린다.

연우   어! 마천댁이다! (태하 보며) 잠깐만! (하고는 소리 나는 쪽을 향해
         간다)

태하, 가는 연우를 보다가 바닥에 떨어진 연우의 노리개를 발견한다. 태하,
노리개를 주워 들고 보는데 뒤쪽에서 태하부가 '태하야' 부르는 소리에 어
쩔 수 없이 노리개를 들고 '네, 아버님!' 하며 간다. 잠시 후, 연우가 다시
뛰어오는데 태하는 가고 없고.

연우   벌써 갔나? (하고 가려다가 둘이 쌓은 돌탑을 보는) … (돌 하나 주워
         서 올려놓고 소원을 빈다) …. (그 아이와 내 소원이 꼭 이루어지길!!)

마천댁   (E) 애기씨! 또 어디 가셨어요!

연우   (돌아보며) 여깄어! 지금 갈게! (후다닥 뛰어가고)

연우와 태하가 함께 쌓은 돌탑이 마치 뛰어가는 연우를 바라보는 듯 하다.

1부

—

나는
조선의 원녀다!

⌒ S#1. 한양 저잣거리 + 비단 가게 / 낮

수많은 여인들이 번호표를 들고 기대에 차서 비단 가게 앞에 줄을 지어 서 있다. 앞에선 직원이 번호표를 확인하고 순서대로 안으로 들여보내는 중.

가게 안/(*현대 옷가게처럼 꾸며놓은) 아름다운 자수가 놓인 옷감들로 만든 옷들이 횃대(*옷걸이)에 걸려 있다. 여인들, 옷들을 보면서 '와~' '너무 곱다~' 감탄하고. 가게주인, 그 옆을 지나다니며 '어허! 손들은 대지 마시고!' 잔소리 중이다.

여인1   (여인2에게) 이게 다 그 호접선생 옷이란 거지?

여인2   요새 한양에서 젤 잘 나가는 옷들이야. (슬쩍) 돈을 곳간째로 번대~!

이때, 쓰개치마를 쓴 조상궁이 주인에게 다가와 돈주머니를 건넨다. 주인, 주머니를 확인하고 조상궁을 안쪽으로 데려가는데 보면, 한쪽에선 침모들이 옷을 만들고 있고, 한쪽엔 런웨이 같은 공간에서 한복 모델들이 순서대로 워킹 중이다. 양반, 평민 상관없이 섞어 앉아 서책에 그려진 한복 그림(*카탈로그)을 보며 워킹을 구경하고 있고. 조상궁, 그곳들을 지나쳐 이내 가게주인이 안내하는 밀실로 들어가고.

⌒ S#2. 비단 가게, 밀실 안 / 낮

조상궁, 안으로 들어와 쓰개치마를 벗다가 흠칫! 놀란다. 한복들이 나무 마네킹에 전시돼 있고, 그 주변으론 자수 작품과 아름다운 비단, 고운 자수실, 각종 한복 장식에 쓰이는 부자재들이 무슨 신세계처럼 보인다. 조상궁, 넋을 놓고 보고 있는데 밀실 안쪽에서 노리개처럼 회중시계를 달고 나비 자수가 놓인 너울(*얼굴만 가릴 정도, 짙은 푸른색)을 쓴 연우(*27세)가 손에 자를 들고 조상궁 앞으로 다가와 선다.

조상궁	누구… (너울에 놓인 나비 자수를 보고) 설마… 호접선생이시오?
연우	(고개만 살짝 끄덕이더니) 벌리시지요.
조상궁	(엥??) 버, 벌려…? (하다, 당황!!) 무얼 말이요?
연우	(들고 있던 자로 조상궁의 팔을 툭— 친다!)
조상궁	(깜짝! 했다가 양팔을 옆으로 슬그머니 벌린다) ….
연우	(조상궁의 치마끈을 잡아 풀려고 한다)
조상궁	! (화들짝 놀라, 끈을 잡으며) 아니, 이 무슨!
연우	속곳을 만들러 오신 게 아닙니까? 그럼 치수를 재야지요.
조상궁	(난감) 그렇긴 하나… 반가의 여인이 어찌 함부로….
연우	(O.L) 제 옷이 싫으면 나가시죠. (회중시계로 시간 확인) 워낙 바쁜 사람이라. (돌아서는데)
조상궁	(!) 아, 아니오! (하더니 다급하게 치마끈을 풀며) 벗겠소, 벗지요!

바닥으로 조상궁의 치마, 무지기 치마, 대슘 치마 등이 빠르게 떨어진다. 연우, 가죽 줄자를 눈앞으로 들어 쭈욱— 펼치며 씩— 웃는다. 그 위로

여인2	(E) 그 얘기 들었어? 호접선생이 만든 옷을 입고서,

41

S#3. 몽타주 / 낮 – 연우의 옷을 입은 여인들의 모습들

1. 화연옥, 정자/ 넋이 나가 뭔가를 보는 양반들. 보면, 꽃 자수가 놓인 검은 시스루 한복을 입은 기생이 장구춤을 추고 있다. 춤사위가 어찌나 아름다운지, 구경꾼들 중 누구는 눈물을 훔치고, 도리질하고, 술이 입 밖으로 흐르는데 입만 쩍 벌리고 있다.

여인2   (F.) 화연옥 기생 하나는 제2의 황진이가 됐고!

2. 거리/ 화사한 치마와 붉은 꽃 수술이 달린 저고리의 여인(*추녀)이 슬쩍 손에 쥔 손수건을 떨어트리자 갑자기 사내들이 몰려들어 서로 줍겠다 난리인데. 이때, 여인이 치마를 슬쩍 들자 시스루 버선(*나비 자수)이 보이고, 사내들, 헉!! 눈 땡그래진다!

여인2   (E) 개롱골 못난이 원녀는 시집을 갔다잖아!

S#4. 비단 가게, 밀실 / 낮 – 현재

시스루 천을 가위로 막 잘라내고 있는 연우와 그 모습을 넋 놓고 보고 있는 조상궁!

여인2   (E) 호접선생은… 의복의 신이야, 신!

〜 S#5 비단 가게 안 / 낮 → 저녁

여인1, 헉! 놀란 얼굴을 하더니 재빨리 횃대에 걸려 있는 옷들을 마구 꺼내 잡으며 '이거 다 주시오, 이것도!!' 하며 난리다. 그러자 여인2는 물론이고 다른 사람들까지 질세라 달려들어서 '나도 주시오!' 소리치고.

(CUT TO) 시간 경과. 어느새 밤이다. 가게 영업이 끝난 분위기.
수인, 본 상사에 산뜩 든 엽진을 세고 있는데 너울을 쓴 연우가 다가온다

가게주인 (큼. 상자를 재빨리 닫고는 작은 엽전 꾸러미를 꺼낸다) 수고했소.
연우   (엽전 꾸러미 들고선) 왜 이것뿐이오? 오늘 팔린 것만 해도 얼만데.
가게주인 (부러) 요샌 예전의 반도 안 되오. 호접선생, 감이 좀 떨어진 거
         아니슈?
연우   (그래?) 그럼 거랠 접어야지. (엽전 꾸러미 내려놓으며) 안 그래도
         오금골 비단 가게에서 사람을 구한다던데, (하는데)
가게주인 (!) 자, 잠깐!! (쯧) 거, 성질하곤. (상자에서 엽전 꾸러미 하나 더
         꺼내며) 이번은 그 정도로 봐주쇼. 침모들 품삯에, 원단값에 나
         도 힘드니까.
연우   알겠는데, (쏙ㅡ 엽전 꾸러미 밀며) 누구의 감이 어쩌고, 어쨌다?
가게주인 (헙!) 무스은~!! 호접선생 옷 짓는 솜씬 누가 뭐래도 최고지~!
         한양, 아니 조선 팔도에서 최고! 감이 끝내줘~!
연우   (그제야 만족, 엽전을 챙기며) 며칠 후에 다시 오겠소. (가는)
가게주인 예~예~ 그때 보십시다요. (하다가, 쯧!) 어찌 한 번을 안 져, 한 번을!
         두고 봐. 내 꼭 저 콧대를 확! 눌러줄 테니. (하다) 근데 얼굴은
         왜 맨날 가리고 다녀? 얼마나 못생겼길래… (갸웃) 곰본가?

43

～ S#6. 비단 가게 앞 / 저녁

연우, 엽전 꾸러미를 들고 품에서 회중시계 꺼내 보는데 8시를 향해 가고 있다. 이크! 늦었다 싶어 후다닥 가게 뒤쪽으로 뛰어가 다시 앞으로 나오는데 보면, 어느새 얌전한 애기씨 차림의 연우로 돌아와 있다! 세상 귀하디귀한 애기씨 모습의 연우 위로,

TITLE 1부. 나는 조선의 원녀다!!

～ S#7. 호은당 전경 / 저녁

～ S#8. 호은당 별채 앞 + 안 / 저녁

사월(*26세), 고개를 쭉 내밀고 초조하게 연우를 기다리고 있다.

사월	애기씬 아직이신가?? 곧 있음 마님께서 오실 텐데… (하는데)
연우모	(별채 마당으로 들어온다)
사월	! (헉!! 쪼르르 연우모 앞으로 가) 마님, 오셨습니까!
연우모	그래. 연우는 무얼 하고 있느냐? 벌써 자는 건 아니겠지.
사월	그것이… 서책을 보고 계십니다. (어색하게 웃는)
연우모	서책? (별채 쪽을 보는)

창문으로 앉아 있는 연우의 그림자가 보인다. 하지만!!

별채 안/ 댕기머리(*실로 만든)와 한복을 입은 솜인형 상체가 경상 앞에 앉아 있다.

별채 밖/ 연우모, 그냥 돌아서서 가려다 이내 멈춰 선다. 사월, 긴장하고!

～ S#9. 호은당 별채 뒷마당 / 저녁

마당 안으로 툭— 떨어지는 너울. 이내, 끙차! 연우가 담벼락으로 올라온다. 연우, 다리 하나를 담벼락에 걸치고 고개를 드는데 헉!! 보면, 연우모가 옆에 사월이와 솜인형(*S#8)을 세워두고 활시위를 당긴 채 서 있다! 연우, 배시시— 웃다가 그대로 도망치듯 스륵— 담을 따라 뒤로 미끄러지자 피슉! 날아와 담벼락에 꽂히는 화살!!!

～ S#10. 호은당 별채, 연우방 / 저녁

연우모, 상석에 앉아 말없이 연우를 쳐다보고. 연우, 어쩌지…? 하다가

연우 (슬픈 척) 오금골에 사는 제 친구 정실이 아시죠? 정실이가 몸
    이 아~~주 아프다고 해서 잠시 병문안 다녀오느라,
연우모 (O.L) 정실인 지난 달에 셋쨀 출산하고 청주 외가에 있을 텐데.
연우 (바로) 그죠!! 청주 외가! (뻔뻔) 그 청주에 있는 정실이가 걱정
    돼 아랫것에게 병세를 물어보려고 잠시 나갔다가, (하는데)

연우모, 경상 아래 있던 염정소설을 연우 앞으로 휙! 내던진다. 펼쳐진 염

정소설엔 남녀가 키스하는 삽화가 보이고. 연우, 재빨리 책을 덮고선 헤헤 웃는데.

연우모	(하!) 허구헌날 염정소설은 읽어대면서 어찌 시집은 안 가겠단 게야? (답답한) 대체 어쩌려고!
연우	(민망한, 헤헤) 어머님도, 참… (염정소설을 챙기며) 이건 지극히 개인적인 호기심과 학문적 탐구의 일환으로,
연우모	(O.L, 경상을 탁! 매섭게 내려치며) 박연우!
연우	! (머릴 조아리며) … 죄송합니다. (작게 중얼) 그래두 재밌긴 한데…. (쩝)
연우모	(울화) 네 동기는 다들 혼인해서 아이 낳고 잘만 사는데, (하다가, 참고) 인제 그만 좀 가라! 시집 좀 가라고, 제발! 쫌—!!
연우	(불쌍한 척) 한양 제일의 원녀로 소문난 절… 누가 데려가겠습니까….
연우모	(얼씨구?!) 소무~~운?! (어쭈!) 소문이라고?!

～ S#11. 몽타주 / 낮 – 매파를 골탕 먹이는 연우

1. 연우 방 앞 + 방 안/ 연우모와 매파가 오고 있다.

매파	대군댁에서 혼담이 들어오시다니 축하드립니다.
연우모	축하는 무슨. (그래도 좋다) 자네가 애썼지. (하면서 방문을 여는데, 헉!!!)

방 안/ 어린연우(*12세) 보란 듯이 코를 파고 그 손가락으로 머리를 긁었다

가 입에 넣으며 사팔뜨기 흉내 내는! 매파는 헐!!, 연우모는 오만상!

2. 별채 툇마루/ 매파가 툇마루로 올라가려는데 이때, 문이 벌컥! 열리더니 방에서 얼굴에 빨간 점이 가득한 어린연우(*12세)가 나온다. 연우, 몸여기저기를 벅벅 긁으며 매파에게 다가와 '등 좀 긁어주겠나?' 하고…, 매파, 엄마야~ 하고 도망치는.

3. 별채 마당/ 매파, 마당으로 들어서는데 옆으로 휙! 화살이 날아온다. 헉! 놀라서 보면, 벽에 짚으로 만든 인형 같은 게 있고…, 연우(*27세)가 툇마루에 서서 활시위를 당겨 인형을 조준하며 매파를 쳐다보며 광녀처럼 '흐흐흐—' 웃는다!

(CUT TO) 호은당 앞으로 매파가 '으아악!' 소리치며 뛰쳐나오자, 지나가던 행인들 '또 호은당 얘기써야?' '쯧쯧쯧' '대단한 원녀야, 원녀!' 하며 손가락질하고 난리다.

〜 S#12. 호은당 별채, 연우방 / 저녁 – 현재

연우모   네가 쫓아낸 매파가 몇인 줄이나 알아?!

연우   (헤헤 머리를 긁적이며, 쩝—)

연우모   (보다가) 대체 왜 그리 혼인하기 싫단 게야? 응!

연우   (조개처럼 입을 꾹 다무는) …….

연우모   (화 삭이며) 여태까진 돌아가신 네 할아버님 뜻을 생각해 그냥 뒀으나 더는 못 참아! 그리 알고 각오해! (일어서서 가려는데)

연우   !! (따라 일어나 연우모 치맛자락 잡으며 애교) 어머니~~ 그냥 아버님이랑 저랑 이렇게 알콩달콩 함께 살면 안 돼요? (최대한 귀여운 척) 예?!

연우모	(획! 치맛자락 빼내며, 강조) 안. 돼! (흘기고는 획─ 나가버리는)
연우	(후… 하며 가는 어머니의 뒷모습을 보는)

◠ S#13. 호은당 별채 툇마루 / 밤

연우, 생각이 많은 표정으로 툇마루에 걸터앉아 별을 보고 있다.

사월	(율란이 든 그릇 가져와 연우 옆에 앉으며) 저녁, 아직이시죠?
연우	율란이네?! (집어 먹으며, 좋다) 음~ 맛있어. 역시, 사월이뿐이야~
사월	(보다가) 이젠 어쩌실 겝니까? 마님께서 단단히 맘먹으신 것 같던데.
연우	그래서~ 니가 대신 소문 좀 내줄래? 호은당 애기씨가 미친 광증 때문에 밤새 막, (연기하며) 엉엉~ 울었다가, (웃으며) 하하하! 웃었다, 난리라고.
사월	(헐) … (혼잣말처럼) 어차피 한양 제일의 광녀인 거 다 아는데 뭣하러,
연우	(O.L, 잘 못 들었다) 응? 뭐??
사월	(!) 아, 아니에요. (하다) 헌데 왜 그리 혼인이 싫으세요? 염정소설 속 화끈한 사내들은 음~청 좋아하시면서!
연우	(대충 둘러대듯) 거야 뭐… 그냥 어쩌다보니까….
사월	(보다가) 일단 그 도둑 장사부터 얼른 그만두세요. 마님께 들키면 어쩌시려구요~ 귀하디귀한 금쪽 같은 반가의 여식이 몰래 그런 속곳이나 만들어 팔다 잡히면 그… 풍기… 풍기물… (뭐더라?)

연우	(받아서) 풍기문란, 반가의 법도, 내훈이 어쩌고 하면서 난리가
	나겠지.
사월	그리 잘 아시면서. (율란 먹는)
연우	(하…, 뒤로 벌러덩 누워 별들을 보다가) 쟤들은 좋겠다. 저 넓은
	하늘에서 제멋대로 살 수 있으니.
사월	(따라서 벌러덩, 별 보며 손 모아서) 아이고, 별님~ 우리 애기씨 업
	어갈 서방님 좀 내려주세요! 빨랑 제정신 좀 차리시게!!
연우	포기해, 사월아. 그건 하늘님도 못하실 건…. (생각 많은 얼굴로
	별만 본다)

⌒ S#14. 태하 집, 태하 방 / 밤

태하(*28세), 창밖의 별을 보다가 경상을 쳐다본다. 경상엔 나비 모양 은
노리개(*연우 것)와 서책(*태하 일기)이 있고, 그 옆엔 태하가 그린 그림(*
나비 노리개를 하고 회중시계를 든 어린연우)이 보인다. 태하, 그림을 보고 있
는데 문이 열리고 서찰을 든 윤씨부인이 들어온다. 태하, 재빨리 그림과 노
리개를 숨기고 윤씨부인을 맞는다.

태하	(상석을 내어주며) 이 시간엔 어인 일이십니까.
윤씨부인	(상석에 앉더니 서찰을 경상에 올려놓는다) 네 혼처를 받아왔다.
태하	(!, 자리에 앉고) 전 혼인할 생각, 없습니다.
윤씨부인	그게 어찌 네 뜻대로 정할 일이더냐? 장남이면 집안 생각도 해
	야지. (나무라듯) 과거를 보란 것도 아니고. (쯧)
태하	….
윤씨부인	우리 집안이 비록 재물은 어느 정도 있다 하나, 네 조부님과 아

버지께선 그저 진사에 머물러 계신다. (서찰을 태하에게 밀며)
이 정도 되는 집안과 혼인 맺는 게 어디 쉬운 줄 아느냐?

태하   (서찰을 받아 펼쳐 보는데 일순 눈이 커진다) ?!

윤씨부인   곧 혼렛날을 잡을 것이니 그런 줄 알거라.

태하   (뭔가 생각 많은 표정이고)

～ S#15. 저잣거리, 비단 가게 안 / 다른날, 낮

주인, 거드름을 피우며 있고… 호접선생(*너울 쓴)으로 변한 연우가 탕! 책
상을 내려친다!

연우   거래를 끊겠다니 그게 무슨 소린가!!

가게주인   (얄밉게) 뭔 소리긴, 말 그대로지~! 호접선생하곤 더 볼일 없
           소!

연우   (하!) 자네가 내 덕에 돈 좀 벌었다고 뵈는 게 없는 모양인데~
           나 호접이요, 호접! 한양에서 제일 잘 나가는 옷을 만드는, (하
           는데)

가게주인   (O.L) 것도 한때지. (책상 위에 종이 꾸러미를 올려놓으며) 요새
           유행이 얼마나 빠른데~

연우, 주인이 내놓은 종이를 살펴보는데 연우가 디자인한 옷들을 카피한
한복 그림(*카탈로그/혹은 스케치)이 잔뜩이다. 연우, 놀라서 보는!!!

가게주인   이제 호접선생 옷도 한물갔단 말이요. 똑~같은 게 이리 많은
           데. (낄낄)

50

연우   ! (들고 있던 종이를 책상 위로 쾅! 소리 나게 내려놓는다)

가게주인   (헙! 놀라서 보는, 깨갱~)

～ S#16. 저잣거리 + 광대 놀음터 / 낮

연우(*호접 차림), 씩씩거리며 걸어가고 그 옆을 사월이가 따라가고 있다.

연우   감히 내 옷을 멋대로 베껴?! 누군지 걸리기만 해봐…. (주먹 불끈) 죽었스!

사월   (달래듯) 차라리 잘됐어요~ 이 기회에 그냥 옷 만드는 거 관두시고,

연우   (O.L) 안 돼! 절대 싫어. 내가 그만두면 몰라도 이렇겐 싫다구!

사월   (쩝) 그럼 어쩌시려구요, 거래처도 다 끊겼는데. (하는데)

이때, 어디선가 와~ 하는 소리가 들린다. 연우와 사월 돌아보는.

광대 놀음터/ 광대들이 놀이 중이다. 탈 쓴 광대들이 무술을 하듯 재주를 보여주고, 북을 든 광대는 신나게 북을 치며 무대에서 이목을 집중시키고 있다.

광대   조선 팔도에! 것도 이 한양에서 젤~로 유명한 것이 무엇인지 아시오들!

남자1   (손 번쩍 들고) 거, 내 실한 (허벅지 치며) 허벅지! 이건 어떤가!

사람들   (에이~ / 뭔 소리야~ 하면서 뭐라 하고)

광대   (도리질) 에이~ 고놈의 허벅진 밤에 마나님한테나 쓰시고.

사람들	(하하! 웃는) / (손들고) 북한산 호랭이! / 동자골 점바치! / 한양 도성!!
광대	(사람들을 향해) 땡!땡!땡!! 아니지~ 아니요! 한양에서 젤 유명한 것은!

이때, 뒤에서 선비 차림의 광대가 엉덩이부터 실룩거리며 들어온다.

광대	바로바로~ 진사골의 광부● 추남이~!
추남광대	(획! 고개를 돌리면 못생긴 탈을 쓴 얼굴로 얼쑤! 춤을 춘다)
광대	생겨도 생겨도 너무 못생겨 스물여덟 먹도록 여적 장갈 못 갔는데!

추남광대, 못생긴 탈을 쓰고 아낙들 앞에서 우스꽝스런 춤을 추자 질색하는 아낙들.

광대	추남이에게 찰떡궁합이 나타났으니~! 배롱나무 대감댁 원녀●● 광년이라!

연우광대, 웃긴 탈을 쓰고 댕기를 손으로 빙빙 꼬아 돌리며 광년이 흉내 중이다. 사람들, 연우광대 하는 짓에 배꼽 빠져라 웃고 난리가 났다.

연우	! (너울의 천을 들어올려 보며) 저 광년이… (사월 보며) 나야??
사월	한양서 젤로 유명한 원녀가… 누구겠어요…? (큼)

● 광부 : 조선시대 노총각을 이르는 말.
●● 원녀 : 조선시대 노처녀를 이르는 말.

연우	(헐!) 그럼 광부 추남인 누군데?
사월	있어요, 진사골에. 어마하게 못생겨서 얼굴만 봐도 다들 혼절한다는.
연우	그래…? (하며 광대들 보는)
광대	얼씨구 저절씨구! 광년이랑 추남이! 언제쯤이면 혼인을 할란가!

연우광대와 추남광대, 서로의 엉덩이를 부딪치며 꼬시고 한판 신나게 노는데, 연우, 휙― 뒤를 돌아 어디론가 급히 간다.

사월	! (따라가며) 애기씨! 또 어딜 가세요! (따라가는)
연우	어디긴! (눈 반짝!) 광부 추남 혼인시키러 간다! (씩― 웃으며 가는)

〜 S#17. 태하 집, 마당 / 낮

잔치 준비로 바쁜 모습이다. 여종들은 한쪽에서 음식 준비 중이고, 남종들은 자리를 펼치는 등 분주하고, 윤씨부인이 종들 사이를 왔다 갔다 하며 일을 시키는데. 화면, 자연스럽게 마당의 여기저기 보는 망원경 시선으로 디졸브.

〜 S#18. 태하 집 인근 언덕 / 낮

연우(*너울은 돌 위에 두고), 망원경으로 태하 집 마당을 살펴보다가 쓱― 내리는데.

사월	(헉헉…, 연우 옆으로 와) 저 댁에… 잔치가 있는 모양입니다. 작

은 도련님 생신이라네요. (숨 고르는)

연우   잘~됐네! 사람들 붐빌 때가 잠입하기 제일 좋을 때니까.

사월   (헉!) 뭘 하시려고요~!

연우   저 집 광부 추남에게 내 옷을 입혀 장가보낼 거야. (홋!) 한양 최
          고의 광부를 혼인시킨 옷이란 소문만 돌면… 내 명성은 돌아올
          거라고!

사월   (헐~) 그냥 애기씨가 옷 지어 입고 시집가시죠. 그게 빠르겠네!

연우   (칫!) 됐거든! (하면서 앞으로 가는)

사월   (너울 들고 연우 따라가며) 저긴 어찌 들어가시려구요! 남녀가 유
          별하고, 엄연히 법도가 있는데―!! (대꾸 없자, 버럭) 아, 애기씨!!

〰 S#19. 태하 집, 마당 / 낮

왔다 갔다 하는 종들 사이로, 종으로 변장한 연우와 사월이가 멋지게 걸어
오고 있다!

사월   (연우 보며, 속닥) 증말 별짓 다 하시네.

연우   잠입의 묘민 변장이거든?! (주변 살피며) 그나저나 우리 추남인
          어디 있으려나~ (여기저기 보며) 별채? 아님, 사랑채? (하는데)

늙은여종   (다가와) 니들 거서 너갱이 빼놓고 모하냐? 언능 와서 전 안 부
          치고!

연우   전…? (하며 사월 보는데)

늙은여종   아, 그래! 언능 오라고, 언능! (하다가) 근디… 누구여? 첨 본 거
          같은디?

연우/사월 !!

사월	(재빨리 늙은여종 팔짱 끼고 가며) 아~따 우리 할매! 요새 눈이 침
	침한가보네~ 나여요, 나!
늙은여종	(눈 비비며 따라가는) 누구? 언년이냐?
사월	예! 언년이요, 언년이! (하며 연우에게 빨리 가라고 발짓)

연우, 슬그머니 다른 쪽으로 가는데… 이때, 앞쪽에서 못생긴 선비가 지나
간다.

연우	! (선비 발견, 화색) 광~~부?! (씩ー, 선비 뒤를 쫓는)

⌒ S#20. 태하 집, 별채 마당 / 낮

못생긴 선비, 안으로 들어와 어디론가 가고. 잠시 후, 연우가 별채 마당으
로 들어온다.

연우	(못생긴 선비 찾으며, 주변 살피는) 어디로 간 거지…?

연우, 댓돌 위에 사내 신발을 발견하곤 슬그머니 툇마루로 올라가 검지에
침을 묻혀 방문 구멍을 뚫고 보려는데 이때, 문이 벌컥ー 열리며 태하가 나
온다! 놀란 연우가 어! 하며 뒤로 넘어지려는데 태하가 연우의 팔을 잡아
당겨 그대로 품에 안아버린다!

연우	(안겨서) !! (태하를 밀치며) 뭐 하는 짓입니까! (당황, 옷매무시 가
	다듬는)
태하	! (밀렸다 바로 서며) 너야말로 에서 뭐 하는, (하며 연우를 알아보

는) ?!

연우	(쯧!) 기척도 없이 문을 열면 어쩝니까? 깜짝 놀랐네.
태하	(연우 옷 보고 뭔가 있구나 싶은) … (장난치는) 어허~! 아랫것이 윗전에게 말을 참 함부로 하는구나!
연우	아랫것? (하!) 누가 아랫것이, (하다가 아차!, 급히) 아이고~ 도련님, 제가 너무 놀라 잠시 헛소릴 좀… (하하…) 그럼, 소녀는 이만.

연우, 급히 마당으로 내려와 가려는데 태하가 그 앞을 막는다. 연우, 응?
해서 보면.

태하	상전의 질문에 답은 해야지. (보며) 예서 뭘 하는 거냐, 물었다.
연우	그것이… (대충, 재빨리) 돌아다니고 있었습니다, 그럼. (하고 가려는데)
태하	(가로막으며) 무얼 하며 돌아다닌 게냐.
연우	(빠직!) … (참으며) 그냥 여기저기 집 구경 좀… 하하— (하며 가려는데)
태하	(가로막으며) 집이 아니라, 방 구경이겠지. (하며 방문의 구멍을 가리키는)
연우	! (큼…) 실은… 이 댁 추남, (하려다) 광부 도련님을 찾고 있었습니다.
태하	(광부?)

〰 S#21. 태하 집, 마당 / 낮

남녀 종들, 모여서 오~하며 뭔가 보고 있다. 보면, 사월이 가마솥 뚜껑에 기름 두르고 → 반죽 두르고 → 전 뒤집고 → 완성된 전 던져서 쌓는 모습 빠르게 컷컷으로 보이고. 어느새 사월 옆에 산처럼 쌓인 수많은 각종 전이 보이고, 사람들 박수치고 난리다. 사월, 어깨 돌리며 뭐 이쯤이야~ 하는데… 이때, 연우모와 마천댁이 윤씨부인과 함께 마당으로 들어오는 게 보인다! 놀란 사월, 헉! 하며 전을 들어 얼굴 가리고!

사월   !! (얼굴 가린 전 위로 눈만 내밀며, 중얼) 마님…?!

〰 S#22. 태하 집, 별채 인근 / 낮

태하   (연우를 보며) 그러니까 그 호접선생이란 분이 널 보냈다?

연우   예~! 호접선생 옷만 입으면 다들 뿅~ 갈 겁니다! 그럼 추남 도련님 장가가고 호접선생 기뻐하고! 꿩 먹고 알 먹고, 도랑 치고 가재, (잡고)

태하   ! (O.L) 자, 잠깐!! 추남? (설마) 이 댁 도련님이??

연우   예! 도성에서 젤로 유명하잖아요~ (하다가) 헌데 누구십니까? 관상을 보아하니 추남 도련님은 아닌 듯 한데.

태하   내가 누군지… 모르는 게냐?

연우   (뭐래?) 당연하죠~ 오늘 처음 뵀는데.

태하   (처음이라고? 뭔가 서운한) …. (말없이 보는)

연우   (태하 시선 부담스러운) 어쨌든 그만 갈 길 가보겠습니다. (하는데)

태하   (연우 막아서며) 데려다주마. 그 추남 도련님께.

연우   (응? 해서 보는)

S#23. 태하 집, 뒷마당 / 낮

연우, 태하와 함께 걸으며 주변을 살피는데 인적이 드문 곳이다.

연우   (뭔가 이상한) … 어딜 가는 겁니까? 여긴 사람도 별루 없는데.

태하   따라오면 안다.

연우   (의심) 정말 추남 도련님 친구분이십니까? 사기 치는 건 아니죠?

태하   (부러) 이름도 안 물어봤구나. 뭐라 부르면 되겠느냐?

연우   ! (이름??) 사, 사월입니다.

태하   사월…? (훗ー) 그래, 사월아. 도련님은 집에 안 계시니 다른 날 오거라. (문 가리키며) 저리로 나가면 사람들 눈은 피할 수 있을 거야.

연우   (헐!, 빠직) 뭐래애~ 도련님께 데려다준다더니?! (하!) 완전 사기꾼…! (하다) 아, 몰라! 나 못 가! 안 가! (하며 돌아서는데)

태하   (연우 팔 잡으며) 어딜 가려고! 그러다 누가 보면, (하는데)

연우   (O.L) 놔! 이 사기꾼아! (팔을 빼려다 뭔가 보고 놀란다) !

보면, 문으로 윤씨부인과 연우모, 마천댁이 들어오는 게 보인다. (*연우 시선에만)

연우   ?!! (눈 땡글, E) 어머님…?!

태하   그게 아니라, (안 되겠다 싶어) 연우,(낭자! 부르려는데)

순간, 연우가 태하 입을 막고 후미진 곳으로 끌고 가 숨는다. 좁은 곳에 딱 붙어 있게 된 두 사람! 태하는 연우에게서 눈을 떼지 못하는데 연우는 바깥을 살피느라 바쁘다. 이때, 바람에 날아오는 꽃잎을 따라 시선을 옮기던

58

연우가 태하와 눈이 마주친다! 당황한 연우, 태하 입술에서 손을 떼고 뒷걸음질 치다가 세워놓은 빗자루를 쓰러트리고, 연우모와 함께 가던 윤씨부인이 그 소리를 듣고 걸음을 멈추며 돌아본다.

연우모　　　(윤씨부인 보며) 왜 그러십니까?
윤씨부인　　잠시만요… (하더니 연우와 태하쪽으로 가며) 거기… 누가 있는 게냐?
연우/태하　　!! (놀라서 서로 쳐다보는)

윤씨부인이 점점 더 다가오자 연우가 어쩔 줄 몰라 하는데 이때, 재빨리 태하가 밖으로 나가 등을 돌려 연우를 가린다! 연우, 그런 태하의 등을 보는.

태하　　　　(윤씨부인에게 인사하며) 어디 다녀오시는 길이십니까?
윤씨부인　　(?!) 네가 어찌 여기에…?
태하　　　　잠시 산책 나왔다 지나가던 중이었습니다.
연우모　　　(태하를 보고, 다가오려 하자)
윤씨부인　　(태하에게) 방에 가 있거라, 나중에 얘기하자.

윤씨부인, 다시 연우모에게 가서 안채로 안내하고 가버리는 두 사람. 잠시 후, 연우가 태하 등 뒤에서 나와 안도의 한숨을 쉬는데 이때, 뒷마당으로 오던 사월이가 연우를 보곤 '애기씨!' 하고 부르려다 태하가 보이자 '오월아!!' 하며 온다.

사월　　　　오월아~ 너 여기서 뭐 합니까, 아니 뭐 해!
태하　　　　?! (연우 보며) 오월…이?
연우　　　　(어색한 웃음) 하하… 그게~ (하다) 오늘은 이만! (재빨리 뒤돌아

줄행랑!)

사월   (!) 아, 같이 가요!! 애기, 오월아!! (하며 따라가는)

태하   (풋! 웃음 터지는) 여전하네…. (그리운 듯, 가는 연우 보는)

⌒ S#24. 호은당, 연우 방 / 낮

지친 듯 벌러덩 보료 위로 주저앉는 연우(*평상복 입은)와 그 옆에 와 앉는
사월.

연우   (온몸 쑤시는) 아구우~ 막 뛰었더니 온몸이 다 아프네.

사월   근데 마님 말이에요, 그 댁엔 왜 가셨을까요??

연우   글쎄…. (대수롭지 않게) 잔치 구경이라도 가신 거겠지.

사월   그런데 잘 안 다니시는데… (하다가) 아, 맞다, 추남! 그 추남은
         보셨어요?

연우   어? (하다, 태하를 떠올리는)

〈플래시컷// S#23. 흩날리는 꽃잎 사이로 연우를 바라보는 태하의 시선.〉

연우   … (혼잣말처럼) 미남은 봤지. (하는데)

사월   미남요? 그게 누군데요?

연우   ! (괜히 찔려) 어? 아, 아냐! 아무것도.

사월   아닌데. 뭔가 있는 거 맞는데…. (의심스럽게 보는)

연우   (부러) 있긴 뭐가 있어! 됐고!! 넌 가서 다른 추남이나 좀 찾아
         봐. 이대로 호접선생의 명성을 똥수간에 처박히게 할 순 없으
         니까!

사월	아, 예예예~ (하며 연우 살피는데)
연우	(큼…, 괜히 하품) 하~ 나 졸려, 좀 잘래. (하며 돌아눕는데)
사월	(쓰읍~ 분명 뭔가 있는데, 싶고)

∼ S#25. 대궐 전경 / 밤

∼ S#26. 옹주 처소 앞 / 밤

보따리를 든 조상궁, 주변을 살피며 조심스럽게 옹주의 처소 안으로 들어
간다.

∼ S#27. 옹주 처소 안 / 밤

옹주(*15세), 종아리가 훤히 보이는 치마에 화려한 저고리와 배자, 무릎
까지 올라오는 시스루 버선(*스타킹 느낌)을 신고 빙그르르 돌며 좋아하고
있다.

옹주	조상궁, 이 치마 좀 봐! 너~무 예쁘지? 이 버선도 엄청 맘에 든다?!
조상궁	(칭찬) 정말 고우십니다, 옹주마마. 아주 그냥 선녀가 따로 없네요!
옹주	도성에서 젤 잘 나가는 옷이라더니 달라도 완전 달라~!
조상궁	그래서… 저도 하나 장만해봤는데~ 어떻습니까?!

조상궁, 슬쩍 치마를 들자 검은 꽃잎이 수놓인 붉은 시스루 속곳 바지가 보인다. 옹주와 조상궁, 하이파이브 하며 꺄~ 좋아하는데 이때, 문이 벌컥 열리더니 임금이 들어온다! 놀란 옹주 그대로 얼음이 돼 서 있고, 조상궁은 주저앉아 머릴 조아린다.

옹주/조   !! (놀라) 아바마마!! / !! (머리 조아리며) 주… 주상전하!!
임금   (옹주 모습에 잔뜩 화가 나, 삿대질하며) 이이이…!!!

⌒ S#28. 근정전 안 / 다음날, 새벽

대신들이 양쪽으로 늘어서 있고 그 앞으로 던져지는 옹주와 조상궁의 옷! 대신들, 화들짝 놀라 웅성거리는데 어좌에 앉은 임금이 불호령을 내린다.

임금   (화난) 이 불손하고 흉물스런 옷들이 도성 안의 풍속을 어지럽히고 있다 들었는데 대체 경들은 무얼 하는 게요!
연우부/대신들   (고개 조아리며) 송구하옵니다, 전하!
임금   엄연히 의복에도 법도가 있거늘! 오늘 당장 저 흉측한 걸 만들고 유포한 자들을 잡아 그 죄를 엄히 물어야 할 것이오!

⌒ S#29. 호은당 별채, 연우 방 / 아침

밤새 자수를 뒀는지 수틀과 실은 물론이고 치마와 저고리, 속곳, 버선 등을 그린 종이가 사방에 펼쳐져 있다. 난장판 속에 대자로 뻗어 드르렁 자는 연우 위로,

사월	(E) 애기씨! 늦겠습니다!! 연우 애기씨!!
연우	(헉! 하며 몸을 일으켰다가 다시 뒤로 벌러덩 누워 음냐~ 자는)

⌒ S#30. 호은당, 마당 / 아침

퇴궐하는 연우부를 연우모가 따르고 있다.

연우모	고생하셨습니다. 대체 무슨 일이길래 새벽부터 입궐하신 겁니까?
연우부	요새 도성에서 팔린다는 흉물스런 옷을 옹주마마께서 입고 계시다 주상전하께 들키셨다지 뭐요.
연우모	(!) 옹주마마께서요?
연우부	안 그래도 그 옷들 때문에 며칠 전부터 상소가 빗발쳤는데…. (쯧쯧쯧)
연우모	(뭔가 마음에 걸리는) 그래서… 이제 어찌 되는 겁니까?
연우부	옷을 만든 자를 의금부에게 잡아들이라 하셨으니 곧 정리가 되겠죠.
연우모	! (놀라서) 의금부요…?
연우부	(의아한) 어찌 그리 놀라십니까? (하는데)

이때, 연우가 옷고름을 여미며 한쪽 신발만 신고 허겁지겁 오다가 부모를 발견하곤 끽! 멈춰 선다. 뒤이어 쓰개치마와 연우 신발을 든 사월이 '애기씨, 여기 신…' 하고 오다가 연우 부모를 보고 헉! 머리를 조아린다. 사월, 슬쩍 연우의 치마 아래로 들고 왔던 신발을 툭— 내려놓는다.

연우	(꾸벅 인사) 아버님… 벌써 입궐하십니까? (하며 신발을 신는)
연우모	(나무라는) 어허! 어찌 아침부터 그리 수선을, (떠는 게야?)
연우부	(O.L, 연우 도와주려고) 그래. 수업 가는 게냐? (연우모 눈치 보며 손짓) 늦은 것 같으니 서둘러 가거라, 어서!
연우	(살았다) 예!! (웃는) 다녀오겠습니다. (가려다 연우부에게 손 흔들며) 아버님도 오늘 힘내십시오~!! (후다닥- 가는)
사월	(꾸벅 인사하고 따라가는)
연우부	(연우가 사랑스럽다) 허허허. (손 흔들며) 오냐오냐-
연우모	대감께서 매번 그리 감싸시니, 버릇만 나빠졌습니다.
연우부	(허허 웃다가) 참, 작은 아버님께서 말씀하신 혼처는 어찌할 생각이오?
연우모	연우 고집이 보통이 아니라, 얘기도 못 꺼내 봤습니다.
연우부	(미소) 천천히 합시다, 천천히.
연우모	예…. (뭔가 걱정스런 표정이고)

∼ S#31. 기와집 앞 / 아침

10~15세 정도의 규수들이 '내훈(內訓)'이라 적힌 책을 들고 안으로 들어가고 있다. 연우(*쓰개치마 손에 든), 내훈 책을 들고 툴툴거리며 느릿느릿 걸어오고 있다.

연우	(툴툴) 시집도 안 갈 건데, 왜 이딴 신부수업을 들어야 하냐고, 왜! (하…) 17년째 이 짓을 하는 나도, 시키시는 어머님도 답답하다, 답답해!
사월	(연우 등 밀며) 17년째 똑같은 소릴 듣고 있는 이년은 어쩌겠습

니까! 그러지 말고 어서 들어가셔요. (하는데)

연우　(멈춰 서며) 아니다! 내 생각해보니 이럴 때가 아니야! (하며 돌아보는)

사월　(미치겠네) 또 뭘 하시려구요!!

〜 S#32. 저잣거리, 비단가게2 안 + 앞 / 낮

호접선생(*너울 쓴)으로 변한 연우가 비단가게2 주인과 마주 앉아 있다.

가게2주인　그러니까, 이제부터 호접선생 옷을 여기서 팔고 싶단 거요?

연우　그렇소! 이윤은 톡톡히 남겨 줄 테니 내 옷을 팔아주시오.

가게2주인　(살짝 튕기는) 듣기론… 호접선생이 만든 거랑 비슷한 게 요새 많다던데~

연우　(책상에 서책 올려놓으며) 그래서 준비했소. 내 야심 찬 신작을!

가게 앞/ 사월, 턱을 괴고 앉아 한숨만 푹푹 쉬고 있다.

사월　옷 만드는 게 뭐 그리 좋다고! (치!) 누가 뭐래도 사내, 돈! 요게 최곤데~! (심드렁히 고개 돌리다) !! (눈 커지는) 뭐지…? 저… 자체 발광 미남잔?!

사월의 시선 끝에 태하가 보인다. 훤칠한 키에 또렷한 이목구비, 태하 자체만으로도 사방이 뽀샤시해진다. 사월, 입 쩍 벌린 채 천천히 일어나는데 이때, 태하 뒤로 의금부 관원과 포졸들이 어디론가 뛰어간다. 태하를 비롯한 사람들, '뭐지?' 하며 보는데.

가게2 안/ 주인, 연우의 새 디자인을 보고 있는데 이때, 사월이 다급히 들어온다!

사월   (다급히 들어오며) 애기씨! 큰일 났어요!
연우   (응? 하며 돌아보는데)

～ S#33. 저잣거리, 비단 가게 앞 / 낮

관원들, 가게 안의 옷들을 죄 밖으로 던져버리며 난리가 났다. 사람들, 무슨 일이래? 하며 그 모습 보고 있는데…. 관원1이 가게주인을 끌고 나와 바닥에 내동댕이친다!

가게주인   (겨우 몸을 일으키며) 대체 소인이 뭔 죄를 지었다고 이러십니까!
관원1   (바닥의 옷들 가리키며) 이 천박한 옷들이 세간을 어지럽히고 풍기를 문란케 했는데도 죄가 없을까!
가게주인   (억울한) 아이고, 나리~ 전 그저 옷을 판 죄밖에 없습니다.
관원1   여봐라! 이놈을 당장 끌고 가고 이 흉물스런 것들을 모두 태워라!

관원들, 옷들을 꺼내와 던지더니 불을 놓는다. 화르르 타들어 가는 옷들! 이때, 다급히 오던 연우와 사월이 그 모습을 발견하고! 연우, 놀라서 멈춰 선다!

연우   (!) 아… 안 돼! (앞으로 가면서) 내 옷… 내 옷! (하는데)
사월   !! (연우 붙들며) 애기씨, 안 돼요! (하는데)

연우	놔! 내 옷이라고!! (사월 손 뿌리치며 가려는데)
가게주인	(관원1 잡고) 제발 좀 살려주세요, 제발!! (하다가 연우 발견하고) ! (가리키며) 저 자입니다!! 저 호접선생이 이 옷을 만들었다구요!!
연우	(멈칫! 하고서 보는) !!
관원1	(연우를 보며) 뭣들 하느냐! 당장 잡아들이지 않고!
사월	! (연우 뒤에서 소리치는) 애기씨! 튀어요, 얼른 튀어!!
연우	!! (그제야 다급히 도망치고)
관원들	(연우 뒤를 좇으며) 게 섯거라!!

～ S#34. 저잣거리 일각1 / 낮

연우, 관원들을 피해 도망치는 몽타주 빠르게 컷컷으로 보인다.

1. 연우, 사람들 사이를 요리조리 피해 가다가 양손에 닭을 든 닭장수와 부딪칠 뻔한다. 놀란 닭장수가 으아! 하며 닭을 놓치고, 푸드득 날아오르는 닭들 때문에 관원들 앞길이 막힌다. 연우, 돌아보며 '미안하오!' 하면서 계속 뛰어가고.

2. 도망치던 연우, 앞과 뒤에서 모두 관원들이 쫓아오자 어디로 갈지 몰라 머뭇거리는데 이때, 옆에서 누군가 연우의 손을 잡아당긴다! 놀라서 쳐다보면 태하다!

연우	!! (태하 보고) 어?! (하는데)
태하	쉿! (하더니 뒤쪽의 건물 뒤로 연우를 끌고 와 몸을 숨긴다)

연우와 태하, 건물 틈으로 상황 살피는데 지나쳐 가는 관원들. 그런데 이때, 어디선가 개 한 마리가 나타나 짖기 시작한다! 두 사람, 저리 가라 손짓하는데 개는 더 크게 짖고, 그 소리에 관원들이 다가온다. 긴장한 태하, 주먹 쥐고 나름 싸울 준비하는데 갑자기 연우가 쓰고 있던 너울을 벗는다! 동시에 상투처럼 틀어 묶고 있던 머리끈도 함께 풀어지면서 연우의 길고 탐스러운 머리가 태하의 눈앞에서 흩날린다.

태하, 그 모습을 잠시 넋을 놓고 보는데 연우가 벗은 너울을 뒤쪽으로 던지지 열심히 짖던 개가 너울을 쫓아 가버린다. 짖는 소리가 더는 안 들리사 다가오던 관원들도 다른 쪽으로 가고. 연우와 태하, 휴~ 하는데 이때, '이쪽이다!' 하는 소리와 함께 다른 관원들이 달려온다. 태하, 놀라서 돌아보는 연우의 손을 잡고 뛰기 시작하고!

(CUT TO)

1. 태하와 연우, 골목을 달려가며 빗자루와 물건들을 쓰러트리고.

2. 염색한 천을 널어놓은 곳을 헤치며 도망치는 태하와 연우.

3. 도망치던 태하와 연우 앞에 나타나는 덩치 큰 관원. 덩치관원, 으아아! 달려드는데 이때! 덩치를 향해 누런 물이 쏟아진다! 태하와 연우, 놀라서 위를 올려다보면 사월이가 2층에서 물통을 들고 역겨운 듯 '웩!' 하고 있다! 태하와 연우, 다시 도망치고.

〰 S#35. 저잣거리, 막다른 골목 + 가마 안 / 낮

연우와 태하, 도망치는데 막다른 골목이다!!

연우   (!) 막다른 골목입니다! (하며 태하를 보는데)

태하   (숨이 가빠 힘들다) 헉… 헉… (숨을 몰아쉬는)

연우   (?!) … 괜찮습니까? 숨이 많이 가빠 보이는데….

태하   (연우 앞이다, 참으며 끄덕) 괜찮아요… (하는데)

멀리서 '여기다, 여기!' 외치는 관원들 소리가 들리고, 당황하는 태하와 연우. 이때! 두 사람 앞으로 전모를 쓴 초록색 눈을 가진 천명(*기생)이 나타난다. 연우, 색목인…?! 하며 놀라서 보는데 천명이 그런 연우에게 웃으며 꾸벅 인사한다.

(CUT TO) 관원1과 관원들, 막다른 골목으로 오는데 천명 혼자 가마 앞에 서 있다.

관원1   (주변 살피며, 천명에게) 혹 이리로 도망쳐 온 자들을 못 봤느냐?

천명   글쎄요, 아무도 보지 못했습니다.

관원1   그래? (하며 가마를 보더니) 저 가마는 무엇이냐? (하며 다가가는)

가마 안/ 연우의 등 뒤에 백허그 자세로 앉아 있는 태하. (*연우가 앞, 뒤에 태하) 연우, 저벅저벅 걸어오는 관원1의 발걸음 소리에 겁에 질린 듯 잔뜩 몸을 웅크리는.

태하   (연우에게, 소근) 걱정 말아요, 별일 없을 테니.

연우   (태하 덕에 좀 안정된다, 가만히 끄덕이는) ….

가마 밖/ 관원1, 가마 쪽으로 점점 가까이 다가가는데.

천명	어쩌죠? 제가 지금 가는 곳이 판의금부사[●] 댁인데 늦을까 걱정이 되네요.
관원1	(!!) 판의금⋯ 부사? (큼) 실례했소. (돌아서서 관원들에게) 가자! (가고)
관원들	(관원1을 따라 다른 곳으로 가버린다)
천명	(모두 간 거 확인하고, 가마 옆으로 와서) 이제 그만 나오시지요.

S#36. 저잣거리 일각2 / 낮

| 사월 | (주변을 두리번거리며) 애기씬 대체 어디로 가신 거야⋯ (하는데) |

누군가 사월을 팔을 낚아채고 놀라서 돌아보면! 마천댁이 눈을 부라리며 서 있다!

S#37. 저잣거리, 막다른 골목 / 낮

연우와 태하, 천명과 마주 서 있다. (*뒤에 가마꾼들이 있고)

태하	자네가 아니었으면 큰일 날 뻔했어. 고맙네.
천명	별 말씀을요.
연우	이 은헬 어찌 갚아야 할지⋯.
천명	(연우 보며) 그건 다음에 따로 받는 걸로 하겠습니다.

● 판의금부사 : 의금부를 총괄하는 관직.

연우	? (다음??)
천명	(웃으며) 연이 있으면 또 뵙겠지요. 그럼, 이만 가보겠습니다.

천명, 가마에 올라타 간다. 연우, 또 만날 거란 소린가? 가마를 빤히 보는데.

태하	(주변 보며) 관원들도 다 간 것 같고 이젠 괜찮을 겁니다.
연우	(태하를 보다가) 절… 아십니까? 그날 그 집에서도 그렇고, 오늘도. (의심) 우연이라기엔 좀 이상해서요. 내가 여종이 아닌 것도 알고 있었죠?
태하	(!) 아, 그게… (하는데)

뒤에서 사월이가 '애기씨!' 하고 부르며 다급히 달려온다. 연우와 태하 돌아보는데.

사월	(연우 팔 잡고 끌면서) 어서 가셔요! 어서!!
연우	왜? 무슨 일인데!!
사월	그게 마님께서… (하다가) 어쨌든 얼른요, 얼른!! (하면서 연우 끌고 가는)

그대로 끌려가는 연우 품에서 회중시계가 툭! 떨어진다. 태하, 재빨리 회중시계를 주워들고 보는데 이미 연우는 사라지고 없다!

S#38. 호은당 별채, 연우 방 / 낮

연우, 방으로 들어오는데 연우모가 기다리고 있다. 평소와 달리 무거운 표정의 어머니 눈치를 살피며 경상 앞으로 와 앉는데.

연우모　　네 혼처가 정해졌다. 그리 알고 준비하거라.

연우　　　(?!) 예? 그게 무슨… 갑자기 혼인이라뇨? 싫습니다.

연우모　　싫어도 여인이라면 응당 해야 할 일이야.

연우　　　(반발 심리) 그렇다면 더더욱 할 수 없습니다. 응당 해야 할 일이
　　　　　라 얼굴도 모르는 자에게 이리 떠넘기듯… 그리는 못 합니다.

연우모　　(경상 위에 연우가 만든 저고리를 올려놓는다, 저고리 끝의 나비 날개
　　　　　이음수를 보며) 네가 놓은 이음수더구나.

연우　　　!! (놀라서 보는)

연우모　　네게 자수와 옷 짓는 걸 가르친 건 여인으로서 덕을 가르친 거
　　　　　였지, 한낱 장사치들처럼 굴란 게 아니었어! 반가의 규수로 지
　　　　　킬 법도가 있거늘,

연우　　　(O.L) 양반이면 뭐 합니까! 뜻대로 할 수 있는 게 하나 없는데.

연우모　　! (보는)

연우　　　뭘 그리 큰 걸 바랐다구요. 과거를 보겠다 했습니까, 장수로 전
　　　　　쟁에 나가겠다 했습니까? 그저 좋아하는 걸 하며 제 이름 석
　　　　　자로 살고 싶을 뿐입니다. 그게 죄는 아니지 않습니까!

연우모　　(단호한) 아니, 죄다. 여인이 뭔가 하겠다 꿈꾸는 것 자체가! 너
　　　　　로 인해 네 아버님과 우리 집안이 화를 입을 수도 있었어.

연우　　　(받아들일 수 없다) 어째서요!!

연우모　　저잣거리에서 태워진 네 옷들이! 그 증좌야.

연우　　　!!!

연우모　　양반이면 뭐 하냐고? (모질게) 그 허울 덕에 여태 네 뜻대로 산
　　　　　게야. 오늘 그 난리에도 널 지켜준 게 양반이란 껍데기임을 정
　　　　　녕 모르겠니?

연우   ……. (반박할 수 없는 사실이다)

⌒ S#39. 호은당 전경 / 밤

⌒ S#40. 호은당 별채, 연우 방 / 밤

연우, 깜깜한 방 안에 앉아 뭔가 생각하다가 결심이 선 듯 벌떡 일어나 화초장에서 가죽 두루마리를 꺼내 펼쳐본다. 보면, (조선시대의) 세계 지도다! 연우, 지도를 챙기고는 화초장 안쪽의 깊은 곳에 모아놨던 엽전 주머니도 꺼내서 보는데.

⌒ S#41. 호은당 별채 담벼락 / 밤

태하, 까치발로 서서 안을 살피다가 그만두고 소매 춤에서 회중시계를 꺼내 본다. 이걸 어찌 전해줘야 할까, 고민하는데 갑자기 봇짐 하나가 툭! 떨어진다. (*봇짐 밖으로 지도와 돈 삐죽 나오고) 태하, 놀라서 물러서는데 연우가 담을 타고 올라온다! 태하, 황당한 얼굴로 연우를 보고. 연우도 그런 태하를 발견하고 '응?' 잠시 놀라지만 이내 상관없다는 듯 태하 옆으로 폴짝! 자연스럽게 뛰어내린다.

태하   (그런 연우를 응? 하고 보다가, 옆으로 다가와) 낭자… (하는데)
연우/태하   (태하 무시하고 봇짐에 지도와 돈을 챙겨 넣고 가버린다) / ?!

73

～ S#42. 오솔길 / 밤

밤하늘에 달이 훤히 보이고, 그 아래로 작은 수풀과 꽃들이 펴 있는 예쁜 오솔길이다. 연우, 봇짐을 메고 걸어가다가 갑자기 멈춰 서더니 휙— 뒤돌 아본다! 동시에 좀 떨어진 곳에서 따라오던 태하가 멈칫! 하며 선다.

연우   (보며) 따라오지 마십시오.

대하   (큼) … 따라가는 게 아니라, 나도 (앞을 가리키며) 가는 중이라.

연우   (그래?) …. (슬쩍 뒤로 물러나서 먼저 가라고 손짓)

태하   ! (큼…) 그럼…. (연우를 지나쳐 앞으로 간다)

연우   (그런 태하 빤히 보다가 뒤돌아서 반대쪽으로 가는데)

태하, 힐끔 뒤를 돌아보더니 다시 연우를 쫓아간다. 연우, 태하의 기척에 빠직! 해서는 주변을 살피다가 바닥의 기다란 나뭇가지를 냅다 주워들고 는 바로 태하에게 겨눈다!!

태하   !! (움찔하며) 뭐, 뭐 하는 거요?

연우   (화풀이) 따라오지 말랬지! 눈친 어디 국밥에 말아 먹었어?! (나 뭇가지 검처럼 휘두르며) 저리 가! 그냥 좀 냅두라고!! 가! 가라 고!

태하   ! (당황, 나뭇가지 피하며) 아니, 난… 그냥… (하는데)

연우, 설움과 분노에 나뭇가지를 휘두르다 점점 느려지더니 눈가가 붉어 진다.

연우   (눈가 붉어지지만 참는) 왜… 가는 것도 내 맘대로 못 하게 해!

태하	! (멈춰 서서, 연우 보는)
연우	(서글픈) 왜 그냥… 그냥… 그럴 수도 있잖아… 여인이라도 그 저 꿈만은… 꿔볼 수도 있잖아… 왜…. (원망스럽다는 듯 나뭇가 지를 휘두르는데)

태하, 연우의 나뭇가지에 팔도 몇 차례 맞고 옷소매도 살짝 찢어지지만, 그냥 연우를 보고만 있다. 연우, 몇 번 더 휘두르다 멈추고는 나뭇가지를 툭— 떨어트린다. 그래도 눈물을 꾹 참는 연우. 태하, 그런 연우를 지켜주 듯 말없이 바라본다.

S#43. 강가쪽 저잣거리 일각 / 밤 (*조선의 야시장 느낌)

강엔 연등이 띄워져 있고, 주변으로 먹거리와 물건을 파는 상인들과 구경 꾼들이 있다. 연우와 태하, 좀 떨어진 채로 걸어가는데 연우가 힐끔 찢어진 태하 소매를 쳐다본다.

연우	(미안한) 미안합니다… 저 때문에 옷이….
태하	지난번에 내가 장난쳤던 걸로 갈음합시다, 사월 낭자. 아니, 오 월인가?
연우	(민망한) 됐습니다. (앞으로 가는데)
태하	(웃으며 따라가는, 소매 품 안에서 회중시계 꺼내주며) 받으세요.
연우	(새침) 뭡니, (까, 하려다 회중시계인 거 확인하고) 이게… 왜?
태하	(연우 보며) 시계… 맞지요?
연우	어찌 아십니까?
태하	오래전에 동무(*어린연우)에게 들었습니다, 이런 게 있다고.

연우	(아~, 시계 보며) 할아버님께서 주신 건데, 지금까지 한번도 고장 나거나 멈춘 적이 없습니다. (태하 보며) 신기하죠? (웃는)
태하	(연우의 웃는 모습이 좋다, 빤히 보는)
연우	(응?) 왜 그리 보십니까?
태하	(저도 모르게 툭ㅡ) 아름다워서….
연우	(?!) 예?
태하	! (시선 돌리며, 딴소리) 그! 나비 문양… 말입니다.
연우	(회중시계 나비 문양 보며) 아~ 이거요? (웃는)
태하	나비를 좋아하십니까?
연우	좋아도 하고, 부럽기도 합니다. 이 날개로 원하는 곳은 어디든 갈 수 있으니까요. (살짝 서글픈 미소)
태하	(연우에게 어떤 말을 해줘야 할까, 생각하는데) …….

이때, 얼쑤! 하며 광대들과 사람들이 강강술래를 하며 연우와 태하 주변을 돈다. 연우와 태하, 그 모습을 웃으며 보는데 둘의 손이 아슬하게 스칠 듯 하다가 이내 새끼손가락이 부딪친다. 동시에 멈칫! 돌아보는 두 사람, 부끄러운 듯 미소 짓는데.

〰 S#44. 강가 다리 위 / 밤

연우, 기분이 풀린 듯 편해진 얼굴로 태하와 다리 위로 올라오고 있다.

연우	(힐끔 태하 보며) 감사했습니다. 시계도 찾아 주시고…
태하	아닙니다, 감사는요.
연우	(슬쩍) 혹 성함을 여쭤봐도 될까요?

태하	(연우 보며) … 태하, 라고 합니다. 강, 태하.
연우	(외우려는, 중얼) 강… 태하. (하는데)

이때, 꼬마들이 '낙화놀이 한대!' 하며 두 사람 앞으로 우르르 뛰어와 지나간다. 연우, 아이들을 피하려다 몸이 휘청하자 태하가 재빨리 연우를 휙! 잡아당겨 안는다!

태하	! (안고 있던 걸 풀며) 미, 미안하오. 나도 모르게.
연우	(민망, 아닌 척) 아뇨, 도와주시느라 그런 걸요. (시선 돌리는데 부끄럽다)
태하	(연우를 보다가) 언젠간… 나비처럼 그리되실 겁니다.
연우	(태하 보는) ?
태하	내가 어떤 사람인지 마음에 새기고 잊지 않으면, 어디에 있든 무엇이 되든 그 아름다운 옷을 만든 게 낭자란 건 변치 않을 테니까요.
연우	…….
태하	분명… 원하는 곳에 날아가 닿을 수 있을 겁니다. 그러니, 오늘 하루… 아니, 지금만 아파하십시오.
연우	(따뜻한 태하의 말에 감동받은 듯 바라보는)
태하	(연우를 보는)
연우	… (혼인을 해야 한다면 이런 사람과 하고 싶다, 홀리듯 저도 모르게) 혹… 혼인 하셨습니까?
태하	?! (놀라) 호, 혼인이요? (하는데)
연우	!! (그제야, 퍼뜩! 고개 돌리며) 아, 아닙니다. 저도 모르게… (당황) 그저… 도련님 같은 분이면 절 이해해줄 거라 생각하다 그만….
태하	(그런 거였구나, 이제라도 말을 할까? 싶어) 저기, 실은… (하는데)

'우와!' 하는 소리와 함께 낙화놀이가 시작된다! 두 사람, 동시에 아름다운 불꽃을 바라본다. 그렇게 한참 시선을 빼앗겨 보다가 자연스레 서로 마주 보는데.

연우	(배에서 꼬르륵!) !! (배를 잡고, 창피한) 제가 저녁을 못 먹어서….
태하	(풋! 웃음 터지지만 참고) 요기할 걸 좀 사오겠습니다.
연우	예? 괘, 괜찮은데.
태하	(웃으며) 아닙니다. 잠시 기다리십시오. (하면서 가는)
연우	(오만상) 하… (자기 배 보며) 뭐냐 진짜, 넌!! (하는데)

뒤에서 인기척이 들린다. 연우, 벌써 온 건가? 해서 돌아보는데 눈이 커진다! 보면, 연우부와 남종들 몇몇이 서 있다.

(CUT TO) 태하, 종이에 싼 떡을 들고 오는데 연우가 안 보인다. 어딨지? 하며 두리번거리다 지나가는 사람과 부딪치고 떡을 떨어트린다. 태하, 떨어진 떡을 보다가 고개를 돌려 주위를 본다. 사라진 연우가 걱정되고. 낙화놀이는 점점 끝이 난다.

ᔓ S#45. 호은당 별채, 연우 방 / 밤

연우부, 연우의 손목을 잡고 들어와 방 안에 던지듯 밀어 넣는다!

연우부	(차갑게 연우를 보며) 내달 초이레로 혼렛날이 정해졌다.
연우	(애원하듯, 연우부의 손을 잡고) 아버님… 제발… (하는데)
연우부	(화난, 연우 손 뿌리치는) 네 진정!!

연우	!! (한번도 본 적 없는 아버지 모습에 놀란)
연우부	(매섭게) 날 아비로 생각했다면! 우리 가문을 조금이라도 걱정했다면! 이런 짓은 못 했겠지! 허니, 이제라도 네 할 도릴 다 하거라. 이게 아비로서 네게 해줄 수 있는 마지막 선처다. (돌아서서 나가는)

쾅! 소리와 함께 굳게 문이 닫히고…. 연우, 무너지듯 자리에 주저앉는다.

∼ S#46. 호은당 별채 뒷마당 / 밤

꽃이 핀 배롱나무 앞으로 잠옷 차림의 연우가 천천히 다가와 선다. 연우, 가만히 배롱나무를 손으로 만지다가 올려다보는데.

∼ S#47. 호은당 별채 뒷마당 / 낮 – 연우의 어린 시절 회상

어린연우(*13세)와 호은(*연우 조부의 호)이 배롱나무 아래 함께 서 있다.

어린연우	할아버님! 어째서 작은 할아버님은 제가 사내가 아니라 대를 이을 수 없다 하시는 겁니까? 저도 박씨 집안 자손인데.
호은	그래서 많이 속상했니? 울고 싶을 정도로?
어린연우	예. 헌데 어머님께서 저보다 더 속상하실까 봐 참았습니다. (고개 숙이는)
호은	(연우를 보다가, 배롱나무를 올려다보며) 이 배롱나무는 연우 네가 태어난 해에 가져온 거란다, 네 건강을 바라면서.

어린연우	(배롱나무를 올려다본다)
호은	그러다 그해에 나라의 큰 병이 돌았고, 너도 많이 아팠었지. 헌데 무슨 연유인지 이 배롱나무도 시름시름 시들어가더구나.
어린연우	(놀라) 정말요?
호은	너와 배롱나무의 무탈을 매일 기도했지. 그렇게 바라고 또 바랬더니 네 병증도 잦아들었어. (보며) 연우 넌, 그런 아이야. 할애비와 네 부모에겐 아주 소중한, 마음을 다하고 다한. (연우를 안으며) 그러니 여인이나 사내, 그런 공허한 말에 마음 쓰지 말고, 물러서지도 말거라. 알겠니?
어린연우	(마음의 위로를 받은, 고개를 끄덕이며 웃어 보이는)

⌒ S#48. 별채 뒷마당 / 밤 - 현재

연우, 빨갛게 꽃을 피운 배롱나무를 바라보고 있다. 눈물이 날 듯 하지만, 참고.

⌒ S#49. 저잣거리, 비단 가게 + 일각 / 다른 날, 낮

가게주인, 엉망이 된 가게를 정리하는데 사월이 와서 꾸러미를 주고 뭐라 말을 하고 간다. 가게주인, 꾸러미를 열어 보면 언문 쪽지와 함께 돈이 들어 있다.

가게주인	(놀라서 언문 쪽지를 열어 보는데, 그 위로)
연우	(E) 나 땜에 고생 많았네. 이건 그간의 성의니 가게에 보태 쓰

시계.

일각/ 연우와 사월, 걸어가고 있다. 사월, 뭔가 불만인지 입이 댓 발 나왔다.

사월   어찌 그 돈을 다 주셨습니까? 청나라며 천축국이며 어디든 가신다고 그리 힘들게 모은 걸.

연우   잠깐이나마 꿈이라도 꿨으니 그걸로 됐어, 난. (애써 웃어 보이는데)

이때, 연우와 사월 앞으로 천명이 다가온다. 연우, 저 자는? 하고 보는데.

천명   (끄덕, 고개 인사하고 미소) 지난번 답례를 오늘 받아도 될까요?

∼ S#50. 화연옥, 천명의 방 / 낮

화려하게 꾸며진 천명의 방. 연우와 천명이 차를 두고 마주 앉아 있다.

연우   (천명을 보며) 답례로 그저 말벗이 돼 달란 말인가?

천명   (차를 따라주며) 예. 근래 재밌는 일도 없고 적적해서요.

연우   (끄덕, 차를 마시다 천명의 눈을 본다) …. (신기한)

천명   (차를 마시며) 제 눈이 퍽 신기하신 모양입니다. 어디서 왔는지, 조선인이긴 한지… 뭐 그런 것들이 궁금하십니까?

연우   (!) 불쾌하게 만들 생각은 아니었네. 색목인을 본 건 처음이라.

천명   (미소) 어찌 그게 애기씨가 미안해하실 일입니까. 그저 제 팔자인 걸요. (연우를 보며) 곧, 혼례를 치르신다 들었습니다.

연우	그걸 자네가 어찌…?
천명	이 도성에서 제가 모르는 소문은 없답니다. (후후—) 해서, 작게 나마 선물을 드리고 싶은데. 보잘것없지만 재주가 하나 있어 서요.
연우	(선물?? 재주??)
천명	궁금하지 않으십니까? 애기씨의 운명이. (표정)

⌒ S#51. 화연옥 앞 / 낮

연우, 복잡한 표정으로 나오고…. 뒤따라 나오는 사월.

사월	대체 무슨 얘길 그리 나누신 겁니까?
연우	(걸어가며, 뭔가 골몰히 생각하는)
사월	(이상한) 애기씨?
연우	어? (하고 보다가) 아… 별거 아냐. (하면서 가지만 생각 많은 얼굴 이고)

⌒ S#52. 시간경과 몽타주

한양의 모습 낮과 밤으로 지나가면서, 연우가 자기 방과 툇마루 등에서 태하에게 줄 옷을 짓고 있는 모습이 교차로 보이면서 자연스럽게 시간 경과가 이루어진다. (*연우가 방 한쪽에 올려둔 회중시계의 시침과 분침이 빠르게 움직이고)

⌒ S#53. 호은당, 사랑채 마당 / 다른 날, 낮

혼례 준비가 한창이다. 다들 바쁘게 이리저리 움직이고.

⌒ S#54. 별채, 연우 방 / 낮

속상한 얼굴의 사월, 훌쩍거리며 연우의 머리를 빗겨주고 있다.

사월	대감마님도 그렇지, 이리 고운 애기씰 그 강진사댁 추남 광부랑…. (훌쩍)
연우	(애써) 잘 됐지, 뭐. 한양 제일의 원녀 광년이랑 제일의 광부 추남이가 혼인하는 거잖아. 다들 바랬던 거 아냐?
사월	(속상한) 애기씨!!
연우	(돌아보며) 나… 정말 괜찮아. (부러 새기듯) 어디에 있든 뭐가 되든 난, 박연우니까. 그것만 안 잊으면 돼.
사월	(삐죽) 괜찮긴… (화초장 가리키며) 그럼 저 안에 있는 그 도련님 옷은 뭡니까?! 주지도 못할 옷을 맨날 천날 만들기만 하고.
연우	(화초장 보는) 그냥… (다시 사월 보고) 심심해서, 시간도 많고.
사월	(연우가 안타까워 눈물을 훔치는)

이때, 문이 열리고 연우모가 들어온다. 사월, 얼른 눈물을 훔치고 일어나 연우모와 연우에게 인사하고 나간다. 연우, 연우모를 보며 일어서려는데.

연우모	그냥 앉아 있거라. (연우 앞에 와 앉는) … (가만히 보다가) 오늘따라 더 곱구나. 옷은 불편하지 않니?

연우	(시선 안 마주치게 아래에 두고, 덤덤하게) 괜찮습니다.
연우모	(말없이 보다가) 애미가 미운 게구나… 그래?
연우	! (그제야 보는) … (울컥, 진심은 아니다) 예. 밉고… 또 밉고, 밉습니다.
연우모	이제야 우리 연우 같네. (웃어 보이는데 눈가가 붉어진다)

연우, 어머니의 눈물에 마음이 아프고 죄송하다. 연우모, 연우를 보다가 손을 내밀고 연우, 그런 어머니의 손을 잡는다. 두 사람, 말없이 서로의 손을 잡고 있다가.

연우모	난 그리고 네 아버님도, 늘… 연우 네가 참 아까웠어. 허나… 맹세코, 단 한 번도, 네가 사내아이가 아니라 서운했던 적은 없었단다.
연우	(눈물 그렁 맺히는) … 알고 있습니다.
연우모	미안하구나. 모질게 굴었다면 용서하렴.
연우	(도리질) 그간… 감사했습니다, 어머님.
연우모	(연우 눈물 닦아주며) 고맙다. 오랫동안 이 부족한 애미 곁에 있어 줘서. (눈물 흐르는) 너 때문에 정말 행복했단다. (미소)
연우	(눈물을 한 방울 툭− 흘리면서도 참으며 애써 웃어 보이는)

〰 S#55. 호은당 인근 / 낮

푸른 사선으로 얼굴을 가린 채 말을 타고 오는 신랑과 행렬들이 보인다. 구경 나온 사람들 '한양 최고의 원녀가 드디어 혼인하는구먼!' 하며 즐거워하고.

S#56. 호은당, 사랑채 마당 / 낮

연우와 신랑, 혼례가 꾸며진 상 앞에서 서로 마주 서 있다. 연우, 힐끔 신랑의 얼굴을 보려고 하는데 좀처럼 보이질 않는다. 그러다 신랑 쪽에 서 있는 사월을 보는데…. 사월, 신랑 얼굴을 보려고 이리저리 움직이다가 헉! 눈 땡그래져서는 입을 틀어막는다. 연우, '뭐야… 그렇게 추남이야?' 싶은데 이때, 사회자가 '신부 재배~'하자… 근심 가득한 얼굴로 일단 절을 한다.

S#57. 별채, 연우 방 / 밤

연우, 신랑을 기다리며 앉아 있는데 이내 고개가 아픈 듯 이리저리 움직인다.

연우   아… 왜 이렇게 안 와. 목도 아프고 배도 고프구만. (하다가)

〈플래시컷// S#56. 신랑을 보고 입을 틀어막던 사월의 모습.〉

연우   (심각) 대체 얼마나 추남이면… (술병 보며) 술이라도 마셔둘까? 아예 정신 못 차리게? (그러자!! 술병을 들어 한입 마시는데)

문이 열리면서 신랑이 들어온다. 연우, 술병 내려놓고 안 마신 척 고개 돌렸다가 서방님의 얼굴을 확인하려고 힐끔 보는데 눈이 커진다! 앞에 앉아 있는 건 태하다!

연우   ! (놀라서 보며) 도련… 님?!

태하	(말없이 가만히 연우를 보는)
연우	이게 무슨… (하다가) 설마… 강진사댁 그 추남이…?
태하	(끄덕이며) 그렇습니다.
연우	(!, 갑작스럽지만 기쁜) 이런 건… 생각지도 못 했는데 (태하를 보는데)
태하	(쓱─ 연우 앞으로 오더니 갑자기 연우 저고리 앞섶을 잡는다)
연우	!! (E) 뭐야! 이렇게 갑자기? (놀라서 보는데)

태하, 품에서 작고 날렵한 은장도를 꺼낸다! 연우, 헉! 해서 뒤로 물러나자 태하가 다가와 은장도로 뭔가 잘라낸다. 동시에 사락─ 바닥으로 떨어지는 연우 저고리 고름.

연우	(당황) 아니, 벗기려면 그냥 벗기지 왜 아까운 옷을 자르십니까?!
태하	(은장도로 자신의 옷고름을 자르더니 연우에게 건네주는)
연우	(엥?, 일단 받는) 이건 왜…? (하는데)
태하	부부지간에 잘라낸 옷고름을 나눠 가지는 건, 이별하잔 뜻입니다.
연우	이별… 이요? (하다, 옷고름을 떨어트리며) 예에─????

ᔕ S#58. 호은당 별채, 연우방 밖 / 밤

신방이 궁금한지 종들이 몰려 있다. 다들, 둘이 뭐하나~ 귀 기울여 들으며 키득거리는데 이때, 사월이 나타나 종들의 뒤통수를 후려갈긴다.

사월	(험악하게) 가! 안 가!! 귓구녕에다 확— 기름 부어 줄까?!
종들	(우씨—! 간다, 가! / 여튼 성질머리는 / 싸가지 싸가지… 하며 가는)
사월	(손 탁탁 털며, 쯧!) 감히 예가 어디라구! (하다, 창문 보며) 그나저나 새신랑이 그 도련님이라니! 이거쓴 분명! 운명? (창으로 귀를 가져가는데)
마천댁	(뒤에서 나타나 사월의 귀 잡아당기며) 운명 같은 소리 하네. 오늘 밤 운명 한번 당해볼래? 아, 일루와! 얼른! (사월 끌고 가는)
사월	아아! 아파요!! (하면서 끌려가는)

S#59. 호은당 별채, 연우 방 / 밤

태하	(미안한) 나와 내 가문이, 그대와 그대 가문을 속였습니다.
연우	(황당한) 속였다니요…? 그게 무슨 말씀이십니까?
태하	(머뭇거리다가) 난… 언제 죽을지 모르는 몸입니다.
연우	(죽어??) !!!!
태하	어릴 때부터 가슴에 병중이 깊어 혼인은 생각도 안 했습니다. 허나 와병 중이신 할아버님의 뜻을 거역할 수 없어 낭자에게 못 할 짓을 했습니다.
연우	(빤히 보다가, 이내) 푸하하!!! 농이시죠?? 갑자기 언제 죽을지 모른다니. 무슨 염정소설 속 시한부 주인공도 아니고. (큭—) 농이 너무 심하십니다!
태하	(진심이다, 보는)
연우	(응? 이게 아닌가?, 웃음 멈추며) 설마… 진정이십니까?
태하	미안합니다.
연우	(하!) 그럼 왜 이제 와 마음을 바꾸신 겝니까? 속여서 혼인까지

하시려던 분이?! 앞뒤가 전혀 맞지 않잖아요!

태하 그건 그냥, (연우를 좋아하니까, 라고 말하고 싶지만) … 이제라도 바로 잡아야 한다 생각했습니다. 어리석고 부족한 내게, (연우 보며) 그댄 넘칠 정도로 과한 사람이니.

연우 !! (태하 눈빛에 흔들린다) ……. (잠시 생각 정리) 한 가지만 묻겠습니다. 지금, 그 가슴의 병증으로 당장 죽을 것 같습니까?

태하 그건 아니요. 허나, (하는데)

연우 그럼 됐습니다. (족두리와 활옷을 벗더니 태하 앞으로 디기온다)

태하 (!!) 무, 무얼 하는 게요?!

연우 (대답 없이 태하의 사모관대까지 벗겨버린다)

태하 (!, 말리며) 나… 낭자!!

연우 (단호한) 아뇨, 부인입니다. 이젠 제가 도련, 아니 서방님 부인 이니까요. 전! 소박 맞긴 싫습니다! 더욱이 부모님 얼굴에 더 는 똥칠할 수도 없구요!

태하 (헐! 똥… 똥칠??)

연우 차라리 청상과부로 늙어 죽겠습니다! 내가 이 혼인을 어찌 결심했는데! 그러니!! (살벌한) 초야*는…. 꼭 치러야겠습니다. (획— 태하에게 달려든다!)

태하 !!! (화들짝 놀라 도망치며) 비키세요!! 오지 말래두요!!

연우 (쫓아가며) 게 서십시오! (계속 쫓아가며) 이리 오시래두요?!

서로 쫓고 쫓기는 연우와 태하. 그러다 태하가 벽으로 몰리고 연우가 확! 벽치기를 해버린다. 태하, 놀라서 눈이 땡그래져 연우를 보는데!

● 초야 : 결혼한 신랑과 신부의 첫날밤.

88

⌒ S#60. 호은당 별채 전경 / 밤

⌒ S#61. 호은당 별채, 연우 방 / 밤

연우, 벽치기를 한 상태로 태하와 마주 보고 있다가 태하의 가슴에 손을 올린다!

연우   (태하 보며) 빨리 뛰는 듯한데, 어찌 괜찮으십니까?
태하   …. (얼굴이 붉어진, 끄덕이는)

연우, 잠시 뭔가 생각하다가 태하의 손을 잡더니 제 앞으로 가져온다. 당황한 태하, 잠시 멈칫하지만 연우가 하는 대로 보고 있기로 한다.

연우   (태하 손바닥에 한자 쓰며) 잇닿을 연, 만날 우. 연우. 제 이름입니다.
태하   (보는)
연우   사람이 사람을 만나는 인연이 어찌 가벼운 것이겠습니까. 하물며 부부의 연으로 맞닿은 인연입니다. 쉬이 여기지 마십시오.
태하   (연우에게 잡힌 손 빼며) 쉽게 생각하지 않기에 이러는 겁니다. (차마 하기 싫은 말) 난, 언제 염라대왕을 뵐지 모르는 몸이니까….
연우   내가 이깁니다! 그 염라대왕도. (미소) 그러니 걱정 마세요. (진심) 그리고… 부모님 때문에 이 혼인, 고집하는 건 아닙니다. (부끄럽지만) 서방님을 제겐 좋은 분이라 생각하니까요.
태하   (마음 흔들리지만) 미안합니다. (문으로 가는데)

연우	(태하 막으며) 못 가십니다. 제 고집도 보통은 아니니 먼저 포기

연우 (태하 막으며) 못 가십니다. 제 고집도 보통은 아니니 먼저 포기 하세요! (그대로 문 앞에 앉아서는 눈까지 감아버린다)

태하 (하… 하며 그런 연우를 보는)

연우 (실눈 뜨고 태하를 보다가 눈이 마주치자, 헉! 다시 감아버리는)

〜 S#62. 호은당 별채 앞 / 밤

별채를 밝히던 촛불이 꺼진다.

〜 S#63. 호은당 별채, 연우 방 / 밤

늦은 밤이다. 문에 기대어 끄덕끄덕 어느새 잠이 든 연우. 태하, 그런 연우를 안아 들고 이부자리로 와 눕히고선 빤히 바라본다.

어린태하 (E) 이리 줘! 달라니까!

〜 S#64. 숲속 냇가 / 낮 – 태하 회상 (12세 연우와 13세 태하)

어린연우, 복건을 들고 도망치고…. 어린태하, 그 뒤를 열심히 쫓는다. 앞에서 깔깔거리고 뛰던 연우가 턱! 바닥에 주저앉자 태하도 헉헉… 숨을 몰아쉬며 연우 옆에 앉고.

어린태하 (하… 하… 거친 숨 몰아쉬며) 오랜만이야. 이리 뛰어본 건.

어린연우   (숨 가다듬고) 난, 꼭 청나라에 갈 거야. 여인이라도 갈 수 있어!
           (태하 보며) 너도 뭐든 할 수 있다구! 이렇게 뛰어도 괜찮잖아.
           (하다가, 아!) 이름이 뭐야? 난 연우야, 박연우! (하며 환하게 웃어
           보인다)

〜 S#65. 호은당 별채, 연우 방 / 밤 → 다음날, 새벽 – 현재

태하   (그리운) … 연우야. (가만히 손을 들어 연우의 앞머리를 넘겨준다)
연우   (뒤척이며 음냐~ 하고)

(CUT TO) 새벽이다. 연우, 곤히 자고 있는데 '윽!' 하면서 쿵! 둔탁한 소
리가 들린다. 연우, 응?! 하며 눈을 뜨고는 몸을 일으켜 살피는데…. 보면,
태하가 등을 보인 채 바닥에 머리를 대고 쓰러져 있다!

연우   서방님…? (하고 보다가) ! (태하에게 가) 서방님! (헉! 놀라서 보는)

보면, 쓰러진 태하가 검붉은 피를 토한 채로 헉헉헉… 괴롭게 숨을 쉬고
있다.

연우   (!!!) 여… 여봐라!! 게 아무도 없느냐! 어머님!! 사월아!! 사월,
           (아!)
태하   (힘겹게 손을 뻗어 연우의 팔을 잡는다) ……. (헉… 헉…)
연우   ! (돌아보며, 태하의 상체 살짝 일으켜 안으며) 서방님! 정신이 드
           십니까? 서방님!! (하다 다시 문 쪽을 보며, 더 크게) 밖에 아무도
           없는 게야?!!

태하	(연우의 팔을 꽉 잡고 보는) … 미… 미안… 하오. (쿨럭! 또 피를 토하는)
연우	!!! (피를 보며 놀라지만, 정신 가다듬고) 숨을 쉬세요. 천천히… 제발!!
태하	(눈물이 그렁해서) … 연… 우… (하…) … 연우야…, (하는데)
연우	(눈물이 주룩) 말씀하지 마십시오. (돌아보며, 어쩔 줄 몰라) 아… 아… (하다가) 어머님!! 아버님!! (하고선 다시 태하를 보는데)
태하	(슬프게 웃는, 눈물 흐른다) 울지… 울지 말고… 그때처럼… (웃어, 하며 연우의 눈물을 닦아주려고 힘겹게 손을 들다가 이내 툭ー 바닥에 떨군다)
연우	(!!!!!!) 서방님, 서방님ー!!!!!!!!

～ S#66. 호은당 앞 인근 / 낮

3~4명의 사람들이 호은당 대문 인근에 모여서 웅성거리고 있다.

행인1	얘기 들었어? 호은당 새신랑. 새벽에 죽었다며?
행인2	그러게~ 세상에 이게 무슨 일이래. 원녀가 겨우 시집 갔나 했더니, 하룻밤 사이에 마당과부*가 되다니. 애기씨 팔자도 것 참! (쯧쯧 하는데)

● 마당과부 : 신부 집 안마당에서 치르는 초례나 겨우 올리고 이내 남편을 잃은 청상과부.

S#67. 호은당, 안채 방 / 낮

소복 차림의 연우가 멍하니 앉아 있는데 문이 벌컥 열리고 윤씨부인이 들어온다. 그러더니 냅다 연우의 뺨을 후려치고! 휘청거리는 연우!!

윤씨부인	(바락) 대체 무슨 짓을 했길래, 멀쩡하던 아이가 저리 끔찍하게 간 게야!!
연우	(모멸감을 느끼지만, 참는)
윤씨부인	샛떼 같은 내 자식이 왜!! (연우를 잡아 흔들며) 말을 해봐라, 말을!!
연우	(말없이 그저 인형처럼 이리저리 흔들린다)
윤씨부인	벙어리라도 된 게야?! (더 극악하게 잡아 재끼며) 뭔 짓을 했는지 묻잖아!

이때, 문이 열리고 연우모가 들어온다.

연우모	사부인! 뭐 하시는 겁니까!!
윤씨부인	(연우모 노려보며 버럭) 내 아들 잡아먹은 것에게 이 정도도 못합니까! 대체 딸을 어찌 키우셨으면 혼인하자마자 이 무슨! (하는데)
연우	(O.L) 그만하시죠!
윤씨부인	(획— 돌아보면)
연우	(화를 누르며 침착하게) 제 어머님께 함부로 하지 마십시오.
윤씨부인	(하!) 뭐라?
연우	(쏘아보며) 서방님께 오랜 병중이 있었다는 거 이미 알고 있습니다.

연우모	(놀라) 정말인 게야? 병중이라니?!
연우	서방님께선 혹여 이런 일이 생길까, 어젯밤 옷고름까지 잘라내며 파혼하자 하셨습니다.
윤씨부인	! (당황, 아닌 척, 눈 부릅뜨는) 어디서 그런 거짓말을!
연우	허나! (지지 않고 보며) 어머님께서 아무리 생떼를 쓰셔도 제 도린 다할 겁니다. 서방님 3년상, 제가 모두 치를 것이니 저와 제 가족을 이리 막 대하지 마세요. (꾸벅 인사하고 나가는)
윤씨부인	(하! 하며, 가는 연우를 내십세 쏘아보는)

〜 S#68. 호은당, 안채 마당 / 낮

노비들 '뭐야!' '무슨 일이래' 하며 웅성거리는데 이때, 사월이 나타나 '무슨 구경들 났어! 저리 안 가!' 하며 쫓아내는데 연우가 마당으로 내려온다.

사월	(속상한, 연우 옆으로 다가와) 애기씨… 괜찮으세요?? (울먹) 이제 어쩌십니까. 꼼짝없이 시댁에 들어가셔야 할 텐데. 저 시어머니 자리가 계모랍니다. 딱 보니 성깔도 보통이 아니구….
연우	(계모란 말에 잠시 얼굴 어두워졌다가, 이내) 난 괜찮으니 가서 어머니나 좀 보살펴드려. 많이 놀라셨을 거야.
사월	(눈물 훔치며 끄덕이는) 예…. (연우를 안쓰럽게 보는)

〜 S#69. 호은당 별채, 연우 방 + 별채 마당 / 낮 → 밤

마천댁과 사람들, 바닥에 피가 흥건한 엉망이 된 방 안을 정리 중이다. 이

94

때, 연우가 들어오자 다들 놀라 일어서고.

연우	여긴 내가 정리할 테니 다들 나가게.
마천댁	아닙니다, 쇤네들이 할 것이니 애기씨께선,
연우	(말 자르며, 단호하게) 마천댁!!
마천댁	… 예…. 알겠습니다. (사람들 불러 모아서 나간다)

연우, 모두 나가자 힘이 풀린 듯 스륵— 그대로 바닥에 주저앉는데 핏자국이 보인다.

〈플래시컷// S#65. 연우의 품에 안겨 슬프게 웃으며 눈물 흘리는 태하.〉

연우	왜 이리… (가슴 누르며) 아플까… 왜… (울음 터지는, 새어 나가지 않게 참는)

(CUT TO) 시간 경과. 어느새 밤이다. 정리가 대충 끝난 컴컴한 방 안. 화초장 문이 열려 있고, 연우 그 앞에서 태하에게 주려던 옷을 만지고 있다.

연우	(멍하니) … 이 옷은… 드리지도 못 했구나… (하는데)

이때, 문 밖에서 사월의 목소리가 들려온다.

사월	(E) 애기씨, 미음 좀 챙겨왔는데요.
연우	…… 생각 없으니 그냥 가져가거라.
사월	(E) …. 문 앞에 둘 테니 조금이라도 드세요. (가는)

별채 마당/

사월   (밖으로 나오며 한숨 쉬며) 불쌍한 우리 애기씨…. 하늘도 참 너
무 하시지… (하며 하늘을 올려다보는데 달이 평소와 달리 붉다) 어
찌 색깔도 저래… 불길하게…. (뭔가 불길하지만, 애써 아니야…
도리질하며 간다)

연우 빙/ 연우, 후… 한숨 쉬며 고개를 돌리는데 이부자리 밑에서 뭔가를
발견한다. 뭐지? 싶어 다가가 꺼내 보는데 피가 묻은 나비 모양의 은 노리
개다. 연우, 노리개를 살펴보다가 이것은…? 하며 놀란다.

〈인서트// 호은이 건넨 노리개와 회중시계를 받고 환하게 웃는 어린연우.〉

연우   (노리개를 보며, 의아한) 이걸 왜… 서방님이… (하는데)

이때, 밖에서 인기척이 들린다. 연우, 노리개를 품에 넣고 '사월이니?' 하
는데 문이 열리며 복면을 쓴 사내가 들어온다. 연우, 놀라서 보는데 사내가
재빨리 연우 뒷목을 강하게 가격해 기절시킨다!

⌒ S#70. 호은당, 우물가 / 밤

아까보다 더 붉어진 달빛 아래로 사내가 재갈 물린 연우를 보쌈하듯 둘러
업고 우물가 쪽으로 간다. 업혀 가던 연우, 스르륵 눈을 뜨고 정신을 차리
고 보쌈당하고 있음을 인지하고 바동거리며 난리를 치다가 우물 근처로 길
게 가지를 내리고 있던 배롱나무의 꽃가지 하나를 턱! 하고 잡는다. 연우,
나뭇가지를 잡은 채 버티려는데 이내 툭! 나뭇가지가 꺾이고, 연우의 품에

서 회중시계가 떨어진다!

〰 S#71. 화연옥, 천명의 방 + 창밖 / 밤

경상 앞에서 눈을 감고 있던 천명, 눈을 떠 고개를 돌려 창밖의 붉은 달을
바라본다!

〰 S#72. 호은당, 우물가 / 밤

우물 밖/ 사내, 그대로 연우를 우물 안으로 집어던지고!

우물 안/ 풍덩! 소리와 함께 연우가 우물 속으로 가라앉는다! 손에 배롱나
무 가지를 꼭 쥐고, 몸을 이리저리 비틀다 이내 힘이 빠져 그마저 멈춰 버
린다. 잠시 후, 연우 입에 물렸던 재갈도 스르륵 풀리고, 눈이 감기며 정신
을 잃고 그대로 가라앉는다!

우물 밖/ 우물을 비춘 달이 아까완 비교할 수 없을 만큼 붉어진다. 완연한
레드문! 동시에 바닥에 떨어져 있던 연우의 회중시계가 멈춘다! 그러자 주
변의 모든 것들, 바람도 흔들리던 배롱나무도 구름도 모든 것이 멈춘다!

〰 S#73. 화연옥, 마당 + 우물 안 / 밤

화연옥/ 춤추던 기생도 술 마시던 양반들도 모든 것이 멈춘 가운데 초록나

비와 함께 천명이 천천히 마당 한가운데로 걸어나온다. 천명, 가만히 고개를 들어 하늘을 바라보는데…. 월식으로 붉어진 달의 위아래로 선명한 달의 궤적들(*월식 궤적)이 보인다.

우물 안/ 배롱나무 가지를 꼭 쥔 연우 주변으로 수십 개의 빛이 빠르게 지나가고. (*200년 시간의 흐름) 연우는 빛에 둘러싸인 채 안으로 점점 더 깊게 떨어진다. 그러다 순간! 배롱나무 가지에 달려 있는 배롱꽃이 반짝! 오묘한 빛을 내고!

화연옥/ 멈춰 있던 모든 것들이 다시 움직인다. 주변을 바라보던 천명, 다시 하늘을 보면 달도 원래의 색으로 돌아와 있다.

우물 안/ 연우, 배롱나무 가지(*배롱꽃은 계속 빛나고)를 꼭 쥐고 천천히 물속으로 가라앉는데 그 위로 들리는 천명의 목소리.

천명   (E) 운명을 믿으십니까…?

이때 풍덩ㅡ! 소리와 함께 2023년의 태하(*30세)가 물속으로 뛰어들어 와 연우 앞으로 헤엄쳐 온다. 순간 연우가 눈을 뜨고 그렇게 마주하는 두 사람!

(엔딩)

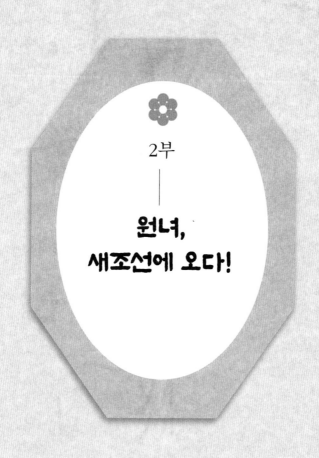

2부

—

원녀,
새조선에 오다!

～ S#1. 우물 안 / 밤 - 1부 S#73

풍덩!! 물속으로 빠져드는 연우! 정신 잃은 채 손에 배롱나무 가지를 꼭 쥐고 천천히 가라앉는다. 연우 주변으로 수십 개의 빛이 빠르게 지나가고. (*시간 흐름) 빛에 둘러싸인 연우가 꼭 쥐고 있는 배롱나무의 꽃이 오묘한 빛을 내며 그대로 화이트아웃!

TTTLE 2부. 원녀, 새조선에 오다!

～ S#2. 2023년의 서울 / 아침

아름다운 도시 경관 속에 바삐 움직이는 사람들. 최첨단의 세련된 도시 서울의 모습.

～ S#3. SH서울, 복도 / 아침

현정과 하나, 석주(*휴대폰 SNS 보며)가 빠르게 복도를 걸어가고 있다.

현정 (빠르게 걸어가며) 하나씨, 지금 몇 시?
하나 (따라가며, 시계 확인하며) 8시 10분 전입니다.
현정 아우~ 두야! 나, 미쳐! 강드로 볼 생각에 벌써 심장이 섬세하게 바운스바운스한 게, (하다가 석주보며) 이석주씨, 뭐 해? 휴대폰이랑 연애하니?
석주 (헤헤 휴대폰 내려놓고 슬쩍 하나에게) 근데… 강드로가 누구예요?

현정   ! (멈춰 서더니 석주 돌아보며) 몰라?? 강드로, 우리 부대표 별명
           이잖아!

ᠬ S#4. SH서울, 매장 안 / 아침

복도를 뚜벅뚜벅 걸어가는 태하와 그 뒤를 따라가는 성표(*32세)의 모습이
보인다. 태하, 무표정한 얼굴로 빠르게 오픈 준비 중인 매장들을 스캔하는
모습 위로.

현정   (E) 무감정의 결정판! 논리와 합리의 끝판왕! 강태하 플러스
           안드로이드! 강드로오오오~~~!!!

ᠬ S#5. SH서울, 멀티숍 팝업스토어 / 아침

커스텀 스니커즈, 티셔츠, 가방, 인형, 지갑, 그릇, 등 아티스트들과 콜라
보한 제품들의 팝업스토어다.(*오픈 전) 한쪽엔 고객들이 커스텀 할 수 있
는 체험 부스가 있고. 매장 직원들과 마케팅팀 이것저것 체크하고 있는데
이때, 태하와 성표 들어오고.

석주   (태하 발견, 현정 툭 치며 크게) 팀장님, 강드로, (하는데)
현정   (그 소리에 석주 툭ー 치는, 긴장, 인사하며) 부대표님!
하나   (함께 인사하며) 오셨습니까, 부대표님.
태하   (둘러보다 진열대 뒤쪽 스니커즈 앞에 서서) 이건 누구 작품이죠?
현정   이 스니커즈는 요새 라이징한 아티스트 모노멀 작가와 콜라보 한,

태하	(O.L) 이해가 안 가네요. 근거가 뭐죠? 라이징하다는?
하나	(바로) 모노멀 작가가 최근 W백화점과 콜라보한 티셔츠가 판매 5분 만에 완판됐습니다. 2, 30대가 가장 선호하는 신예 아티스트 1위로 선정돼 오늘 고객 체험도 진행할 예정이구요.
태하	근데 왜 여기 있습니까?
석/현/하	(해맑게) 거야 판매하는 거니까요~ / (헐! 얘가 뭐래?!) / (댕!! 보는)
대하	(스니커즈 늘어서 석주에게 주며) 신예 아티스트 1위에 완판 경험도 있는 작가 제품이 왜 뒤에 있는지 물어본 겁니다. (현정 보며) 오팀장?
현정	앞에는 유명 작가님들과 브랜드 담당자가 선별한 제품들을 두기로 해서….
태하	유대리가 말했던 모노멀 작가의 콜라보했던 티셔츠 덕에 W백화점 팝업 매장 이익이 전주 대비 64.7%가량 올랐습니다. 그래서 우리 SH에서 모노멀 작가에게 컨택한거구요. 게다가 여기 있는 브랜드의 주 고객층이 2,30대임을 생각할 때, (석주 손에 들려 있는 스티커즈를 들더니) 이건… (맨 앞에 있던 스니커즈를 밀어내고 거기다 올려두며) 이쪽이 맞겠네요.
현정	아… 예… 그렇죠.
태하	브랜드보단 고객 니즈를 따지세요. 월급, 고객이 주는 겁니다. (가는)
현정	(바로, 박수 딱딱 치며) 자~ 다들 여기 정리 좀 합시다! 무브무브!!!

～ S#6. SH서울, 마케팅팀 / 아침

현정, 하나, 석주(*휴대폰으로 SNS하는 중, … 마케팅팀으로 들어오며 이야기 중이다.

현정 (태하 말투 흉내) 브랜드보단 고객 니즈를 따지세요. 월급, 고객
  이 주는 겁니다. 이해했습니까?

석주 헐~ 소름. 완전 똑같음요. 우리 부대표님 카리스마 대박 쩔던
  데요?

하나 (좋은) 트렌드 분석, 마케팅, 경영… 뭐든 최고긴 하죠.

현정 강드로야 뭐, 하드웨어 소프트웨어 둘 다 대놓고 섹시하지. 넘
  칼 같아서 좀 살벌하지만. 근데 저 스펙에 왜 아직 솔로일까?
  (하다) 취향 문젠가? (흠…) 설마… 남자, 좋아하나? (의심 가득)

하나 (웃으며) 취향은요. 워낙 바쁘시니까 연애할 틈도 없는 거겠죠.

현정 하나씨가 어떻게 알아, 봤어? (하다가, 석주 보며) 석주씨, 또 뭐
  하니?

석주 (휴대폰 보며) 덕질이요. 오늘부터 1일입니다! (빙긋─ 웃으며 휴
  대폰 클릭)

〈인서트// 석주 휴대폰 화면. '2030 파워리더'라는 네임즈 표지모델인 태
하 사진 아래로 #이해했습니까 #myboss #k드로 #개존잘 #오늘부터덕질
1일 #롤모델 #뇌섹남〉

'존잘 인정 / 오~부대표? / K드로는 뭐야? / 생긴 게 복지네' 등 하트와
댓글들 올라가고.

⌒ S#7. SH서울 전경 / 아침

태하의 네임즈 표지모델 사진(*S#6)이 벽면 한쪽에 커다랗게 현수막으로 떡하니 붙은 모던하고 고급스런 SH서울의 모습 보이고.

⌒ S#8. 부산, 요트 선착장 / 아침

혜숙이 휴대폰으로 태하 사진(*S#7)을 보며 걸어가고 있다. 그 뒤를 최비서가 따르고.

혜숙   유치하긴. 노인네, 손자 사랑이 너무 지나쳐…. (휴대폰 최비서 주며) 오늘 윤사장 그림 넘기면 진품인지 확인해. 중요한 거니까.

윤사장의 요트 근처에 보디가드들이 도열해 있다가 혜숙이 요트 앞으로 오자 꾸벅 인사한다. 혜숙, 이 상황이 익숙하단 얼굴로 요트를 향해 걸어가고.

⌒ S#9. 요트 / 낮

차를 마시는 혜숙과 막걸리에 멸치를 먹고 있는 윤사장(*60대 초반)이 보인다. 보디가드, 혜숙에게 화접도*를 건넨다.

● 　조선후기시대 화접도. 혜숙이 공들여온 일이다. 화려한 색감이 눈에 띄는 화접도로 네모난 도장의 낙관(闊岩)이 찍혀 있다.

혜숙	(화접도 보고 윤사장에게) 감사해요. 저 그림 구하느라 꽤 애먹었는데.
윤사장	미 대사 와이프가 저 그림을 좋아한다며. 민대표네 백화점 뉴욕에 오픈하면 나한테도 콩고물 정도 떨어질 거잖아? 게다가 공짜도 아닌데, 뭘.
혜숙	(웃으며) 근데 사장님은 그 막걸리가 그렇게 좋으세요?
윤사장	인이 백인 거지. 원래 오래된 건 못 바꿔. (슬쩍) 근데… 강회장이 주총에서 민대표 큰아들, 그 강태하? 걜 SH서울 대표로 밀거라던데?
혜숙	(여유, 미소) 태하, 아직 어려요. 아시잖아요.
윤사장	(떠보듯) 그래서 결혼시킨단 소문이 있어. 뒷배 든든한 처가로.
혜숙	결혼… 뭐 혼자 하나요. 그런 일 절대 없습니다. (차 마시는)

⌒ S#10. SH서울 복도 / 낮

태하, 가면서 힐끔 스마트워치 심박수 확인하는데, 68로 평온하다.

태하	민대표가 부산에요?
성표	네. 뭐… 표면적으론 SH부산 지점에 간 걸로 돼 있지만,
태하	화접도를 구하러 간 거겠죠. (별스럽지 않다는 듯) 다음 일정은 뭡니까.
성표	(!) 아, 그게… (하다가, 주변 살피며 큼) 그겁니다.
태하	? (보는)
성표	(태하에게만 들리게 작은 목소리로) 결혼식이요. 부대표님 결혼식!
태하	(음… 그랬지… 하는 무감한 표정)

〰 S#11. 요트 / 낮

윤사장   내가 이런~ 저런 잡놈들 많이 봐서 아는데… 강회장, 뭔 짓을
          해서라도 그 손자한테 회사 줄 걸? 민대표 밀어내고. 그럼…
          (떠보듯) 우린 동동동~ 낙동강 오리알 되는 건가? (살짝 협박이
          깔린 피식ㅡ)

혜숙   (테이블 아래 있던 상자를 윤사장에게 준다)

윤사장   (상자 열어 보는데 투명한 병에 막걸리가 들어 있다) …?

혜숙   명인이 담근 막걸리에요. 오래되고 인이 박인 것도 언제든 바
          꿀 수 있죠, 마음만 먹으면. (보며) 회장 자리도 그렇구요. (훗)
          아버님께서 후계잘 정했어도 결국, 제가 SH회장이 될 겁니다.
          낙동강 오리알 안 만들어요.

〰 S#12. 도로 위, 강회장 차 안 / 낮

강회장, 뒷좌석에 앉아 진중한 얼굴로 뭔가를 생각하고 있다.

강회장   (홈) 김기사, 뭐 하나 물어보고 싶은데 잘 듣고 대답해봐. 겨울
          에 많이 쓰는 끈은 (태세 전환, 장난꾸러기처럼) 뭘까~요!

김기사   (웃으며) 아이고~ 우리 회장님 또 수수께끼세요? (홈…) 잘 모르
          겠는데….

강회장   바로바로~! 따끈따끈!! 하하하! (장난) 못 맞췄으니까 (손 내밀
          며) 천 원!

김기사   (맞춰주며) 천 원이요? 아휴~ 그런 말씀 없으셨잖아요!

강회장   그럼 이번에 맞춰. (신나서) 노총각들이 가장 좋아하는 감은?

김기사	… 단감? 아니, 곶감인가? (하는데)
강회장	땡!! 색시감이지~ 예쁜 색시감~!! 하하하! 이천 원 땄어, 내가! (헤헤!)

〰 S#13. 호텔, 남자 드레스룸 / 낮

남자 예복이 여러 벌 걸려 있고, 직원 도움을 받으며 예복을 갈아입고 있는 태하가 보인다. 커프스단추로 소매를 잠그고, 재킷을 입는 등 잘난 외모가 더 빛나 보이는데.

성표	(급히 들어오며) 부대표님!! 큰일 났습, (하다가 주변 직원 보고) 지~ 않지… 않을까요?! (하면서 눈짓으로 다른 곳으로 가시죠! 하는 표정)
태하	? (뭐지?) …….

〰 S#14. 호텔, 야외 수영장 안 + 물속 / 낮

야외 수영장 안으로 들어오는 태하와 성표가 보인다.

성표	(들어오며) 임시 폐쇄 중이라니, 아무도 없을 겁니다.
태하	(이미 다 들었다) 그러니까, 신부가 연락이 안 된다구요? (워치 확인, 1시다) 식은 2시 반으로 아는데. 이해가 됩니까, 이게?
성표	(깨갱) 이해가… 안 되죠. 근데… 그렇게 됐습니다. (울상)
태하	(차분한) 신부랑 마지막 통화, 언제 했죠?

성표   12시쯤 통화하긴 했는데… (하는데)

물속/ 어두운 물속에서 눈을 감은 채 가라앉고 있는 연우 위로 일순 밝은 빛이 쏟아진다. 순간, 팟! 하고 눈을 뜨는 연우. 물 위를 쳐다보더니 올라가려 용을 쓴다!

야외 수영장/ 태하와 성표가 서 있는데 어디선가 '어푸어푸!' 소리가 들린다. 테히, 뭐지? 해서 소리가 나는 쪽 보는데 물속에서 들락날락하는 연우가 보인다. 헐!!!

태하   (성표 보며) 아무도, 없다면서요?
성표   (당황) 아니, 분명히 그랬는데? 근데 왜?! (하며 태하 보는)
태하   뭐 합니까. 일단 들어가서 꺼내요.
성표   아, 넵!!! (하더니 주변에 있던 구명조끼를 찾아 몸에 끼운다)
태하   ?? (뭐 하는 거야? 해서 보면)
성표   제가 수영만 못해서요. 하지만 최선을 다하겠습니다! (하며 체조부터!)

태하, 어이없이 보다가 고개 돌리는데 어푸거리던 연우가 물속으로 가라앉고 있다. 안 되겠다 싶어 태하가 재킷을 벗어 던지고 물속으로 멋지게 들어가고!

물속/ 태하, 연우에게 헤엄쳐가는데 갑자기 쿵쿵!! 심장이 뛰다가 멈추더니 눈앞이 흐릿해지며 가라앉는다! 태하, 깊은 바다에 빠진 듯 가라앉다가 눈을 감고 떠 있는 연우와 마주한다. 순간! 연우가 쥐고 있던 배롱나무 꽃이 반짝 빛나더니 빛이 퍼져나가고, 동시에 쿵쿵! 태하 심장이 다시 뛰면서 정신 차린 태하가 연우에게 헤엄쳐간다!

(CUT TO) 연우, 배롱나무 가지를 꼭 쥐고 쓰러져 있고…. 옆에선 태하가
아까 느낀 심정지는 뭐였지? 싶어 가슴을 만지며 연우를 보고 있는데.

성표   (수건 들고 와 태하 닦아주며) 이제 어쩌죠???

태하   (차분한) 구급차부터 부르세요.

성표   네! (전화를 걸려다) 괜찮을까요? 신부도 연락 두절인데 이런 소
        동까지….

태하   (잠시 생각, 다시 연우 보며) 이쪽이 먼접니다. 연락 없는 신부보
        다 익사 사건이 더 최악의 결과가 될 테니까요.

성표   이… 익사요? (헉! 하며 119에 전화하려는데)

이때, 연우가 쿨럭— 물을 쏟아낸다. 태하, 재빨리 연우 옆으로 와서 보는.
연우, 또 한번 쿨럭— 하더니 남은 물들을 모두 토해내고 서서히 눈을 뜬다.

태하   (성표에게) 구급차, 취소하세요. (연우 보며) 이봐요, 정신 들어요?

눈을 뜨는 연우의 시선 끝에 태하가 보인다. 흐릿한 시선 속에 태하의 얼굴
이 조선태하와 겹쳐 보인다. '서방님?!!' 믿을 수가 없는 연우다!

연우   ?! (눈이 커지는, 믿을 수 없다) 서방… 님?!

태하/성표 (뭐? 하며 연우 보는) / (오잉??)

연우   (몸을 일으켜 태하를 다시 본다) … (이내, 와락 껴안으며) 서방님!!!!

태하   (안긴 채) !!

∽ S#15. 호텔 전경 / 낮

∽ S#16. 호텔, 야외 수영장 / 낮

연우   (기쁜) 살아계셨군요, 살아계셨어!! 서방님! (하며 더 꽉 끌어안는데)

(E) (워치 경고음) 삐삐삐―

태하   (!!) 이것… 좀… (겨우겨우 연우를 밀어내며) 놔요! (일단, 숨 고르는)

성표   (다가와 태하 일으키며) 괜찮으십니까? 부대표님!!

태하   (숨 고르자, 경고음 사라지고, 짜증스러운 얼굴로 연우를 본다)

연우   (태하 보며) 왜 그리 보십니까? (몸을 일키며) 서방님… (하는데)

태하   (성표를 끌고 일각으로 가며) 구급차 다시 부르세요. (짜증, 미간에 인상) 미쳤거나, 다쳤거나 둘 중 하납니다.

성표   (태하 얼굴 보는, 오!) 부대표님, 지금 짜증나셨습니까?

태하   내가요? (바로 무표정) 아닙니다.

연우   (태하 보며 중얼) 뭐지… 꿈인가 ? 아냐… 분명 우물에 빠져서 (하며 고개 돌리는데 손에 쥔 배롱나무 가지가 보인다, 이건…?!)

〈플래시컷// 1부 S#70. 배롱나무 가지를 꺾는 연우.〉

연우   (확신, E) 꿈은 아니야! (주변 보는데 수영장이 보인다, E) 물…? 삼

110

도… 천?! (저도 모르게 왁!, ON) 내가 삼도천을 건넜다고?!

태하/성표   ! (놀라서 돌아보는데)

연우   (찬찬히 주변을 둘러보다가, 헉!!) 여기가… 저승?!

충격에 빠진 연우, 왔다 갔다 하며 '말도 안 돼!' '거짓말!' '아냐 아냐!' 하며 난리다. 좀 떨어진 일각에서 그 모습을 보는 태하와 성표의 눈엔 딱 정신 놓은 미친년이다.

성표   미쳤는데, 머리까지 다친 모양입니다. (하다) 근데 왜 부대표님께 서방님이라 한 거죠? (살짝 의심 어린 시선으로 보는)

태하   그 왜, 라는 이해 불가 질문에 답해야 합니까?

성표   (바로) 그럴 리가요.

한편, 혼자서 생난리를 치던 연우가 휙— 하고 고개를 돌려 태하와 성표를 본다.

연우   (태하 살피며) 서방님 모습도 이상해. 머리도 짧고, 처음 본 옷하며… (현타 오는) 저승이라니… 내가 왜…! (머리카락 부여잡고 흔드는)

성표   (힐끔 연우 보다가 헉!) 미친 거 맞는데요?

태하   (바로) 눈 돌려요. (하고선, 시선 돌리는)

성표   (문자 오는, 확인하고 헉!) 회, 회장님… 도착하셨다는데요?!

⌒ S#17. 호텔 로비 / 낮

강회장, 지팡이 짚고 호텔 로비로 들어서고 있고 김기사 수행 중이다.

강회장   (김기사에게) 여기 케이크 맛있어. 나랑 같이 먹고 가. (빙긋)

⌒ S#18. 호텔, 야외 수영장 / 낮

성표   (난감한) 디저트 좀 즐기고 올라오신다고. (울상)

태하   (차분하게 어떻게든 이해하고 처리하려고 초집중)

성표   어쩌죠? 회장님께서 아시면 불호령이, (헉!) 그러다 쓰러지시
           면요?!! (난리) 그니까 어디서부터 정리를… 일단 신부를, 아니
           결혼식을 (하는데)

태하, 결심한 듯 성큼성큼 연우 쪽으로 걸어가 선다. 성표, 엥? 해서 보는데

연우   ? (태하 보며) 서방님….

태하   (보다가) 그러니까, 내가 그쪽 서방님이란 거죠?

연우   예!! 당연하죠!! 어찌 그런. (서운한) 저승에선 기억도 지운답니
           까?!

태하   (중얼) 저승?

연우   (속상한) 왜 자꾸 그러십니까! (울컥) 고작 스물일곱에 삼도천을
           건넌 것도 여진여몽*같아 가슴이 아득한데!!

● 여진여몽 : 꿈인지 생시인지 모를 지경.

112

성표	물러나십시오!! 미쳤는데 머리까지 다친 사람은 피하는 게 정답입니다.
태하	(성표 보며) 아뇨. 방금 정리와 이해, 끝냈습니다.
성표	(!) 이해요?? (바로) 아뇨!! 지금은 암것도 이해하지 마십(쇼,)
태하	(O.L) 병원에 데려다줄 겁니다, 결혼식 끝나면.
성표	(태하 붙들고) 결~호온~~?! 안 됩니다! 부대표님 혼자 이해하셨더래도 미친 여자랑은 아니죠오~!! 노노, 절~대 안 돼요!
태하	(차분한) 홍비서. 이 결혼, 왜 하게 됐는지 잊었습니까? (표정)

〰 S#19. VIP 병실 / 밤, 다른 날 – 태하 회상

〈S/S 3주 전〉 강회장, 병실 침대에 누워 있고 그 앞에 태하가 앉아 있다.

강회장	(엥?) 뭐? 누구랑 결혼해? 바네사??
태하	네, 그 사람 입양아예요. 그리고 그 여자 아니면, 저 평생 결혼 안 해요.
강회장	지금 이 할애비 협박하냐? 그게 말이 돼?
태하	말이 안 되는 얘길 먼저 하신 건 할아버지예요. 결혼 안 하면 수술 안 받겠다고 (강조) 협박,도 하셨죠, 아마?

태하, 커다란 쇼핑백(*프로필이 든)을 강회장 침대 테이블 위에 턱— 하니 올려놓는다.

태하	무려 한 달간 제게 보내신 맞선 상대 프로필이에요.
강회장	(쩝—) 내가 살면 얼마나 산다고! (힝) 회사, 너한테 주고 싶은

할애비 맘 모르겠어? 그러려면 든든하게 뒷받침해줄 처가도 필요, (한 거야)

태하   (O.L) 그런 거 없어도 제 힘으로 다 할 수 있어요. 그러니까 할아버진 약속대로 미국 가서 수술 받으세요. 아셨죠!

⌒ S#20. 호텔, 야외 수영장 / 낮 - 현재

태하   할아버지 수술, 무조건 합니다. 그래서 저 여자가 필요한 거구요.

성표   그건 알지만, 그래도… 계약했던 신부가 올지도 모르고.

태하   이 시간까지 연락 없는 건, 안 오겠단 겁니다.

성표   암만 그래두 (연우 보며) 상태가 좀… (난감해 죽겠다)

태하   그럼 밝힐까요? 내가 누구와도 결혼할 수 없는 진짜, 이유. (어두운 표정)

⌒ S#21. 호텔, 카페 / 낮

강회장, 김기사와 작은 사이즈의 홀케이크를 앞에 두고 있다.

강회장   난 요렇게 속을 모르는 놈이 좋아. 딸기가 들었나 망고가 들었나, 흰 빵인가 초코빵인가, (칼로 케이크 자르며) 잘랐을 때 속이 드러나면 은근 떨리거든! 칼질하는 재미도 있고. (포크로 찍어 먹으며 껄껄 웃는)

∽ S#22. 호텔, 야외 수영장 / 낮

연우, 멘붕에 빠져 '집에 가고 싶다고!' 중얼거리고 있고. 그런 연우를 보는 태하.

태하　　나도, 저 여자한테도 이게 최선이에요.

성표　　(끄덕) 그렇긴 한데… (하다, 도리질) 아냐, 말도 안 돼. (하…) 아닌가? 해도 되나? 아닌데…, (맞나? 아닌가?) 으아~ 모르겠다!

태하　　(연우에게 와 보며) 집에 가고 싶습니까?

연우　　(보는)

태하　　그럼 도와줄게요. (보며) 대신, (연우를 지그시 보다가) 내 신부가 돼 줄 수 있습니까?

연우　　(다시 한번 신부가 되어달라는 태하의 말에 마음이 요동친다) !

∽ S#23. 호텔 복도 / 낮

성표, 코너에서 쏙— 고개를 내밀어 주변을 살핀다. 그 뒤에서 큰 수건으로 얼굴을 다 가리고 눈만 빼꼼 내밀고 있는 연우가 보이고.

연우　　홍가양반!! 이건 뭘로 만든 쓰개치마요? (짜증) 무겁고, 답답해서 원. 꼭 이러고 가야 하오? 앞이 하나도 안 보이는데. (하면서 벗으려는데)

성표　　(날쌔게 수건 잡아 연우 가리며) 안 돼요, 벗으면!! (연우 어깨 붙잡는데)

연우　　(성표 밀치며) 어허! 어딜 만집니까! 저승엔 법도도, 남녀도 없

115

단 말이오?!

성표   (헉!! 수건과 함께 연우 입 틀어막고) 예예~!! 저승은 원래 그렇습
       니다.

연우   (읍읍— 바둥거리면서도 팔꿈치로 성표 옆구리 치면서 따라가는)

〜 S#24. 호텔, 드레스룸 앞 / 낮

지친 성표, 숨을 몰아쉬고 있고. 그 앞에 나래가 서 있다.

성표   준빈 다 됐어?

나래   응! 같이 웨딩 알바 했던 친구들 중에 젤 손 빠른 애들로 세팅
       해 놨징~

성표   그리고 (속닥) 우리 부대표님 신부란 건 절대 비밀이다.

나래   오~케이! 대신 따블, 알지? (하다) 근데 왜 비밀이야? 금단의 사
       랑 뭐 그런?

성표   얘긴 이따 하고. 참! 신부가 이태리에서 와서 시차 땜에 헛소
       릴 좀 해. 말투도 좀… (아!) 사극체야! 한국말을 사극으로 배워
       서.

나래   (호기심) 사극체? 오~ 뭔가 있는 거 같은데~? (하다가) 따따블!

〜 S#25. 호텔, 드레스룸 안 / 낮

연우, 화장대 앞에 앉아서 밝은 조명과 인테리어 해 놓은 꽃들, 그리고 화
장대 위에 있는 반짝이는 화장품들을 보는데 모든 것이 너무 생소하지만

아름다워 보인다.

연우　　(감탄) 저승의 모든 것은 이리도 기이하고 아름답구나. (주변 보
　　　　며) 여긴… 극락인가? (반짝이는 파우더통 만지며) 이건 무슨 보
　　　　석이지?

연우, 파우더통을 열려다가 떨어트리고! 사방으로 하얀 가루가 날리자 콜
록거리며 난린데 노크와 함께 문이 열리며 하얀색 도우미 복장의 나래가
들어온다.

나래　　(인사하며) 안녕하세요, 신부(님! 하려다 연우 보고 헉!! 눈 번쩍)
　　　　(파우더 속의 연우 훑어보며, 혼잣말) 와… 존, 예!
연우　　(나래를 보다가, E) 하얀… 옷? (하다, 아! ON) 혹… 선녀님이십
　　　　니까?
나래　　(!) 선녀요? (민망) 그 정돈 아닌데. (좋아서 헤헤ー) 전, 홍나래구
　　　　요. 지금부턴 제가 도와드릴게요.
연우　　(아…) 감사합니다. 안 그래도 제가 죽어본 건 첨이라, 뭘 해야
　　　　할지.
나래　　(죽어?, 갸웃) 일단… 옷부터 벗으셔야죠. (다가오는데)
연우　　(?) 예? 뭐요? 오, 옷이요?!! (양팔 엑스자로 해서 몸 가리는!)

⌢ S#26. 호텔, 드레스룸 앞 / 낮

'이거 놓으시오!' '신부님 잠깐만요!' '어딜 만지시오!' '이리 오라구요!'
연우의 호통과 나래의 비명, 물건들이 떨어지고 던져지고 우당탕 소리가

문 밖으로 새어나오고.

〰 S#27. 호텔, 드레스룸 안 / 낮

세팅을 끝내고 가운을 입은 아름다운 연우가 거울에 자신을 비춰 보고 있고, 그 뒤론 지쳐 쓰러진 알바들 보인다. 연우, 기분 좋게 웃고 있는데 뒤에서 촤락— 소리와 함께 나래기 커튼을 언다. 그 소리에 연우가 돌아보는데 수많은 비즈가 반짝거리는 아름다운 튜브탑 웨딩드레스가 보인다! 연우, 홀린 듯 드레스 앞으로 와 서서 한참을 본다.

나래	(지쳤지만, 애써 웃으며) 마음에 드세요?
연우	(끄덕, 비즈 만지며, 감동) 꼭… 별을 수놓은 것 같습니다. (행복하다, 그러다 문득 해맑게) 헌데 저고린 어딨습니까?

〰 S#28. 호텔, 신랑 신부 대기실 안 / 낮

다른 예복으로 갈아입은 태하, 시계를 보고 있는데 문이 열리는 소리가 들린다. 보면, 사방이 환해지면서 웨딩드레스 차림의 아름다운 연우가 나타난다. 태하, 연우를 말없이 보는데 연우가 발을 절뚝거리며(*뒤꿈치 까진) 오다가 스텝이 꼬이고 '으아아~' 팔을 허우적거리며 태하 앞으로 넘어진다!

태하	(놀라지도 않고, 양손으로 연우 어깨를 틱! 잡아 세워주며) 괜찮습니까?

| 연우 | 아뇨! (구두를 보며) 이건 무슨 고신*을 하려 만든 신입니까? 발이 어찌나 아픈지 서 있기도 힘듭니다! (구두를 벗는다) |

보면, 새 구두(*굽은 높지 않다)를 신은 연우의 뒤꿈치에 빨갛게 상처가 나 있다.

연우	옷은 이리도 아름다운데. (옷 보는데 살짝 부끄럽다) 품이 좀 끼고 저고리도 없어 민망하지만요.
태하	(워치 보며 할 말만, O.L) 나가죠, 시간 다 됐습니다.
연우	?! (구두를 발로 툭 치며) 이런 걸 신고 어찌 갑니까?!
태하	그래도 밖에서 기다리고 있으니까, (하는데)
연우	(?) 기다린다뇨? 누가… (진지한) 설마 옥황상제 말씀이십니까?
태하	! (어이없지만, 연우 화법에 맞춰서) 그쪽보단 염라대왕,에 가깝겠죠.
연우	(!!) 여,염라요?!! 말도 안 돼…. (망연자실 뒷걸음질) 아냐, 아니야…! (의자에 턱! 다리가 걸리자 털썩 주저앉는) 내 무얼 그리 잘못했다고!
태하	(이젠 염라대왕이냐) …. (보다가 구두를 주워들고 연우 앞에 와 선다)
연우	(태하 보며, 좌절) 서방님, 어쩝니까? 염라대왕이라니.
태하	(하…) 내가 이깁니다, 그 염라대왕.
연우	(!) … 예?
태하	이긴다구요. 그러니 그쪽은 걱정 마요, 내가 옆에 있을 테니까.

● 고신(拷訊) : 고문. 기고 있는 사실을 강제로 알아내기 위하여 육체적 고통을 주며 신문함.

〈플래시컷// 1부 S#61. 조선태하에게 염라대왕도 내가 이긴다고 말하는 연우.〉

연우	(가슴 아릿한 표정으로 태하를 보는)
태하	그 대신, 밖에 그 염라대왕… 하고 비슷한 할아버지가 무슨 말을 해도 그쪽은 그냥 웃어요. 대답은 내가 할게요.
연우	(진심) 제가 그리하면 서방님께서 이기시는 겁니까?
태하	뭐… 그런 걸로 합시다. 그리고, (구두 뒤축을 꿰고 연우 앞에 무릎 꿇는) 그쪽도 혼란스러운 거 아는데. (연우 발을 잡는다)
연우	(!!)
태하	(구두 신겨주며) 조금만 참아요. (연우 올려다보며) 금방 끝날 겁니다.
연우	(심쿵!, 구두 신은 발 잠시 봤다가 태하 보며) 그쪽이 아니라, 연우입니다. 박연우. 이름도 잊으신 겁니까?
태하	(일어서는) 난… 강태하예요.
연우	(미소) 예, 잘 알고 있습니다. 강, 태하.
태하	(알아?, 갸웃하지만 이내 손 내밀며) 가죠. (연우 보며) 박연우씨.
연우	(자신의 이름을 불러주자 표정 환하게 변해 태하 손잡는)

∽ S#29. 호텔, 소규모의 채플 웨딩홀 / 낮

문이 탕! 하고 열리면서 태하와 웨딩드레스를 입은 연우가 들어온다. 강회장, 고개를 돌려 태하와 연우를 보는데 흡족한 듯 미소를 보내고. 태하와 연우(*뒤축 꺾인 구두), 팔짱을 낀 채 버진로드를 걸어가 단상에 선다.

연우	(강회장 보며, 살짝 태하에게) 저 분이 염라대왕이십니까?
태하	(대꾸 없이 앞만 보는데)
연우	(흠… 하는, 꽉 조이는 옷이 불편한 듯 몸을 이리저리 움직인다)
태하	(그런 연우 보며, 슬쩍) 뭐 하는 겁니까.
연우	(소근) 옷이 너무 꽉 끼어서 좀….
태하/연우	(맘에 안 들지만, 일단 앞을 보는) / (태하 따라서 앞을 보며 서는)

태하와 연우 위로 오케스트라 음악이 흐르며 짧은 결혼 몽타주 컷. 하객들에게 인사하는 / 서로 반지를 주고받는 / 태하가 성혼선언문을 낭독하는.

태하	서로 다른 곳을 바라보며 살아오던 두 사람이 이제 한결같은 마음으로 영원히 함께 할 것을 (연우 보며) 지금 이 자리에서 서약합니다.
연우	(영원히…? 하며 보다가, 따라서) 서약… 합니다. (묘하게 떨리는)
성표	이제 마지막으로! (크~ 감동에 젖어) 신랑신부의 키스타임입니다!
태하/연우	?!! 키스? 성표를 쳐다보는 / (뭔 소린지 모른다) ?
성표	! (큐시트 보는데, 키스 옆에 '요건 삭제'라고 쓰여 있다. 헐!!)
강회장	(손 번쩍 들더니) 키스해! (박수 짝!) 키스해! (짝!) 키스해 (짝!)
성표	(태하 시선 피하고, 강회장 눈치에 대충 따라서) 키스… 해! (짝!)
태하	(고민하다가, 연우 허리를 확! 돌려 안고!, 속닥) 일단 숨 좀 참죠.
연우	?! (놀라) 숨이요? (하는데)
태하	(연우의 입술로 다가가 키스!, *뒤통수만 보면 진짜 키스하는 느낌)
연우	!!!! (반사적으로 입술을 다물고 정말 숨을 참는) 흡!! (얼굴 벌게지는)

연우, 눈이 땡그래져 보는데 숨이 점점 더 막혀오고…. 결국, 헥!! 그대로 기절! 태하, 헉!! 하며 뒤로 고꾸라지는 연우를 붙들고, 놀라서 보는 성표

와 강회장!

～ S#30. 호텔 로비 / 낮

강회장, 걱정 가득한 얼굴로 태하의 부축을 받으며 걸어오고 있다.

강회장 새아가는, 괜찮겠어? 오박사한테라도 연락할까?

태하 그 정돈 아니에요. 공항에서 바로 와서 좀 힘들었나 봐요.

강회장 그러게 미리미리 데려오라니까. (쯧쯧) 시차 때문인 거야??

태하 조금 쉬면 괜찮을 거예요.

강회장 (끄덕끄덕) 처음엔 니 녀석이 다른 식구들은 부르지 말라고 해서 좀 섭섭했는데 인제 보니 그러길 잘한 것 같다.

태하 (다른 식구들 얘기에 얼굴이 어둡다) … (말 돌리며) 할아버진 수술 준비만 잘하세요. 나머진 제가 알아서 할게요.

강회장 그래, 그래야지. (태하 보며) 새아가 혼자 두지 말고 얼른 올라가 봐, 난 괜찮으니까. 그 뭐냐 요새 말로, 낄낄빠빠 할란다. (가려는데)

태하 (마음이 편치 않다) 내일 공항, 저도 갈게요.

강회장 오박사도 같이 가는데 걱정은. (손짓하며) 알았으니 어서 올라가.

～ S#31. 호텔 방 / 낮

원피스로 갈아입은(*나래가 갈아입힌) 연우가 잠을 자며, 어린 시절의 일을 꿈꾼다.

〜 S#32. 호은당 별채 뒷마당 / 낮 – 1부 S#47 이어서, 연우의 어린시절

어린연우, 나비문양이 새겨진 회중시계와 노리개를 들고 서 있다.

어린연우 (신난) 이건 시계 아니옵니까?? 시간을 알려주는 물건, 맞지요??

호은   (웃으며) 그래, 시계 맞다. 아직 네 생일이 좀 이르긴 하나 받거라.

어린연우 정말요? 감사하옵니다! 너무너무 예뻐요! (회중시계 뒤집어 보는, 중앙에 聯(*잇닿을 연)이 새겨져 있다) 이건 연, 자 아닙니까? (호은 보는)

호은   그래, 연우 네 이름이지. 잇닿을 연에 만날 우. (회중시계 안을 보여주며) 연우야, 이 시곗바늘이 떨어졌다 다시 만나듯 인연이란 언제고 맞닿게 되는 법이다. 허나 것보다 그 연을 지켜나가는 게 더 중요하지. 그러니 네게 닿은 모든 인연을 귀하고 또 귀히 여기거라, 알겠니?

어린연우 예~~ (회중시계 속 글자를 만져보며, 미소 짓는)

〜 S#33. 호텔 방 / 낮 – 현재

미소 짓는 현재의 연우 얼굴로 디졸브. 연우, 음냐~ 하며 기분 좋게 자고 있다. 그 모습을 태하는 무심하게, 성표는 신기한 표정으로 보고 있는데.

성표   깨울까요?

태하   아뇨. 일어나면 병원에 데려갔다가 경찰서에 보내세요. (돌아
                서는데)

연우   (E) 서방님?!

태하와 성표, 놀라서 돌아보면 어느새 연우가 눈을 땡그렇게 뜨고 둘을 쳐
다보고 있다!

연우   (주변 둘러보며) 여긴 또 어딥니까, 서방님? (하는데)

성표   (태하에게 속닥) 아직도 서방님인데요?

태하   (대답할 마음 없다) 홍비서, 주세요.

성표   네! (연우 옆에 쇼핑백 두며) 아가씨 옷하고 물건입니다.

연우   (쇼핑백 안을 보는데 소복과 배롱나무 가지, 돈 봉투가 보인다) 이걸
                왜…?

태하   자세한 얘긴 홍비서랑 하세요. (돌아서서 가려는데)

연우   ! (다급히 와서) 서방님! 어딜 가십니까?! (태하 팔 잡는데)

태하   (재빨리 팔 빼며) 그 헛소리, 그만 좀 하죠? 난 그쪽 서방님도 아
                니고 그렇게 불릴 맘도 없습니다!

연우   (?!) 헛소리요…? 아닙니다! 전 삼도천을 건넜고 여기 저승에
                서 서방님을,

태하, 연우가 말하는데 무시하고 성큼성큼 창가로 가더니 커튼을 걷고 연
우를 본다. 연우, 천천히 창가로 와 보는데 창밖에 경복궁과 광화문 일대의
풍경이 펼쳐진다!

태하	여긴 저승이 아니라 대한민국 서울입니다.
연우	저승이 아니면… (혼란) 내가 살아… 있다구요? 그럼 여긴… 조선인데…?
태하	(바로) 조선이었죠, 아주 오래전엔. (경복궁 가리키며) 저기가 그쪽 사극 버전으로 임금이 살았던 경복궁이니까요.
연우	!! (경복궁?) 예…? 경복궁이면 왜란 때 소실됐을 텐데….
태하	정확하게 1592년 임진왜란 때 소실돼 1865년 고종 2년에 재건했죠. 현재는 비어 있구요. (팩폭) 마지막 왕이 죽고 100년도 넘게 지났으니까!
연우	(?!) 100년…? 마지막… 왕? (헉!, 다시 창밖을 돌아본다) …. (믿을 수 없다!, 빤히 창밖을 보다가 쿵!! 창문을 들이받는다!)

◠ S#34. 호텔 전경 / 낮

쿠웅—! 하고 울리는 호텔 외관!

◠ S#35. 호텔 방 + 방 앞 / 낮

태하와 성표, 황당한 얼굴로 창문에 머리 박고 서 있는 연우를 쳐다보는데.

연우	(머리 박은 채로 중얼) 미치게 아픈 걸 보니… 꿈은 아니구나.
태하	(단단히 미쳤구나, 그냥 가려는데)
연우	(!) 잠시, 잠시만! (태하에게 와) … 믿을 순 없지만 알겠습니다. 여기가 저승도 극락도 아닌 새조선이란거. 허나 서방님은 분

명 제 서방님입니다. 그러니 제게, 또 신부가 돼 달라 하신 거 아닙니까…?

일순 연우의 눈에 무표정한 태하의 얼굴과 조선태하가 겹쳐 보인다.

연우   똑똑히 기억합니다. 이 얼굴, 눈매, 태하라는 이름까지 전부 서 방님인데, (저도 모르게 태하 얼굴로 손 뻗으며) 저 혼자 두고 어 딜….

태하   (뒤로 물러서며, 불쾌한) 홍비서!

성표   (연우 말리며) 저, 이러시지 말구요. (하는데)

연우   ! (보낼 수 없다, 태하 팔 붙잡고) 집에! 집에 보내주신다고 했잖 아요!

태하   (연우의 손 차갑게 뿌리치며) 그런 적 없습니다!

연우   (태하에게 밀려 침대에 걸터앉고) !!

태하   (차갑게) 도와주겠다곤 했지. (성표 보며) 뒤처리하세요. (돌아서 서 가는)

연우   ! (중얼) 처리…? (차가운 태하의 행동과 말에 정신이 아득해진다)

연우, 멍해 있는데 '쾅!!' 문 닫히는 소리가 크게 들린다. 그제야 번뜩해서 '서방님…!' 하며 문으로 뛰어가 옆으로 미는데 (*미닫이라 생각), 문이 안 열린다!

연우   ! (밀면서) 어찌 안 열리는 거야! (힘줘서 끙! 밀며) 열려! 열리라 구!!

성표   (뒤에서 나타나 문고리 잡아 열어주며) 앞으로 미는 건데.

126

방 앞/ 연우, 밖으로 튀어나와 태하를 찾는데 이미 없다. 난감한 듯 사방을
보는!

⌒ S#36. 호텔, 승강기 앞 + 안 / 낮

성표, 불편한 얼굴로 서 있다가 슬쩍 뒤를 보면 쇼핑백을 꼭 끌어안은 연우
가 연신 사방을 힐끔거리며 살펴보고 있다. 이때, 승강기가 도착하고 문이
열린다. 연우, 자동문에 놀라 힉! 하고 뒤로 물러서는데 먼저 올라타는 성
표.

성표   (안내하며) 타시죠….
연우   (타…?, 조심히 안으로 들어서며) 이건 무슨 방이오?
성표   (1층 누르며) 방이 아니라 엘리베이턴데…?

문이 닫히더니 살짝 흔들리면서 내려가는 승강기. 내장 쏠리는 느낌에 놀
란 연우, '으어어억!!' 공룡 같은 비명 지르고.

⌒ S#37. 호텔 앞 / 낮

성표, 연우의 비명 때문에 멍해진 귀를 툭툭 치면서 나온다. 연우, 쇼핑백
을 꼭 끌어안고 나오다가 눈앞에 펼쳐진 광경에 멈칫! 한다. 거리의 차들
과 처음 보는 높은 건물과 사람들, 들려오는 소음에 정신이 아찔한데.

성표   (현욱과 통화, 택시 잡으러 가는) 아, 최교수님! 진료 중이세요?

연우   (주변 보며, E) 조선인데 조선이 아니라니…. (고개 돌리는데) !!
         (반색)

보면, 연우 시선 끝에 한복 입은 여자들(*관광객들) 3~4명이 지나가는 게
보인다.

성표   (통화) 최교수님께 부탁드릴 환자분이 있어서요, (돌아보는데 연
         우 없고!) 응…? (잠시 멍~했다가 헉!) 뭐, 뭐야… 이디 갔이! (휙
         휙! 사방을 보는) !!

⌒ S#38. 거리 일각/ 낮

연우, 뒤축이 꺾인 구두를 신고 한복 입은 관광객들 뒤를 열심히 따라간다.

연우   이보시오! 여기 한양으로 가려면, (하며 관광객1을 붙드는데)
관광객1   (돌아보는데 외국인이다, 영어) 무슨 일이죠?
연우   !! (헉! 해서 손 놓고, 당황해서 뒤로 물러서는데)
관광객1   (영어) 왜 그래요? 누구세요??
연우   (뒷걸음질 치다가 휙! 뒤로 돌아서는데 앞에 오던 누군가와 부딪친
         다) 아!! (하며 바닥에 손을 짚고 넘어진다) ……. (아픈데)
조선태하   (E) 괜찮습니까?

그 소리에 멈칫하는 연우, 천천히 고개를 들어보면 조선태하가 웃으며 서
있다. 연우가 몸을 일으켜 조선태하 앞으로 다가오자 신기루처럼 사라진
다. 눈가가 붉어진 연우, 눈물을 참으려 주먹을 꾹 쥔다. (*울지 않고 참는,

현실이다!)

⌒ S#39. SH부산, 스카이 라운지 / 낮

혜숙, 최비서 휴대폰의 사진(*웨딩드레스 차림의 연우, 태하)을 보고 있다.

혜숙   (!) 태하가 뭘… 해? 결혼?? (하! 믿을 수 없다) 아버님만 참석하

         셨다구?

최비서   네. 일단 지금 상황 파악 중입니다.

혜숙   (매섭게) 파악도 안된 걸, 보고라고 해?!

최비서   죄송합니다.

혜숙   (하!) 태하를 정말 후계자로 만드시겠다? (휴대폰 꼭 쥐며, 기막

         힌) … (최비서에게) 일정부터 취소해. (하다가) 태민이 어딨어?

         (표정)

⌒ S#40. SH서울, 명품 편집숍 안 / 낮

태민(*24세), 멋지게 차려입고 거울 앞에 서 있고 그 옆에 남점원이 서 있다.

남점원   국내에 딱 한 벌 들어온 건데, 크~ 역시 비주얼이며 키며~ (엄

         지 척!)

태민   그런 뻔한 칭찬 재미없거든? (옷은 맘에 드는) 개비싸서 그런지

         예쁘긴 하네, 입고 갈게. 내 옷은 너 가져. 두세 번 입었더니 질

         린다. (하는데)

태민에게 전화가 온다. 〈최비서〉 뜨자 끊어버리는데 또 전화가 온다. 뭐야? 싶고.

⌒ S#41. SH서울 앞 거리 / 낮

연우, 쇼핑백을 꼭 끌어안은 채 주변을 두리번거리며 오고 있다.

연우   뭔 집들이 길쭉길쭉 다 비슷하지? (답답한) 어디로 가야 홍가양
            반을 찾으려나…. (둘러보다가 뭔가를 보고 어!! 눈이 커진다)

보면, SH서울 벽면에 붙은 태하의 사진이 떡하니 보인다. (*S#7)

⌒ S#42. SH서울 앞 입구 회전문 / 낮

선글라스 낀 태민, 아이스아메리카노를 손에 들고 블루투스로 통화하며 오는 중.

태민   (푸핫!) 최비서님, 말이 돼요? 결혼? 강태하가요?
최비서   (F) 네. 그러니까 대표님께서 집으로 들어오시라고,
태민   (O.L) 건 됐고, 누군데. (회전문 들어서며) 누구랑 결혼했냐구요,
            그니까.

이때, 입구에서 회전문으로 들어서던 연우가 회전문을 건드리자 문이 멈춰 선다. 동시에 통화하던 태민이 문에 부딪히면서 커피를 옷과 바닥에 쏟고.

태민	(!) 어?! (옷 젖은 거 보며) 에이씨—! (옆을 보는데 연우 발견) 야!!
연우	(그 소리 못 듣고, 어리둥절) 뭐지…? (뭔가 이상해서 뒤로 물러서 자)

회전문이 움직이면서 태민의 등을 밀고, 태민이 바닥에 쏟은 커피를 밟고 미끄러진다! 동시에 들고 있던 남은 커피가 태민 얼굴로 쏟아진다! 그제야 태민을 발견한 연우가 헉! 하며 보는데…. 태민, 으으… 하며 연우에게 손 가락질한다. '야!!!'

∼ S#43. SH서울 앞 거리 / 낮

연우, '미안하오!!' 하면서 빌딩에서 뛰쳐나오고. '거기 안 서!' 하며 쫓아 오는 태민!

태민	(바락) 야!! 서! 너 거기 서!! (쫓아가는데)
연우	(도망치며) 미안하다니까!! 오지 말라고!! (하는데 신발 한 짝이 벗겨진다!)

연우, 아! 하고 비틀거리는데 태민이 바로 뒤에서 '잡았다!' 하며 다가오는 데 연우가 냅다 벗겨진 신발 한 짝을 태민을 향해 던진다!

태민	(재빨리 신발 피하며) 어딜! (하는데)
연우	!! (쇼핑백에서 그나마 두툼한 돈봉투 집어) 정말 미안하오! (태민 에게 던지는!)

벽돌 같은 봉투가 태민 얼굴을 퍽! 치고 으악! 하는 사이에 골목으로 숨는
연우. 태민, 바닥에 떨어진 돈과 봉투를 보며 열받아서 난리치는데!

태민   야, 이(씨) 또라이!! (버럭) 너 내 눈에 다시 띄면 죽을 줄 알아—!!

골목/ 연우, 힐끔 태민 쪽을 살피다가 힉! 하며 몸을 숨기고.

⌒ S#44. 태하 집, 전경 / 낮

⌒ S#45. 태하 집, 거실 / 낮

거실 TV가 켜져 있고, 씻고 나온 태하가 생수를 마시며 소파로 오는데.

〈인서트// TV 화면. 사극의 한 장면이다. 부인, 서방님의 다리를 잡으며,
부인   서방님!! 어딜 가십니까! 절 두곤 절대 못 가십니다!!

〈플래시컷// S#14.
연우   (와락 태하를 껴안으며) 서방님!!!〉

태하, 풋! 하고 생수를 내뿜고 쯧!! 하곤 리모컨을 찾아 TV를 끄는데 문득,

〈플래시컷//
S#29. 키스하려고 다가가는 태하를 놀란 듯 상기된 얼굴로 보는 연우.
S#35. 얼굴, 눈매, 이름 다 서방님이라며 태하의 얼굴을 만지려고 다가오

는 연우.〉

태하, 저도 모르게 침이 꼴깍— 호흡이 가빠지더니 심장이 쿵쾅쿵쾅! 뛴다.
삐삐삐— 스마트워치가 울리고 심박수가 110을 넘어간다. 태하, 천천히 호
흡을 가다듬는데 이때, '띵동! 띵동!' 요란한 벨소리가 들리고! 돌아보는
태하의 얼굴 위로,

태하   (E) 그 여자가 사라져요?

성표, 난감한 얼굴로 태하 앞에 서서 말도 못 하고 눈만 껌뻑껌뻑거리고 있
는데.

태하   (보며) 호텔에서 바로 없어졌다면서 지금, 보고하는 겁니까?
성표   ! (찔끔) 그게 좀 찾아본다고 시간이…. (쩝—) 일단 경찰서에 가
          보긴 했는데 박연우란 이름 말고 아는 게 없어서 별 도움이 안
          됐고, 호텔에도 그런 투숙객은 없었답니다. 죄송합니다.
태하   (생각 중)
성표   (슬쩍 눈치 보며) 그래두 제 발로 사라진 거니까, 괜찮겠죠?
태하   (차분한) 할아버지가 미국에서 돌아오실 땐 난 이혼남 설정이
          니, 아내 역할이 더 필요 없긴 하겠죠.
성표   그죠?? (다행이다!) 그럼 그냥 냅두고,
태하   (O.L) 하지만 리스크가 사라진 건 아닙니다. (성표 보며) 내가
          컨트롤 못 하는 상황, 그 자체가 이미 리스크니까요.
성표   (깨갱, 울상) 그럼 이제 어쩌죠?
태하   호텔 주변 CCTV 확보해서 그 여자 이동 경로 체크하세요, 할
          수 있는 한 최대로. 특이사항 있으면 (강조) 바로, 보고하구요.

성표   (끄덕) 네!! 바로 하겠습니다. (후다닥 나가는)

태하   (하… 정말 신경 거슬리는 여자다, 싶은데)

～ S#46. 거리 일각 / 낮

연우, 거지꼴로 쇼핑백 꼭 끌어안고 신발 한 짝만 신은 채 맨발 꼼지락거리며 벤치에 앉아 있다. 이때, 뽀뽀하며 지나가는 연인 모습에 헉! 놀라는!

연우   !! (눈 커지며, 고개 돌리며) 뭐야, 벌건 대낮에?! 새조선, 뭔데?!

⟨플래시컷// S#29. 키스하려고 연우에게 다가오는 태하.⟩

연우, 순간 얼굴이 붉어지고 헉! 해서 '아냐~ 아냐!' 도리질하는데.

⟨플래시컷//
S#33. 난 그쪽 서방님도 아니고 불릴 맘도 없다는 태하.
S#35. 연우 밀치며 그런 적 없다며, 처리하라고 차갑게 말하던 태하.⟩

연우   (서운한) 서방님인 줄 알았는데 사기꾼이었어. (하…) 어쩌지? 아는 이도, 갈 곳도 없는데…. (깊은 한숨) 왜 이런 별천지에 떨어져서, (문득) ?!

천명   (E) 애기씨께선 곧 큰 걸 잃게 되실 겁니다.

S#47. 화연옥. 천명의 방 / 낮 – 회상, 1부 S#50 이어서.

천명   (연우 보며) 허나 그 대신 먼 길을 떠나 원하는 걸 얻게 되시죠.

연우   (무슨 소리지? 갸웃하는데)

천명   (차를 마시며) 이 찻잎을 기르는 자는 매일 새벽같이 일어나 차
       밭을 갈고, 거름을 주며 이리 기원한답니다. 이 차를 마시는 모
       든 이가 무탈하길…. 때론 누군가의 그런 간절한 기원이 어떤
       이의 운명이 되기도 하거든요.

연우   운명? (하는데)

천명   애기씨도 어떤 인연으로 예까지 오셨을지 모르죠. 연우란 그
       이름처럼요.

연우   (?!) 어찌 내 이름을….

천명   (웃으며) 보잘것없는 재주가 있다 하지 않았습니까.

S#48. 거리 일각 / 낮 – 현재

연우   (!) 말도 안 돼! 설마… 그 먼 길이? (!!) 내가 원했던 건 청나라
       나 천축국이었다고! (벌떡 일어나 하늘 보며) 여기 새조선이 아
       니라!!! (하는데)

쇼핑백이 떨어지고 안의 물건들이 튀어나오면서 오만 원권 한 장도 빠져나
온다.(*S#43 봉투에서 떨어진) 사람들, 연우를 이상하게 본다. 민망한 연우,
(큼) 바닥에 떨어진 것들을 챙기는데 가방을 멘 서준(*교복/넥타이 푼)이 연
우에게 와 오만 원을 내민다.

서준	(오만 원 주며) 여기요. 이 돈, 누나 거 맞죠?
연우	(보며) 돈? (아… 하며 받다가, !!) 뭐? 돈??? (서준 보며) 이게 돈이라고?!
서준	? (이상한 누나다, 해서 보는)
연우	돈! 돈이었구나!! (오만 원에 뽀뽀) 다행이다, 살았다! 살았어!! (하다가 서준을 보며) 얘, 꼬마야. 나 좀 도와줄래? (웃는)

〜 S#49. 편의점 안 + 앞 / 낮

편의점 안/ 연우, 놀란 눈으로 '이것이 다 무엇이란 말이냐!!' 하며 과자, 라면, 각종 생필품 등을 만지며 정신없이 돌아다니는 짧은 몽타주 컷!

편의점 앞/ 테이블에 생수, 초코파이와 과자봉지 등 먹을 것이 잔뜩 보이고. 연우가 삼선슬리퍼를 신고 편의점을 쳐다보고 있다. (*구두 한 짝은 쇼핑백 안에 넣어뒀다)

연우	정말 저긴 없는 게 없구나.
서준	(당연하다는 듯) 편의점이니까요.
연우	(오호~) 편의점이라… (하는데)

〔편의점(便宜店)〕 한자와 함께 궁서체로 〔편의를 파는 가게〕 뜻풀이 자막 보이고. 서준, 초코파이를 까서 먹기 시작한다. 연우, 서준이 따라서 초코파이를 꺼내 보는.

| 연우 | (흠) 이건 뭐지? 까만 콩떡인가? (한입 베어 무는데 눈이 번쩍!!) |

〈인서트// 연우 위로 쏟아지는 환한 핀 조명. 마치 세상에 연우 혼자 있는 듯하다!

연우   (감탄, E) 꿀보다 더 달짝지근한 것이 입 안에 넣자마자 새하얀 눈처럼 사르르 녹아내리는구나! (감동) 이 떡 뭐지? 뭐지뭐지?〉

핀 조명 사라지고. 연우, 남은 초코파이 입에 욱여넣으며 좋아서 히죽거리는.

연우   (그대로 꿀꺽! 하고는) 이 까만 건 무슨 떡이니??
서준   (초코파이 먹으며) 떡이 아니라… 초코파(이…인데 하며 이상하게 보는)
연우   (오!) 촉…호? (초코)?

〔촉호(觸好)〕 한자가 떠오르고, 그 옆에 궁서체로 〔좋음을 느끼다〕 라는 뜻풀이 자막.

연우   먹고 좋음을 느낄 수 있는 음식이란 뜻이구나! (봉지를 들어 보며) 하긴 이렇게 맛있으니!! (헤헤-, 서준 보며) 정말 고맙구나. 이 근처에 사니?
서준   아뇨, 학원이 이 근처예요. (생수 뚜껑 따서 마신다)
연우   (중얼) 학원…? 서당 말인가? (하다가) 그래, 그 학원은 재밌니?
서준   학원이 재밌는 건 원장선생님뿐일 걸요? 돈을 버니까. 다 시시해요. 그래서 오늘도 땡땡이 치고, (헙! 입 막고 눈치 보는)
연우   (씩-) 괜찮아~ 나도 땡땡이엔 일가견이 좀 있거든.
서준   (다행이다) 정말요? (이때 서준의 휴대폰이 울리자 받으며) 여보세요!

연우	!! (벨소리에 화들짝 놀라) 뭐지? 뭐야? (하며 둘러보는데)
해령	(F) 쭌~~ 마이 쭌! 어디야??
연우	!! (휴대폰에서 목소리가 들리자) 누구냐! (좌우 보며) 누구냐고!
서준	(연우 살짝 피해서 휴대폰 손으로 가리며) 학원 근처예요. (하는데)
해령	(F) 그래? 엄마 다 왔어, (하다가) 으아아악!! (전화 끊기는)
서준	!! (놀라서) 엄마! 엄마, 왜 그래요?!
연우	?! (놀라 보며) 왜?! 무슨 일이야?
서준	(전화 끊고) 저 가봐아겠어요! 안녕히 계세요! (후다닥 뛰어가는)
연우	! (과자 하나 들고) 애! 꼬마야!!! 이거라도 (하는데 가고 없다) 가져가지… (하며 앉는데, 다시 혼자가 돼 버렸다) ….

〜 S#50. 길가, 해령 차 안 / 낮

끼익! 하며 멈춰 서는 해령의 차 앞으로 누군가 풀썩 쓰러진다. 잠시 후, 차에서 호들갑스럽게 해령이 내려서는 쓰러진 사람에게 달려와 보는데 사월이다!

해령	(벌벌 떨며) 어… 어떡해!! 사… 사람…! (하다가) 이봐요… 이봐요! (하는데)
사월	(그 소리에 헉! 눈을 떴다가) ! (해령을 보더니 억! 다시 기절!)
해령	! (사월이가 눈 뜨자 헉! 했다가 또 기절하자) 뭐야! 왜 또 기절해?!

〜 S#51. 편의점 인근 공원 + 미끄럼틀 안 / 저녁

어둑어둑해지는 도시 풍경과 밤하늘. 연우, 삼선슬리퍼에 추레하게 가는데 가로등이 하나둘 들어오며 사방이 밝아진다! 연우, 놀라서 보는데 이때 앞쪽에서 '엄마! 아빠!' 하며 여자(*20대)가 부모님과 웃으며 가는 게 보인다. 연우, 부러운 듯 보다가 애써 맘 추스르며 어깨 끌어안고 가다가 성처럼 생긴 미끄럼틀을 발견한다.

미끄럼틀 안/ 연우, 소복 치마를 이불처럼 덮고 잠이 안 와 이리저리 뒤척이다가 하늘을 보는데 뚫린 천장 사이로 달과 별이 보인다.

연우   달은 조선이나… 새조선이나 똑같구나. (가만히 하늘 보다가) 괜
         찮아…. 그냥 정자에 누웠다고 생각해. 괜찮다 하면, 괜찮은
         거니까.

연우, 가슴을 토닥토닥 해보지만 쉽게 잠이 들지 않는다. 그러다 어머니가 불러주시던 자장가를 흥얼거린다. 순간, 툇마루에서 연우모 무릎을 베고 누워 있는 연우로 디졸브.

〈연우모, 연우에게 부채질해주며 자장가를 흥얼거리고 사월이는 마당의 비질을 하며 그걸 흐뭇하게 보는데 연우부가 쟁반에 곶감을 들고 웃으며 툇마루로 오고 있다.〉

화면 다시 현재로 돌아오고, 꼭 감은 연우의 눈에서 참았던 눈물 한 방울이 흘러내린다. 어머님이, 아버님이, 사월이가… 나의 조선이 너무 보고 싶다.

S#52. 밝고 환한 어딘가 / 낮 - 태하의 꿈속

전통 혼례복 차림의 태하가 서 있다. '여긴 어디지? 이 옷은 또 뭐고' 싶은
데 누군가 휙! 태하 등에 업힌다. 놀란 태하, 돌아보는데 활옷 입은 연우가
등에 업혀 '서.방.님!' 하며 빙긋 웃다가 돌변해서는 멱살을 잡고 '서방은
개뿔!' 하며 흔들고 난리다!

S#53. 태하 집, 태하 방 / 다음날, 새벽

태하, 으아악—!! 눈을 번쩍 뜨고 일어나 보면, 자신의 방이다. 위치 보면
새벽 5시고. 꿈인가? 하며 목을 매만지는데 뭔가 끔찍하다!! 격렬하게 도리
질을 하는.

S#54. 태하 차 안 + SH서울, 태하 사무실 / 아침

태하, 운전 중인데 성표에게 전화가 온다. 블루투스로 받고.

성표 부대표님, 지금 공항 가시는 길이십니까?
태하 네. 그런데요.
성표 (난감) 회장님 수술이 취소됐답니다!

도로 위/ 태하의 차가 끽! 하고 갓길에 빠르게 멈춰 선다.

차 안/

태하   (!!) 뭐라구요?! 그게 무슨 소립니까!

성표   모르겠습니다, 저도. (미치겠다) 어쩝니까?! 회장님 수술 때문
       에 그 난리를 피며 가짜결혼까지 하셨는데. (하는데)

태하   (하! 하는 표정 있고)

도로 위/ 멈춰 섰던 태하의 차, 그대로 유턴해서 빠른 속도로 부웅! 달려
간다.

〜 S#55. 태하 집, 거실 / 아침

강회장, TV를 보고 있는데…. 태하가 서둘러 들어온다.

태하   ! (강회장 보고) 할아버지!!

강회장   왔냐?? (예능 보며 깔깔 웃는) 요새 이게 너무 재밌더라! 하하!

태하   어떻게 된 거예요?! 수술이 취소됐다뇨?!

강회장   녀석두 참, 취소가 아니라 스케줄이 바뀌었다니까. (빙긋)

〜 S#56. 태하 집, 태하 방 + 오박사 진료실 / 아침

오박사   미국 쪽에서 착오가 생겼어. 걱정 마, 일단 여기서 약물로 치료
       하시고 수술 스케줄 다시 잡아서 나가면 돼. 대충 한 달이면 될
       거야.

태하   (!) 네?? 한 달이나요?!

오박사   어쨌든 그동안 회장님 스트레스 안 받게, 최대한 편하게 해드려.

태하   (하…, 표정)

〰 S#57. 태하 집, 거실 / 아침

태하, 난감한 얼굴로 거실로 나오는데 강회장 여전히 TV를 보고 있다.

강회장   새아간 어디 간 거야?? 온 김에 얼굴 좀 보고 갈까 했는데.
태하   ! (둘러대는) 산책 갔어요, 산책. (하다) 일단 본가에 가 계시면
          저희가,
강회장   (TV 보며, O.L) 괜찮아~ 내가 기다리지, 뭐!
태하   그러시지 말고 그냥 저희가 다음에 갈게요. (하는데)
강회장   (바로) 쉿!! 나 이거 꼭 봐야 돼. 방해 말고 가! (저리 가라 손짓)
태하   (안 되겠다) 그럼… 제가 그 사람 데려올게요.

〰 S#58. 태하 집 주차장 / 아침

태하   (차에 올라타며 통화하는) 홍비서. 어제 그 여자 찾아야 해요, 당
          장!!

〰 S#59. SH서울, 혜숙 사무실 / 아침

혜숙과 황명수 앉아 있다. 태하 결혼 애길 듣고 화들짝 놀라는 황명수!

142

황명수	(놀란) 겨, 결혼이요? 그 강태하가요?? 말도 안 됩니다! 제 정보론 맞선은커녕 연애 한 번 안 한 거로 아는데?!
혜숙	아버님 미국 일정까지 취소하신 거 보면, 뭔가 심상치 않아요.
황명수	(금시초문) 미국이요? 회장님께서 미국엔 왜요?
혜숙	(답답한) 황이사. 아는 게 뭡니까? 정보란 게 있긴 해요?
황명수	죄, 죄송합니다. 근데… 결혼 상댄 누구랍니까? 어느 집 딸이래요?
혜숙	(또 나한테 물어보는 거야? 째려보면)
황명수	(눈치 보며) 제가… 알아봐야겠죠??
혜숙	됐어요, 이미 알아보고 있으니까. 아버님과 태하 사이에 어떤 딜이 있었는지, 태하의 목적이 뭔지, 결혼 상대가 누군지 전부 다. (표정)

⌐ S#60. 편의점 인근 공원 + 놀이터 미끄럼틀 안 / 아침

공원 산책하는 사람들로 살짝 소란스럽다.

미끄럼틀 안/ 곤히 자던 연우, 소란스러운지 몸을 뒤척이며 '음냐…' 하는데.

7세여아	(빤히 연우 보다가 돌아보며, 크게) 엄마! 여기 어떤 언니가 자고 있어!

그 소리에 눈을 뜨는 연우. 헉! 벌떡 일어나 쇼핑백을 챙겨 가려는데 꼬마가 입구를 막고 안 비킨다. 어쩌지? 하다가 미끄럼틀 통이 보이자 안으로 쏙— 들어갔다가 '으악!' 하며 내려와 바닥에 엉덩방아 찧는다. '아…!' 하

며 엉덩이 만지고! 연우, 엉망인 몰골로 벤치 쪽으로 다가와 앉아 어깨와 팔을 주무른다.

연우   안 쑤시는 곳이 없구나. (배에서 꼬르륵ㅡ!) … (쇼핑백에서 빈 초 코파이 봉지 꺼내서 안을 혀로 핥으려다) 우씨ㅡ! (쇼핑백에 봉지 던 지고선 울상)

⌒ S#61. 호텔 앞 + 태하 집, 거실 / 낮

태하, 호텔 앞에 서 있는데 달려오는 성표.

성표   (헉헉…) 경찰서 다녀왔는데요, 신고 들어온 게 전~혀 없답니다.
태하   CCTV는요? 체크 다 해봤어요?
성표   (휴대폰 꺼내면서) 그게 호텔 근처를 돌아다니다가 (휴대폰 속 편 의점 CCTV 보여주는) 근방 편의점까지 간 건 확인했는데요.

〈인서트// CCTV 영상. 편의점 아이스크림 냉동고에 머리 넣는 연우. (*서 준이 모습은 잘 안 보이는. 연우의 모습도 흐릿하게 보이는.)〉

태하   ! (댕! 머리는 왜?!)
성표   그 후엔 없습니다. (하다가) 어쩌죠? 이 근처 좀 더 돌아볼까요? (진지한) 범죄소설에선 범인이 늘 현장에 다시 오니까, 박연우 씨도 혹시,
태하   (바로) 그 '혹시'의 확률은, 얼마나 되는 겁니까?
성표   (흠) 그래도 일단! 둘러는 보겠습니다. (후다닥 가는)

태하	됐어, (요, 하려는데 전화가 온다, 할아버지다, 받는) 네. (*화면 분할)
강회장	새아기는? 아직 못 만난 게야?
태하	아뇨, (둘러대는) 만났는데 병원 예약해서 들렀다 가려구요.
강회장	병원?? 그래, 잘했다! 걱정 말고 천천히 와! (끊고)
태하	(!) 할아버지! (스트레스 받으니 덥다!! 손부채질)

⌒ S#62. 편의점 안 / 낮

태하, 생수를 사며 혹시나 해서 밖을 살피는데 뒤에서 여고생들이 쑥덕거
린다.

여고생1	(컵라면 먹으며) 뭐야, 저 여자… 왜 저러고 봐??
여고생2	(컵라면 먹으며) 헐. 졸 웃겨. 야! 찍자, 찍어. (휴대폰 꺼내는데)
태하	(그 소리에 돌아보는데) ! (눈 커지는)

보면, 연우가 유리창에 딱! 붙어서 여고생들 라면 먹는 걸 빤히 보고 있다.
태하, 잘못 봤나? 해서 눈 비비고 다시 보는데 연우다! 그때 시선 돌리던
연우가 태하와 마주치고, 두 사람 잠시 서로를 쳐다보는데…. 이내 연우가
인상을 빡! 쓰더니 휙― 돌아서 간다! 동시에 급히 쫓아나가는 태하!

⌒ S#63. 거리 / 낮

연우, 쇼핑백 안고 빠르게 걸어가는데 태하가 헐떡거리며 그 앞을 가로막

는다.

태하   (호흡 가다듬으며) 그만… 가죠. 숨 차는데.

연우   (다른 쪽으로 가려는데)

태하   (연우 앞을 막고) 나 뛰는 거 별롭니다. 그러니까, 그냥 여기서
        얘기하죠.

연우   (마주 서서 보며, 차갑게) 누구십니까?

태하   (보며) 어제 그쪽이 서방님이라고 불렀죠, 아마. (하는데)

연우, 태하를 보는데 조선의 태하가 떠오른다.

〈플래시컷//
1부 S#42. 연우가 휘두르는 나뭇가지를 묵묵히 맞아주는 조선태하.
1부 S#65. 연우의 품에 안겨 피를 토하며 쓰러지는 조선태하.〉

연우   (슬픈 눈빛) 아니… 그쪽은 절대 내, 서방님이 아니오.

태하   (순간, 쿵! 심장이 내려앉은 듯하다) !!! (뭐지…?)

연우   (마음 아픈, 눈물 참고 돌아서는데)

태하   ! (뭔가에 이끌리듯 연우에게 와 팔을 잡는다)

연우   (돌아보는) 이거 놓으시오. (태하 손 뿌리치려는데)

태하   (연우 팔 잡으며) 아니지만… 아니래두 (보며) 당신이 필요해요,
        내가.

연우   ?!! (보는)

태하   (진심) 부탁해요. 오늘 하루만 더… 내 아내가 돼 줘요.

연우   (가만히 보는) … (그러다 앙칼지게) 아내애~?,는 개ー뿔!!

태하   !! (눈만 땡그래져 보는데)

146

연우   이, 개 귀 비루나 (태하 턱 박치기 하며) 털어먹을 사기꾼 놈아!!!

태하   (억!!, 바닥에 주저앉아 놀라서 연우를 보는데) !!

연우   (탁탁! 손을 털며 입을 씰룩이며 '뭘 봐?')

〰 S#64. 편의점 앞 / 낮

연우와 태하(*턱 만지고 있는), 편의점 간이 테이블에 마주 앉아 있고. 좀 떨어진 곳에서 성표가 딸기우유를 먹으며 긴장한 표정으로 둘을 보고 있다.

연우   됐고! 안 하겠소! 사기꾼에게 또 이용당하란 거요?

태하   사기라뇨? 수고비 챙겨준 걸로 아는데… (하며 성표 보는)

성표   (그 소리에 벌떡) 분명히 넣었습니다!! 분명히요!!

연우   어쨌든! 난 사기꾼하곤 더 볼일 없소! (일어서는데)

태하   (바로) 사례는 넉넉히 하겠습니다.

연우   (하!) 이 작자가! 날 돈으로 매수하겠단 거요?

태하   매수가 아니라 거래죠. 내 아내 역할을 해준다는 전제하에. 오늘 하루면 됩니다. (강조) 딱, 하루만.

연우   (E) 하루…? (자기 꼴 보며) 하긴 더는 밖에서 이리 지낼 순 없지. (고민하다가, ON) 좋소. 내 너른 맘으로 도와주리다!

태하   (일어서며) 그럼 가죠. (연우 보며) 근데… 세수는 했습니까?

연우   ! (민망해 슬쩍 고개 돌려 눈곱 떼며) 했소, 아까.

태하   (하…, 성표 보며) 홍비서, 의상이랑 헤어팀 준비해요, 최대한 빨리.

성표   넵! (하고 후다닥 뛰어가는데)

연우   저기… (슬쩍) 그 전에 하나 꼭, 해줬음 하는 게 있는데. (큼…)

147

～ S#65. 호텔 지하 주차장 / 낮

태하, 걸어오고 있고 그 뒤에서 연우가 초코파이를 열심히 먹으며 따라오는 중이다. 차 앞에 도착한 태하가 먼저 올라타는데 연우는 초코파이만 보며 먹느라 못 보고.

태하	(운전석에 앉아 보조석 창문 내리며) 안 탑니까? (하는데)
연우	? (어찌 타는지 모르겠다, 눈 굴리다기 열린 창문으로 머릴 들이미는데)
태하	(헐!) 뭐 하는 거예요?
연우	(큼큼…) 길에서 이 가마를 많이 보긴 봤는데, 어찌 타는 건지….
태하	(하? 하더니 차에서 내려 연우에게 와 차 문 열어주더니 밀어넣는다)
연우	(밀려 들어가면서 아픈) 아아! (차에 올라타고)

～ S#66. 태하 차 안 / 낮

연우	(차 안을 이리저리 둘러보느라 바쁘다) 오… (뭔가 신기하고 재밌다)
태하	벨트 매(요, 하려다 또 모르겠지 싶어 몸을 숙여 연우에게 다가가는데)
연우	! (화들짝 놀라 태하 머리 밀치며) 뭐 하는 거요?
태하	(아! 머리 만지며) 벨트 말입니다! (혹- 다가와 연우의 안전벨트 해주는)
연우	! (몸을 최대한 뒤로 빼며) 그쪽 사정이 하도 딱해 도와는 주는데, 한번 입 맞췄다고 우습게보면 큰코다칠게요. 내 활쏘기는 물론이고 칼솜씨도,

태하	(O.L, 차분한 팩트 체크) 입맞춤이요? 그런 적 없습니다.
연우	! (발끈) 지금 발뺌하는 거요? 어제 그쪽이 내게 했잖소?!!
태하	(연우 입술 앞으로 자기 엄지를 가져다 대며 *닿지는 않고) 어제 그쪽 입술에 닿은 건, (엄지 보이며) 이겁니다!

〈인서트// S#29. 태하와 연우가 키스하는 장면. 태하, 연우의 허리를 꺾어 입술로 다가가더니 강회장 안 보이게 슬쩍 엄지를 연우의 입술에 대고 누른다.〉

연우	!! (그제야 깨닫고, 민망한)
태하	알았으면 그 얘긴 그만하죠. (하고 시동 걸고 출발하는)
연우	(차가 움직이자) ?! (놀라서) 뭐… 뭐요, 이 가마! 왜 이리 빠른 거요?!! (안전벨트 잡고) 으아아!! 천천히, 좀 천천히 가시오~~~~!
태하	(힐끔 보더니 무표정한 얼굴로 액셀을 부앙— 밟는데)

〰 S#67. 태하 집 앞 + 태하 차 안/ 낮

태하의 차가 도착해서 멈춰 선다.

차 안/ 새 원피스에 메이크업까지 한 연우가 불편한 표정으로 앉아 있다.

| 태하 | 잊지 마요. 그쪽은 이탈리아에서 온 바네사고, 산책 나왔다 병원에 갔다온 겁니다. 할아버지가 뭘 물어보면 웃기만 해요. 대답은 내가, (하는데) |
| 연우 | (하얗게 질린 얼굴로, O.L) 알겠다고 몇 번이나, (욱~ 헛구역질, * |

149

멀미)

태하	(?!) 뭐 하는 겁니까!!
연우	아니. 속이 좀… 울렁거려서…. (또 욱~ 하며 입 막는데)
태하	! (연우 머리 손으로 밀며) 안에다 하지 말고, 나가서 해요!
연우	(입 틀어막고, 이놈이 진짜! 하며 째려보는)

〜 S#68. 태하 집, 거실 / 낮

태하, 연우가 들어오는데 거실이 비어 있다. 뭐지? 싶은데 숨어 있다가 뒤에서 '웍!' 하고 나타나는 강회장! 많이 당해본 태하는 덤덤한데, 놀란 연우는 으악! 하면서 태하의 팔을 잡는다. 태하, 강회장 눈치 못 채게 슬쩍 팔 빼고.

강회장	이런! 우리 새아기 놀랬니?? 미안, 미안. 이 할애비가 주책이지?
연우	아… 아닙니다. (하는데, 속이 여전히 안 좋아, 욱!! 하는)
강회장	(?!) 욱??! (태하 보며) 뭐야… 니들….
태하	!! (화들짝) 아뇨!! (바로) 이 사람 멀미를 좀 해서. 그렇죠, 연우 씨?
강회장	?? (응?) 연우? 바네사가 아니고?
태하	! (아차! 싶은데)
연우	(눈치 빠르게 바로) 입양 전 이름이 연우였습니다, 박가 연우요.
강회장	연우~? 이름 한번 좋구나. (태하 보며) 넌 왜 안 알려준 거야?
태하	(살았다) 죄송해요. 말씀드린다는 게.
강회장	녀석두… (하다가) 근데 어쩌지? 내가 지금 가봐야 할 거 같아.
태하/연우	(!!) 지금요?? / (엥? 간다구?? 뭐지 이건?)

강회장	응. 순양 진회장한테 연락이 왔어, 얼굴 좀 보자고.
태하	(난 대체 왜 이 여잘 데려온 거지?, 어이없는데) …….
강회장	(빤히 두 사람을 보다가) 연우야.
태하/연우	! (일순, 둘 다 긴장, 눈치챈 건가?)
강회장	(수수께끼) 걱정이 많은 사람이 오르는 산이 뭔 줄 아니?
태하/연우	(?!!) / (수수께끼인가? 생각하다가) 태산…이요?
강회장	(오!!) 그럼, 전쟁 중에 장군이 가장 받고 싶어 하는 복은?
연우	(바로) 항복!
강회장	(박수) 허허허!! 또 맞췄어!! 내 수수께끼를 단박에 맞추다니 합격이야, 합격!!! (하다가) 참, 우리 연우 이탈리아엔 언제 돌아가니?
태하	곧 가야 해요, 일 때문에. (하는데)
연우	(O.L) 그럴까 했는데~ 며칠 더 있으려구요. 이제 막, 혼인 한 터라.
태하	?! (이 여자가? 해서 연우 보는데)
강회장	(화색) 그래?! 잘 생각했다! 암~ 그래, 그래야지! 허허허!
태하	(E) 뭐 하는 겁니까?

(CUT TO) 연우와 태하, 소파에 마주 앉아 있다. (*강회장 가고 없는)

태하	아까 분명히 오늘 하루만, 이라고 했던 것 같은데요.
연우	(최대한 뻔뻔하게) 집에 돌아갈 때까지 지낼 곳이 필요해 그랬소.
태하	(댕!! 어이없는) 이봐요. (하는데)
연우	그쪽도 날 이용했잖소?! (차!) 그래봤자 고작 며칠인데. (튕기는) 정~ 싫다면 당장 가겠소. 할아버님이 다시 오시든 말든.

태하	(!) …….
연우	(부러 더) 저리 좋은 할아버님께 왜 이런 얼토당토않은 거짓말을 하는지 알 바 아니지만, 어쩔 수 없지! 필요 없다는데. (일단 지르고 돌아서지만 일부러 천천히 걸어간다, 붙잡아, 제발 붙잡아!)
태하	(잠시 생각하다) 좋습니다.
연우	! (아싸!!, 표정 관리하고 새침하게 돌아보는) 뭘 말이요?
태하	오늘은 여기 있으라구요. 내일 계약서 작성하고 정리합시다.
연우	(됐다! 비죽─ 웃음이 나오려는 설 참고)

〰 S#69. 태하 집, 2층 손님 방 (연우 방) / 낮

태하와 연우, 방 안으로 들어온다. 연우, 방 안의 가구들을 신기한 듯 보는데.

태하	거실이랑 욕실, 화장실 다 있으니까, 군이 아래로 안 내려와도 될 겁니다.
연우	(눈치채고) 되도록 아래로 내려와 방해하지 말란 뜻이요? (태하 어깨 툭 치며) 알겠소. (하곤 방 안 여기저기 둘러보며 우와~~)
태하	(연우가 친 어깨 잡고 보는, 진짜 이상한 여자다) ….

〰 S#70. 성표 집, 성표 방 / 낮

성표, 씻은 듯 머리를 털며 들어오는데 나래가 방으로 들어온다.

나래	오빠 이거. (노리개 *1부 S#69의 피 묻은 것, 검게 변했다) 아까 신
	부님이 흘린 거야. 이거 노리개 맞지?? 부모님이 주신 건가?
성표	(노리개 받으며) 부모님??
나래	신부님 입양아라며. 헤어지기 전에 우릴 기억해다오~ 하고 줬
	다거나, 뭐 그런 애절한 사연이 있을지도 모르잖아~
성표	야! 입양아는 무슨, (아차!) 큼… 뭐… 그래, 그럴 수 있겠네.
	(노리개를 보는데, 이런 건 왜 갖고 있지? 이상하긴 하다)

⌒ S#71. 태하 집, 연우 방 / 밤

소복으로 갈아입은 연우, 으아~ 하며 침대 위로 드러누워 몸을 이리저리
움직인다.

연우	이제야 좀 살겠네. (몸을 통통 움직이며) 새조선은 보료도 신기
	하네.
태하	(E) 일단 오늘은 여기 있으라구요. 내일 계약서 작성하고 정리
	합시다.
연우	조선으로 돌아갈 방도를 찾고 나갈 거거든! 두고 봐, 솟아날 구
	멍이 없음 구멍을 뚫어서라도 돌아갈 테니. (꼬르륵!) !! (배 만
	지며 문 쪽 보는데)
태하	(E) 굳이 아래로 안 내려와도 될 겁니다.
연우	(살짝 고민하다) 절대 내려오지 말란 건 아니니까, 뭐. (흠)

S#72. 태하 집, 태하 방 / 밤

태하, 침대에 누워 있는데 머리가 복잡해서 잠이 잘 안 온다.

연우   (E) 그래봤자 고작 며칠이요! 그 안에 무조건 돌아갈 테니 걱정
         마시오.
태하   (뭔가 불안하다, 이리저리 뒤척거리다가 벌떡 일어나는)

S#73. 태하 집, 주방 / 밤

어둑어둑한 밤이다. 잠이 덜 깬 태하가 주방으로 오는데 어디선가 소리가
들린다. 태하, 응? 해서 보면 입가에 빨간 피(*케첩)를 묻힌 채 냉장고에서
쏙— 고개 내미는 소복 입은 귀신(*연우)이다!!! 태하, 눈이 땡그래져서 그
모습 쳐다보고!!

태하   (!!) 귀… 귀… 귀신!! (하며 보다가 그대로 스륵! 기절한다)
연우   (놀라서 달려와) 이보시오!! 괜찮소?! (태하 흔들며) 이보시오!!
태하   (여전히 기절한 상태로 헤롱)
연우   (태하 흔들다 안 되겠다 싶어 손을 들어 찰싹! 뺨을 때리는데)

S#74. 태하 집, 전경 / 밤

'아악!!!' 태하의 비명이 울려 퍼지고, 마치 화답하듯 동네 개들이 왈왈!
짖는다!

〰 S#75. 태하 집, 주방 / 밤

태하   (생수 벌컥벌컥 마시고 내려놓으며) 대체 무슨 짓입니까! 이 야 밤에!!

연우   배가 고파서… 먹을 걸 찾다가… (케첩통 들어 보이며) 이게… 짭짤하길래….

태하   (하…) 그 소복은… 또 왜…!

연우   (찝) 입고 있딘 옷에서 냄새도 나고… 이게 편해서… (하다가) 근데 남은 밥이나 뭐 고기 반찬, 촉호… 같은 건 없소?

태하   (화 참고, 이 앙다무는) 없습니다! (하는데)

연우   알겠소. 내 정말 미안하오. (실수로 케첩통을 누르고 태하 얼굴로 튄다) !!

태하   (주먹 꾹! 쥐고 부르르, 화 참으려고 무지 애쓴다!)

〰 S#76. 태하 집, 태하 방 / 밤

쾅! 문 닫고 들어온 태하, 성표에게 분노의 카톡 엄청 빠르게 보낸다.
〈인서트// 카톡 내용 – 홍비서, 결혼 계약서 내일 〈당장〉 가져오세요.〉

〰 S#77. 강회장 집, 거실 / 밤

혜숙, 들어오는데 강회장이 거실에 앉아 있다. 잠시 놀랐지만 아닌 척.

혜숙   아직 안 주무셨어요?

강회장	막 들어가려고 했어. 부산 출장은 잘 다녀왔니? 일정보다 서둘 렀던데.
혜숙	(의뭉스러운 영감, 지지 않는다) 갑자기 연락을 받아서요. 왜, 얘 기 안 하셨어요? 태하 결혼 말이에요.
강회장	(그럼 그렇지) 녀석 고집이 오죽해야 말이지. 미안하다. (하며 일 어서는)
혜숙	(다가와 부축하며) 아니에요. 다 제가 엄마로 부족해서 그런 걸 요.
강회장	그래도 새아가가 참~하니 맘에 들어. 너도 좋아할 게야. (하고 가다가) 아, 그 VIP 초청 전시 말이다.
혜숙	(?) 네. 화접도 전시회요? 그건 왜···.
강회장	태하 보고 마무리 하라고 해. 결혼 선물로 그 정도면 될 거다. (혜숙 어깨 툭툭 치며) 그동안 수고했어. (하더니 올라간다)
혜숙	!! (하! 하고 보는)

〜 S#78. 강회장 집, 혜숙 방 / 밤

혜숙, 검지로 테이블을 톡톡 내려치며 생각 중이다. 그러다 내려치던 걸 멈추고.

혜숙	(최비서에게 전화) 나야. (속을 모를 얼굴로) 꽃을 좀, 준비해야겠 어.

S#79. 호텔, 스위트룸 / 다음날, 아침

술병과 옷이 여기저기 너저분하게 늘어져 있고, 침대에서 상의 탈의 한 채 자고 있는 태민이 보인다. 최비서, 암막 커튼을 치자, 태민 으— 하며 이불 을 뒤집어쓴다.

최비서	일어나시죠. 대표님께서 댁으로 들어오시랍니다.
태민	…. (저리 가라며 대충 손으로 휘젓는다)
최비서	카드는 이미 정지됐고, 차도 압수하시겠답니다. 더불어 (침대 위 태민의 휴대폰을 잡으며) 휴대폰 정지도, (하는데)
태민	(벌떡 일어나 최비서 손의 휴대폰 뺏으며) 이건 안 되지! (하더니, 하품) 강태하가 결혼했다더니 맘이 급한가보네, 우리 민대표 님. (피식—) 그럼 뭐 장단에 맞춰 놀아드릴까? (하며 으으~ 기지 개 켜는)

S#80. SH서울, 태하 사무실 / 낮

태하, 결재서류 보고 있는데 그 옆에 서 있는 성표.

성표	(태하 앞으로 와 힐끔 보며) 어젠… 박연우씨와 어떠셨습니까?
태하	(서류만 보며) 뭐가요.
성표	여자분과 같은 공간에서 밤을 보내신 건 처음이시니,
태하	(밤? 하고 날카롭게 보면)
성표	! (당황, 아무 말) 그게 부대표님께서 그래도 모태솔로시니까, (하는데)

태하	(찌릿! O.L) 지금 그 말, 무슨 뜻입니까?
성표	(깨갱, 바로 서류봉투 건네며) 어제 말씀하신 박연우씨 계약서입니다.
태하	(계약서 꺼내 보며) 확인하고 피드백하죠. (이때 띠링― 휴대폰 문자 확인하는데, 표정이 일순간 험악하게 굳어지고)!!!

보면, 태민의 문자다. 〈축하해, 결혼했다며? 누군지 되게 궁금하네~〉 태하, 벌떡 일어나 빠르게 걸어 나가고…. 성표, '부대표님!!' 하고 외치는데.

〜 S#81. 태하 집, 거실 / 낮

테이블 위에 우유통이 있고. 연우, 소파로 와 앉는데 리모컨을 누르자 켜지는 TV!

〈인서트// TV 화면. 사극(*S#45에서 태하가 보던 사극 재방송)이 나오는 중이다.

부인	서방님!! 어딜 가십니까! 절 두곤 절대 못 가십니다!!〉

연우, TV 소리에 헉! 해서 돌아보는데 TV 속 조선시대 모습에 눈이 번쩍한다!

연우	조… 조선? (벌떡 일어나 TV 앞으로 와 서는) 어째서… 여기에…! (화면으로 손을 뻗는데 턱! 막힌다) !! (TV 보며 손 흔들며) 이보시오! 이보시오!! (소리치며) 내 목소리가 안 들리오?!!
남자배우	(화면 속에서) 어허! 저리 비키거라!!

158

연우   (다급한) 선비님!! 그리로 가려면 어찌 해야 합니까?!

남자배우   (화면 속에서) 비키래두 그래!!

연우   (화면 만지며) 이게 문입니까?? (화면 탕탕 치며) 좀 열어주십시
오! (TV 잡아 흔들며) 어찌하면 그리 갈 수 있습니까ㅡ!! (하는
데)

(E) (요란한 초인종 소리) 띵동ㅡ 띵동!

연우   (그 소리에 화들짝 놀라 돌아보는데)

〜 S#82. 태하 집 앞 + 현관 앞 / 낮

태민, 마구 벨을 누르다가 반응이 없자 살피며 뒤로 물러서더니 담벼락을
향해 와다다ㅡ 달려가 그대로 점프!

〜 S#83. 태하 집, 거실 / 낮

연우, 두리번거리는데 현관 쪽에서 도어락 소리와 함께 찰칵! 문이 열린
다. 잔뜩 긴장한 연우, 소파 위 쿠션을 천천히 집어 드는데 태민이 들어오는!

연우   (쿠션 던지며, 버럭!) 뭣하는 놈이냐!!

태민   (쿠션 맞고) 아!! (하!) 이거 첫 인사가, 좀. (하다가, 헐!)

보면, 소복을 입고 산발한 연우와 그 뒤로 TV속 사극 화면이 한 프레임에

보이는.

태민	와…. (연우와 TV 번갈아 보며) 이 투샷은 뭐지? 리얼 코스프레? (손뼉 짝!짝!) 강태하, 취향 독특하네. 이건 무슨 신종 플레이야?
연우	(쿠션 하나 더 들고, 매섭게 보며) 누구냐고 물었다! (하는데)
태민	(손들어 연우 말 막으며) 워워— 형수님? 일단 진정 좀 하지?
연우	(?) 형수? 누가… (하나) 응? (눈 굴리며 생각하나, 헙! 보네) 도련님…?
태민	(피식—) 호적상으론 그런데 난 강태하 그 새끼랑 반만 섞인 사이라. (하다가) 우리… 어디서 봤나? 은근 익숙한 페이슨데?
연우	(뭔 소리야) 보긴 언제 봤다고. (하다가, 응?) … (!!)

〈플래시컷// S#43. 도망치는 연우를 쫓아오는 태민.〉

연우, 헉! 그때 그 남자?!! 하며 고개를 슬쩍 돌리는데.

| 태민 | 우리 본 적 있지? 그치? (다가오다가 바닥의 리모컨 밟는) |

동시에 TV 화면이 꺼지자…. 연우, 놀라서 TV를 보더니 그 앞으로 후다닥 온다!

연우	(!) 어디 갔어?! (TV 보며) 안 돼…! (TV 흔들며) 나와… 나오라고!
태민	? (황당하게 보다가) 어이 형수… (하!) 뭐야, 지금?
연우	(태민은 안중에도 없고 TV만 잡아 흔들며) 어디 갔냐고! 왜 이래—!

태민   (어이 상실) 사람 말 안 들려? (연우에게 다가가며) 묻잖아! 뭐 하
        냐고?!
연우   (TV만 보며) 나 돌아가야 한다구! 나와…!
태민   (빠직!) 야! (연우 앞으로 와) 너, 미쳤어?

〜 S#84. 태하 집 앞 / 낮

혜숙의 차가 도착한다. 차에서 내리는 혜숙, 하얀 백합을 한아름 들고 내리
고.

〜 S#85. SH서울, 주차장 + 태하 차 안 / 낮

태하, 다급히 차에 올라타고 출발하는데 순간 펑! 하며 태하 차 뒷바퀴가
터진다!

차 안/ 놀란 태하, 핸들을 꽉 쥔 채 옆으로 휙! 꺾는.

〜 S#86. 태하 집, 거실 + 태하 차 안 교차 편집 / 낮

태민, 뭐냐고! 하면서 연우 어깨를 잡아 돌리는데 뭔가를 보고 놀라는 연
우. 보면, 백합을 든 혜숙이 천천히 거실로 들어오고 있다! 일순, 혜숙과
윤씨부인 얼굴이 겹쳐지고! 뚜벅뚜벅…. 혜숙이 속을 알 수 없는 표정으로
연우에게 천천히 다가온다!

〈플래시컷// 1부 S#67. 방으로 들어와 연우의 뺨을 후려치는 윤씨부인!〉

놀란 연우, 대체 왜… 어머님(*윤씨부인)이 여기에 있는 거지? 싶은데.

태하 차 안/ 태하, 핸들을 잡고 기둥을 향해 돌진하면서 놀라는 표정!

태하 집, 거실/

연우	(혜숙이 두렵다) …. (뒤로 물러서는데)
혜숙	(멈춰 서는, 연우를 보다가) 너, 내가 누군지… 아는구나? (씩ー 웃더니, 손을 들어 연우의 얼굴 가까이 가져가는데)

(엔딩)

3부

—

해로운
女人이로소이다!

S#1. 태하 집, 전경 / 아침

S#2. 태하 집, 주방 / 아침

소복 차림의 연우가 '큼큼!' 부러 기침 소리 내면서 조심히 주방으로 들어오고 있다.

연우 거… 아무도 없소? (조용하자, 차!) 이거야 원, 눈치가 보여서! (둘러보다 냉장고 여는데 우유통을 발견해 꺼낸다) 이건 뭐지? (이리저리 살펴보다가 뚜껑을 돌려보는데 열린다) 오오! (큿!큿! 냄새 맡고, 눈 번쩍) 이것은!!

사월 (E) 이게 그 타락입니까?

〈인서트// 조선시대. 연우와 사월, 그릇에 담긴 우유를 신기하게 보고 있다.

연우 그래. 임금님만 드신다는 그 타락*이다. (큿) 아버님께서 가져오신 걸 내 조금 슬쩍했다. 맛이라도 보자꾸나!

사월 이리 귀한 걸!! 애기씨~ 성은이 망망극, 감사 만만이옵니다!〉

연우 ! (우유 벌컥벌컥 마시더니, 황홀한) 타락…이다! 타락의 맛이야! (오홍~)

TITLE 3부. 해로운 女人이로소이다!

* 타락(駝酪) : 소의 젖. 조선시대 때 우유를 부르던 명칭.

～ S#3. SH서울, 주차장 / 낮 - 2부 S#85 이어서

태하, 차에 올라타서 출발하는데 펑! 태하 차 뒷바퀴가 터지더니 그대로 옆의 기둥을 쾅! 들이받고 멈춰 선다. 보닛에서 연기가 올라오고 잠시 후, 차에서 태하가 내리는데 이마 위에 상처가 보인다. 태하, 거친 숨을 몰아세우며 정신 차리는.

태하   (성표에게 전화) 홍비서, 정문에 차 좀 대기시켜요. (하면서 가는데)

일각, 누군가 태하를 바라보는 시선이 있고.

～ S#4. 태하 집, 현관 + 거실 / 낮 - 2부 S#86 이어서

연우, 겁에 질린 얼굴로 혜숙을 보고 있는데.

혜숙   너, 내가 누군지… 아는구나? (씩ㅡ, 연우 얼굴 만지려는데)

이때, 현관으로 화가 난 태하(*머리카락으로 상처 가린)가 들어온다. 보면, 연우의 얼굴을 만지려는 혜숙이 보이고. 태하, 재빨리 둘 사이로 끼어들어 연우를 가려주면서 혜숙 손을 탁! 잡고 매섭게 노려본다. 갑자기 나타난 태하를 보고 놀라는 연우!!

태하   (혜숙 매섭게 보며) 뭐 하는 짓입니까! 남의 집에서.
혜숙   뭐 하긴. 내 며느리 보러 왔지. (태하에게 잡힌 손 빼고, 꽃다발 연우에게 주는) 반갑구나, 나 태하 엄마야.

연우   !! (정말? 또?! 하며 혜숙 봤다가 태하 보는데)

태하   (꽃다발 뺏으며) 제 어머닌 돌아가셨습니다. 그러니 나가세요,
         당장.

태민   (휘유~! 작게 휘파람 부는)

혜숙   (태하 보며, 여유) 언제까지 그럴래? 결혼하면 철도 좀 들어야
         지. (비아냥) 그러니까 할아버님께서도 늘 네 뒤치다꺼리로 바
         쁘시잖니.

태하   (무슨 소리지? 싶어 보는)

혜숙   화접도 전시회, 너한테 넘기라고 하시더구나. 결혼 선물로. (도
         발) 니가 부탁드렸니?

태하   ! (처음 듣지만) 민대표님은 회사 일 그렇게 하시나 봐요, 부탁
         받으면서. 전 그런 스타일 아니니까 알았으면 (낮고 차갑게) 그
         만 나가시죠.

연우, 태하와 혜숙의 팽팽한 기싸움이 뭔가 불안한데. 이때,

태민   (태하와 혜숙 사이에 끼어들며) 그만하지? 강태하 눈 돌아가겠는
         데.

혜숙   … (그제야 연우 보며) 다음 주말 할아버님 생신에 태하랑 같이
         올 거지?

연우   네?? (갑작스런 말에 자기도 모르게) 아, 네….

태하   !! (연우 봤다가 혜숙 보는, 한방 먹었다 싶은데)

혜숙   (미소) 그래, 이제 가족인데 잘 지내야지. (돌아서 가려다가)
         아… 그땐 좀 더 격식에 맞는 차림이면 좋겠구나. (훗! 비웃듯
         태하랑 연우 보는)

166

태하 　　　　(불쾌함 참고, 주먹 꼭 쥐는)

〰 S#5. 태하 집 앞 / 낮

혜숙과 태민이 나오자, 최비서 차 안에서 나와 혜숙에게 문을 열어주고 비켜선다.

혜숙 　　　　(태민에게) 오늘 중으로 들어와. 마케팅팀에 자리 하나 줄 테니.
태민 　　　　(헐! 차 문 잡고) 원하는 대로 강태하 성질 긁어줬는데 갑자기 웬 회사?! (피식−) 건 재미없지~ 내가 가서 뭘 한다고.
혜숙 　　　　누가 일 하래? 그냥 자리만 차지하고 있어, 얼마 안 되는 네 몫이라도 챙기려면. 너희 할아버지, 만만한 분 아냐.
태민 　　　　(슬쩍) 강태한 왜 결혼한 거래? (떠보듯) 당최 이율 모르겠네?
혜숙 　　　　(쌀쌀맞은) 궁금하면 들어와서 직접 알아봐. (차에 올라탄다)

최비서, 뒷좌석 문 닫고 운전석으로 가서 앉고 잠시 후, 차가 출발한다.

태민 　　　　(혜숙차 보며, 씁쓸한) 날도 따뜻한데 춥다… 추워. (돌아서서 가고)

〰 S#6. 태하 집, 거실 / 낮

연우, 멍한 얼굴로 테이블 위의 꽃다발을 보고 있다. 혜숙 생각에 머리가 복잡하다.

〈인서트// 조선시대 표독한 윤씨부인이 새조선의 미소 띤 혜숙으로 디졸브.〉

연우   (E) 분명… 서방님 어머니였어. (하는데)

태하   (통화하며 오는) 홍비서, 도어락 당장 교체하고 오후 일정 모두 취소하세요. (끊고, 꽃다발 들어서 그대로 쓰레기통에 집어 던지듯 버린다)

연우   ?! (일어서며) 아니, 꽃이 무슨 잘못이라고.

태하   (대꾸하고 싶지 않다)

연우   (보다가 슬쩍) 아까 그 분… 정말 어머니요? 들어보니 새어머니 같던데,

태하   ! (불쾌한) 그게 그쪽이랑 무슨 상관입니까?! 그리고, 당신이 뭔데 할아버지 생신에 멋대로 간다 만다 결정해요?

연우   (민망한) 그게… 그래두 집안 어른 생신이니까… (하는데)

태하   (짜증) 됐으니까, 홍비서 오면 계약서 쓰고 (강조) 당장 나가요.

연우   (하!) 나도 됐소! 돌아갈 방법 찾았으니까! (TV 가리키며) 저기면 조선에 갈 수 있소! 아까 저 안에서 빛이 확~ 들어오더니 한양 한복판이 쫘~악,

하는데, 태하가 바닥에 떨어진 리모컨을 주워 TV를 켜자 화면에서 사극이 나온다.

연우   (반색) 보시오, 조선이오!! 이제 저 안에 들어만 가면, (하는데)

태하   (리모컨으로 TV 채널 여기저기 돌리면서 빠르게 바꾼다)

연우   ! (화면이 바뀌자 놀라, 헉!!, 태하 보며) 이게… 왜?! (하는데)

태하   나랑 장난합니까?! 이거 TV잖아요! 그쪽이 본 건 다 가짜고!

연우	(충격!, 믿을 수 없다) 아닌데… 진짜 한양이었는데?
태하	(짜증) 이봐요, 그 헛소리 좀 제발 그만,(해요)
연우	(O.L) 아니요! 난 진짜 조선에서 왔소!
태하	(하!) 근거는요? 논리적 증명 가능합니까?
연우	! (질 순 없다!) 그럼, 내가 조선에서 온 게 아니란 논리적 증명은 가능하오? 근거는 있고?
태하	!! (생각지 못한 공격이다, 잠시 멈칫)
연우	논리적 증명 좋아하시네. 자기도 대답 못 하면서! (가려다가 돌아보며) 그리고 나! 그쪽이 아니라 박연우라고 박가 연우! 이 사기꾼 놈아! (흘겨보다가 휙— 돌아서 쿵쾅쿵쾅 2층으로 올라가버린다)

태하, 멍하니 있는데 우지끈 벽걸이 TV 한쪽이 떨어진다. (*연우가 흔들어서) 벙!쪄서 보다가 하… 시선 돌리는데 테이블에 우유통이 보인다. 이건 또 뭐야? 싶고.

〰 S#7. 태하 집, 연우 방 / 낮

쾅! 문을 닫고 들어오는 연우. 고개 돌려 잠시 문 쪽(*태하)을 노려본다.

| 연우 | 말본새하곤! 서방님이랑 닮으면 뭐 해? 성격은 완전 딴판인데!! (하다가, 이상한) 근데 왜 자꾸 닮은 사람들을 만나는 거지? (고개 돌리는데) ?! |

보면, 서랍장 위에 올려놓은 배롱나무 가지의 꽃이 시들지 않고 그대로

있다!

연우   (다가와 보는) 꽃이 그대로네…? (이상한, 그날 일을 다시 떠올려본
              다)

〈플래시컷// 1부 보쌈당하고 → 마당에서 배롱나무 가지 잡았다가 부러
지고 → 우물에 던져지는 → 2부 어푸푸! 하며 수영장으로 튀어나오는 연
우.〉

연우   (배롱나무 가지를 보다가) 그래! 거기야!! (표정 변하고)

〰 S#8. 태하 집, 거실 / 낮

태하, 상처에 밴드 붙이고 거실로 나오는데 성표가 서류를 들고 황급히 들
어온다.

성표   (태하 밴드 보고, 호들갑) 다치셨어요?? 벼,병원! 병원, 가시죠,
              당장!!
태하   (소파에 앉으며) 별거 아니에요. 계약서는요?
성표   가져왔습니다. 그것보다 일단 병원에, (하는데)
태하   (O.L) 박연우씨 2층에 있습니다. 날인 받아 오세요.
성표   아, 예. (2층 가려다가, 무너진 TV 발견!) TV는 또 왜 저럽니까?

태하, 말하기 싫다는 듯 입 다문다. 성표, 눈치 보다가 2층으로 올라간다.
태하, 빨리 연우를 내보내는 게 맞다 생각하는데 성표가 후다닥! 계단에서

내려온다.

성표   (후다닥 계단을 내려오며) 부대표님, 박연우씨 없는데요?

태하   ?!! (성표 돌아보는)

⌒ S#9. 태하 집 인근 거리 / 낮

소복 차림의 연우가 쇼핑백을 품에 안고 주변을 살피며 걸어오고 있다.

연우   궁궐이 훤히 보이는 높은 집이었어. 근처에만 가면 찾을 것 같
             은데….

이때, 아줌마가 연우 앞으로 지나간다.

연우   (아줌마 잡고) 뭣 좀 물어봅시다. 경복궁에 가려면 어찌해야 합
             니까?

아줌마   (연우를 이상하게 보다가) 경복궁…? 거야 지하철이나 버스 타면
             되는데…

연우   (?) 지하철… 버스…?

아줌마   잘 모르겠음 그냥 택시 타요. (하다) 아! 마침 저기 오네. (손 들
             고) 택시!

택시, 연우 앞으로 와 끽! 서고…. 연우, 상기된 표정이다.

⌒ S#10. 도로 위, 택시 안 / 낮

연우가 차창에 딱 붙어서 바깥을 구경하고 있다.

택시기사   (백미러로 보다가, 뭔가 이상해서) 서울은 처음이신가 봐요?

연우   뭐, 그런 셈이오. (창문을 올렸다 내렸다 하며) 무슨 끈이라도 달
린 건가…. (창문 가까이 다가갔다가 얼굴이 눌린다, 헉! 하곤 떼면
서노 헤헤 웃는)

택시기사   (쎄- 하다) 이제 거의 다 왔는데, 손님… 돈은 있으시죠?

연우   (!) 내 돈은 없지만 (헤헤-) 더 좋은 게 있소. (쇼핑백에서 우유통
꺼내며) 이게 임금님께서 드시던 타락이란 귀~한 건데,

(E) 끼익-!! 브레이크 소리.

⌒ S#11. SH서울, 혜숙 사무실 / 낮

황명수, 태하의 결혼사진을 보고 있고 혜숙은 차를 마시고 있다. 옆엔 최비
서 있고.

혜숙   (연우 떠올리며) 분명 날 아는 눈치였어요. 거기다 꽤 불편해하
더라구요.

황명수   대표님이야 누구든 쉽게 대하긴 힘들죠. 워낙 살벌하시니까.

혜숙   (싸늘하게 보는, 이 상황에 지금 그게 무슨 헛소리야?!)

황명수   (헙!) 살…발하게 이성적인 미모시라. 하하…. (화제전환) 근데
진짜 입양압니까? 회장님이 이런 여잘 손주며느리로 삼았다는

게 좀⋯. (흠⋯)

혜숙   그것도 사실인진 알 수 없어요. 이름 외엔 어떤 정보도 못 찾았으니까.

황명수   예? 중말요?? (최비서에게) 최비서, 제대로 알아본 거야?

최비서   어떤 루트로도 확인 불가했습니다.

혜숙   (연우가 맘에 안 든다) 그래서 더 거슬려요.

황명수   그럼 이제 어쩝니까? 뭘 알아야 대책을 세워도 세울 텐데⋯. (눈치 살피는)

혜숙   한 가진 확실해요. 아버님께서 태하 결혼을 빌미로 후계 작업, 본격적으로 시작하셨단 거. (황명수 보며) 그건 막아야죠.

황명수   걱정 마십시오! 이사들 단속, 내부 감시! 제가 싹─ 다 하겠습니다!

혜숙   (최비서에게) 홍비서가 최근에 만난 사람, 모두 크로스 체크해서 가져와.

황명수   근데⋯ (결혼사진 보며) 이 여자 이름은 뭐랍니까?

〜 S#12. 경찰서 안 / 낮

연우, 쇼핑백을 끌어안은 채 울상인 얼굴로 경찰1과 마주 앉아 있다.

연우   (잔뜩 긴장해서) 박가⋯ 연우요, 박연우.

경찰1   (박연우⋯ 적으면서) 집 주소는요? 휴대폰 있죠?

연우   집은 있긴 한데 새조선에서 아~~주 멀리 있고, 휴대⋯는 뭐요?

경찰1   (일단 참고) 선생님~ 여기서 이러시면 곤란하거든요~ (하는데)

연우   그래서 말인데, 여긴 대체 어디요? (하는데)

이때, 경찰2가 '이거 놔! 놓으라고!' 소리치는 취객을 끌고 들어온다.

연우	! (경찰1에게) 혹 여기가 죄인을 잡아 심문하는 곳이오? 포도청 같은.
경찰1	포도청…? (하…) 뭐… 경찰서니까, 비슷하긴 하죠. (하다가) 일단 택시비를 주시든지, 집 주소를 말씀하시든지 해야, (하는데)
연우	그 거마비 말인데, (우유 꺼내 불쌍하게) 이 타락으론 정녕 안 되겠소?
경찰1	(빤히 보다가, 표정 엄하게 바꾸며) 안 됩니다! 주소 대세요, 얼른!
연우	(울상) 진짜 임금님만 먹는 건데…. (힝!)

〰️ S#13. 태하 동네 거리 / 낮

태하, 뭔가 생각하며 걸어오고 있고 성표 그 옆을 왔다 갔다 하며 혼자 호들갑이다.

성표	왜 뻑하면 사라져? 것도 왜 하필 지금! (돌겠다) 민대표님이랑 태민이한테 들키고, 거기다 강회장님 생신까지 있는데!! (흥분) 부대표님도 바봅니까? 회장님 생신 애긴 딱! 잘랐어야죠! 민대표님 그 뻔한 수에 넘어가면,
태하	(멈춰 선다, 획– 성표 보며 O.L) 계속 할 겁니까?
성표	(헙!, 바로) 전 저쪽으로 가보겠습니다! 박연우씨! (가버리고)
태하	(성표 간 쪽 살짝 흘겨봤다가, 후… 하고는 다른 쪽으로 가는)

⌢ S#14. 경찰서 안 + 앞 / 낮

연우, 한쪽 구석에 쪼그려 앉아 있고, 그 옆엔 아까 그 취객이 중얼거리고 있다. 일각에선 경찰1, 2가 그런 연우를 보며 자기들끼리 속닥거리고 있다.

경찰2   지문 조회, 제대로 한 거 맞아? 왜 아무것도 안 나오지?
경찰1   그러게 말입니다. (하…) 완전 진상이네. (보다가, 응??, 서랍에서 웨딩사진 "성표가 준" 꺼내와 경찰2에게 보여준다) 맞죠? 그내 왜 사람 찾는다고….
경찰2   (사진과 연우 번갈아 보며) 그런가…? (하며 다시 연우 빤히 보는)
경찰2   (메모 뒤지더니 전화 거는) 아, 홍성표씨? 여기 광화문 경찰선데요.
연우   (심각한, E) 옥에 갇힐 신세가 되다니… 안 돼, 그럴 순 없어! (도리질)

이때, 배달부가 '배달이요~' 하면서 들어온다. 연우, 이때다 싶어 쇼핑백 안고 벌떡 일어나 냅다 문으로 뛴다! 놀란 경찰들, '거기 서!!' 하며 쫓아가다가 배달부와 동선이 겹쳐 우왕좌왕한다! 연우가 앉아 있던 자리엔 우유통만 덩그러니 남아 있고.

경찰서 앞/ 탁! 하고 튀어나온 연우, '미안하오!' 하면서 정신없이 도망치고!

〜 S#15. 태하 동네, 버스 정류장 앞 / 낮

태하, 정류장 쪽으로 걸어오는데 성표에게 전화가 온다.

성표   (F) 방금 광화문 경찰서에서 연락 왔는데 박연우씨, 거기 있답
        니다!
태하   어디요? 광화문이요? (하는데)

이때, 정류장으로 〈광화문〉〈경복궁〉 노선의 버스가 와서 선다. 태하, 설
마…? 싶고.

〜 S#16. 호텔 입구 / 낮

호텔 앞까지 도망쳐오던 연우. 그러다 끽―! 멈춰 선다. 올려다보며, '여기
다! 여기!'

〜 S#17. 호텔, 야외 수영장 / 낮

연우가 들어온다. 드디어 왔구나, 왔어! 떨리는 마음으로 수영장으로 와
선다. 연우, 쇼핑백을 내려놓고 그 안에서 배롱나무 가지를 꺼내 들고 손에
꼭 쥔다.

연우   (물을 보며) 가자… 연우야! 여기면 돌아갈 수 있어! (끄덕, 눈 꼭
        감는)

연우, 눈 감고 배롱나무 가지 쥐고 점프! 하는데 이때 맞은편에서 태하가 들어온다!

태하   ! (물에 뛰어드는 연우 보고) 박연우씨!

연우, 눈을 떠 태하를 발견하곤 '안녕! 난 조선으로 가' 한 손 들어 살짝 흔든다! 태하, 뎅!! 뭐지? 저 황당한 짓은? 하고.(*슬로우) 물속에 들어간 연우는 조선이 아닌 그냥 바닥에 가라앉는다. 숨을 참던 연우, 노서히 못 선디고 물 밖으로 나와 '살려주시오! 살려줘!' 난리 친다. 태하, 어이없이 보다가 물속으로 뛰어드는데 겁먹은 연우가 태하 머리를 누르고! '그만… 그만' 하며 물속으로 들락날락하던 태하, 연우 손을 잡고 벌떡 일어서며 '그만하라고!!!' 버럭 소리친다! 그제야 물 높이가 가슴 정도밖에 안 된단 걸 인지한 연우, 콜록거리며 태하를 보는. (*연우, 배롱나무 가지 계속 쥠)

태하   (콜록콜록) 누굴 죽이려는 거예요? 지금?! (콜록)
연우   (콜록콜록) 아니 그게… 무서워서…. (콜록)
태하   (에?? 뭐래!!) 그런 사람이 물엔 왜 또 뛰어든 겁니까!!

연우, 대답은 못 하고 낙담한 얼굴로 보는데 이때, 어디선가 바람이 불어오더니 붉은 꽃들이 연우 앞으로 날아든다. 연우, 물 위로 떨어진 꽃을 주워 들고 바람이 불어오는 곳으로 시선을 돌리는데… 구석에 커다란 배롱나무가 보인다! 연우, 눈이 커지는데…!

⌒ S#18. 경찰서 앞 / 낮

성표, 연우가 두고 간 우유통을 들고 나오며 통화 중이다.

성표　　일단 택시빈 지불 했고, 경찰 쪽에도 오해 없게 잘 말해뒀습니다. (사이) 네! 알겠습니다. (끊고, 후~ 하며 우유통을 보는) 타락의… 맛?! (도리질)

⌒ S#19. 호텔, 야외 수영장 일각 / 낮

연우, 배롱나무 중간쯤 깊게 패인 흔적을 만지는데 일순, 어린연우의 키를 배롱나무에 새겨주는 호은이 보인다. 동시에 수영장은 연우 집 우물로, 그 주변은 별채로 바뀐다.

연우　　(주변 보며, 그리운 E) 여기가… 우리 집터였어. (눈물이 날 것 같고)

연우, 쏟아질 것 같은 눈물을 참으며 그리운 듯 주변을 보는데 연우 집터로 변한 공간 안으로 태하가 들어온다. 그러자 다시 현재로 돌아오고.

태하　　왜 이렇게 멋대로 굽니까. (답답한) 할 수 있는 선에서 도와주겠다고 충분히 말한 것 같은데 전혀 이해가 안 되네요.
연우　　……. (고개 살짝 돌려 시선 피하는)
태하　　온종일 아니 처음부터 줄곧, 그쪽 때문에 내가, 내 일상이 얼마나 엉망이 됐는지 압니까?

178

연우	… 알고 있소. 알고는 있는데… (태하 보는, 속상한) 나도… 어쩔 수가 없단 말이요. (눈물 맺히는) 당신에겐 고작 며칠의 일상이지만, 난! (맘 아픈) 인생이 달라졌소. 내 모든 게, 나의 존재가 (눈물이 툭—) 내 세상이…!! 오롯이 다, 사라져버렸으니까…!
태하	!! (쿵—쿵—! 심장이 빠르게 뛴다, 왜 이러지??) …. (가슴에 손 올리는)

연우, 배롱나무 아래 벤치에 힘없이 앉는데 이제 정말 더는 돌아갈 방법이 없는 것만 같아 서럽고, 무섭다. 그동안 참고 참았던 눈물이 뚝뚝— 떨어진다.

연우	정말… 모르겠소… 왜 여기로 왔는지, 어찌하면 돌아갈지… (눈물 왈칵—) 으흑… 으으윽…! 어머님… 아버님… 으흑…!
태하	(그런 연우를 보는데, 문득)

〈인서트// 어린태하(*6세)가 방 침대에 혼자 앉아서 '엄마… 아빠…' 울먹이고 있다.〉

태하, 자신의 어린 시절 모습과 연우가 겹쳐 보인다. 뭔가 안쓰러운 느낌이고.

〜 S#20. 강회장 집, 거실 / 늦은 오후

강회장과 서준이가 알까기를 하고 있다. 이때, 일각에서 빼꼼 강회장을 살피는 해령!

⌒ S#21. 강회장 집, 서재 앞 + 안 / 늦은 오후

서재 앞/ 가죽바지 쫙 빼입고 도둑처럼 이 벽, 저 벽 붙어가며 갖은 오버 떨고 오더니 조심히 서재의 문고리를 돌린다. 찰칵! 하고 열리자 오! 하고 좋아라 하고 들어가는.

서재 안/ 고가의 골동품과 그림 등이 가득한 방으로 조심스럽게 들어오는 해령! **쏙—** 주변을 살펴보다가 떡 봐도 뭔가 숨겨져 있을 섯 같은 벽 쪽의 여닫이 수납장을 발견하곤 '오!' 하더니 후다닥 다가와 선다. 보면, 수납장에 자물쇠가 달려 있고.

해령   (자물쇠 흔들며) 열려! 열려라, 참깨! 열려! (하는데 안 된다!, 우씨! 포기, 주변 살피다 작은 자개상자 발견하고 들어보는데 꽤 무겁다) 오~~(하며 뚜껑을 열려다 놓치고! 떨어지면서 동전이 와르르! 쏟아진다!) 이런 씨!

해령, 다급히 동전을 줍는데 딱! 딱! 딱! 강회장 지팡이 소리가 들리자 공포에 질려 동전을 막 줍는데 끽— 문이 열린다. 해령, 뒤졌다! 싫어 눈 질끈 감는데 조용하다. 잉? 해서 실눈을 뜨는데 코앞에 서 있는 강회장! 해령, 옴마야! 뒤로 벌렁 넘어지고.

⌒ S#22. 강회장 집, 거실 / 늦은 오후

강회장 소파에 앉아 있고 그 옆에서 무릎 꿇은 채 두 손 들고 벌 받는 해령.

강회장	옷 입은 꼬락서니 봐라. 무슨 영화 찍어? 넌 도둑질도 평범하겐 못해?
해령	뭐든 뒤집어지게 느낌 있음 좋잖아요~ (했다가) 아부지~ 그르지 말구~ 그냥 카페든 뭐든 좀 차려줘용~ 독립심 좀 키우게! 웅?
강회장	호적에서 영원히 독립시켜 줘?! 돈만 주면 줄줄 새는 돈구멍이 카페는 무슨! (지그시 보며) 너, 뭐야! 대체 또 뭔 사고를 친 거냐고!!
해령	(사고란 말에 사월이 떠올리며 시선 다른 곳으로 돌리는데)

이때, 서준이가 '할아버지!' 하고 오자 강회장, 자세 풀라고 해령을 지팡이로 툭 친다. 해령, 살았다 싶어 '쭌아~' 하며 서준이를 안고 소파에 앉는데 혜숙이 들어온다.

해령	언니, 벌써 왔어요? 요새 백화점 파리 날리나? 대표가 너무 널널하네~
혜숙	태하랑 연우 좀 만나고 왔어요. 아버님 생신 얘기 좀 하느라구요.
강회장	(살짝 표정 일그러지지만, 쉽사리 티는 안 낸다) 어~ 그래?
해령	(?) 연우? 걔가 누군데? (혜숙 보고, 강회장 보고 하는)
혜숙	(모르는 척) 고모 아직 몰라요? 태하 결혼했잖아요.
해령	아~ 태하… (하다가, 헉!) 웅? 결혼?? 아부지? 진짜야?! 태하 결혼했어?
강회장	(일어서며, 혜숙에게) 가서 얘기하자꾸나. (가는)
혜숙	(강회장 뒤따라가는)
해령	아부지, 진짜냐구!! 태하가 언제, 누구랑, 왜, (하는데)
서준	아, 엄마!! (양손으로 해령 입 막고) 그만~!!!!

S#23. 강회장 집, 서재 안 / 늦은 오후

강회장과 혜숙, 마주 앉아 있다.

강회장   만나보니 어떻든? 연우, 괜찮지?

혜숙   여러모로 인상적이었어요. 태하한테 꽤, (비아냥) 어울리던데요?

강회장   (웃으며) 그래? 다행이구나. 근데 내 생일엔 뭐하러 불렀어. 아직 이것저것 적응하기 힘들 텐데. 좀 천천히 하지.

혜숙   그래도 새 식군데 인산 해야죠, 가르칠 것도 있고.

강회장   (흠) 그렇긴 하겠구나. 이젠 태하랑 같이 SH의 새 얼굴이 될 아이니까.

혜숙   ! (뭐? 새 얼굴?)

강회장   그래, 잘했다. 가서 쉬럼. 나도 좀 피곤하구나.

혜숙   (미소) 네, 그럼 쉬세요. (돌아서는데 표정 싸늘하게 변하고) …. (나가는)

강회장, 속 모를 얼굴로 방 문을 잠시 보다가 수납장(*S#21)으로 와서는 열어 보는데 어린연우 그림(*1부 S#14 / 조선태하가 그린)* 액자가 보인다! 강회장, 소파에 앉아 가만히 그림을 보는데… 왠지 그림 속 아이가 연우를 닮은 듯 싶다.

●   낡고, 불에 그을린 흔적이 보인다. 하지만 연우의 얼굴 만큼은 잘 보존된 그림이다.

S#24. 호텔, 야외 수영장 일각 / 늦은 오후

연우, 좀 진정됐는지 눈물을 닦고 있다. 태하(*밴드 떨어진)는 좀 떨어져 앉아 있다.

태하	(앞만 보며) 다 끝났습니까?
연우	(끄덕, 팽! 옷소매로 코 닦고 힐끔 태하 보는데 상처가 보인다) ?! (상처로 손 뻗으며) 그 상처, 나땜에 생긴 거요?
태하	(연우 손 툭— 치며 칼 차단, 어딜 코 닦던 손으로!) 그런 거 아닙니다.
연우	(삐죽 했다가, 흠…) 알고 있소? 예전에 여기가 한성부 서쪽의 황화방*으로 불렸던 곳이오. (배롱나무 보며) 이 나무는 배롱나무고.
태하	…. (배롱나무 돌아보는데 물에 젖은 연우 속살이 보인다) !! (시선 돌리는)

연우, 그리운 듯 배롱나무를 보고 있는데 상체 위로 수건이 턱— 올라온다. 보면, 태하가 올려준 것. (*태하도 수건 들고)

연우	(뭐지? 내가 젖어서 걱정해준 건가?) 괜찮은데, 많이 안 젖어서….
태하	(수건으로 몸 닦으며) 차 시트 젖기엔 충분합니다. 꼼꼼히 닦아요. 차 더러워지는 거 질색이니까. (하면서 가는)
연우	(하!, 벌떡 일어나 수건으로 몸 여기저기 마구 닦으며 따라가는)

● 황화방 : 조선시대 때 행정구역 중 하나. 한성부 서쪽.

S#25. 호텔 복도 / 늦은 오후

태하와 연우, 지나가는데 직원들이 상자 2~3개에 낡은 물건을 담아서 가는 걸 본다. 상자1 위로 나비가 그려진 액자*가 솟아 올라와 있는데 연우 시선이 나비에 꽂힌다. 연우, 많이 본 나비 그림 같아 직원이 들고 가는 상자 속 액자를 빤히 보는데.

태하   (돌아보며) 안 오고 뭐 합니까?

연우   (태하 보며) 가고 있소! (다시 액자 쪽 보는, 직원 가고 이미 없다)
         …

S#26. 태하 집, 전경 / 저녁

S#27. 태하 집, 서재 / 저녁

책상 앞에 앉아 뭔가 골똘히 생각 중인 태하와 그 옆에 성표가 서 있다.

성표   어쩌실 겁니까? 회장님 생신엔 꼭 가셔야 할 텐데…. 불참하시면 민대표님께서 어떻게든 꼬투리 잡으실 겁니다.

태하   압니다. 가든 안 가든 나한텐 최악의 상황이 될 거란 거.

성표   (쩝—) 죄송합니다. 괜히 저까지 입나발을… (큼) 아, 경찰서에서 그러던데 박연우씨 지문 조회가 깜깜이랍니다. 아무것도

• 1부 연우의 방에 있었던 그림 중 하나다.

184

안 나온다고.

태하　(보는) 아무것도요?? 오류가 아니라요?

성표　그것까진… (하다가) 아무래도 그럴 가능성이 크겠죠?

태하　알겠어요. 일단 가보세요, 오늘 수고했습니다.

성표　네. 그럼, 쉬십시오. (인사하고 나가는)

태하　(뭔가 생각하다가 고개를 돌려 강회장과 찍은 사진*을 쳐다본다)

～ S#28. 절, 대웅전 안 + 앞 / 낮 – 회상

대웅전 안/ 불전 위에 정훈과 윤희의 위패가 있고 스님이 불경을 외우고 있다. 뒤에선 검은 양복의 어린태하(*6세)가 무릎을 꿇고 아이답지 않게 고요히 바라보고 있다.

대웅전 앞/ 비가 오고 있다. 태하, 걸어 나오는데 누군가 우산을 씌워주고, 올려다보면 강회장이다. 강회장, 태하를 따뜻한 눈으로 바라보더니 눈높이를 맞춰 앉는다.

강회장　태하야…. 이제 이 세상엔 우리 둘뿐이야. 할애비한텐 너밖에 없거든.

어린태하　(고개 숙이는) …….

강/어태　(보다가, 우산 태하에게 들라는 듯 주는) / (우산 받아 들고 강회장 보는)

● 태하 초등학교 입학사진. 강회장과 둘이 찍었다. 환하게 웃고 있는 강회장과 무표정한 어린 태하. 액자에 원 팀(One team)이란 스티커가 붙어 있다.

| 강회장 | 그러니까 서로 믿고 지켜주는 거야. (주머니에서 'One team'이라고 쓰인 스티커를 꺼내 태하와 자신의 손등에 붙이며) 우린 같은 편이니까. |
| 어린태하 | (자기 손등의 스티커 보는) …. (끄덕인다) |

강회장, 다시 우산을 들고 어린태하의 손을 꼭 잡고 걸어간다. 손등의 스티커 보이고.

∾ S#29. 태하 집, 서재 / 저녁 - 현재

액자의 원 팀 스티커로 디졸브. 태하, 생각 많은 얼굴로 성표가 준 계약서를 쳐다본다.

∾ S#30. 태하 집, 마당 / 저녁

연우, 마당 한구석에서 돌탑을 쌓으며 기도를 하고 있다. '제발… 제발… 조선으로!' 이때, 뒤쪽에서 인기척이 들려 돌아보면 태하가 서 있다.

태하	(돌탑 보며) 왜요, 또 조선으로 가게 해달라고 빌기라도 했습니까?
연우	(시비 거냐?, 뻔뻔하게) 새조선의 평화와 안녕을 빌었소.
태하	(댕!!, 생각도 못한 대답에 풉! 웃음이 나오지만 손으로 가리는)
연우	(흠) 아깐 고마웠소. 그… 수영장에서 또 구해줘서.
태하	고맙네요, 빠른 인사.

연우	(이죽거리냐?) 미안하게 됐소, 늦은 인사! (흘겨보다 가려는데)
태하	(가는 연우 등 보며) 박연우씨, 거짓말 잘합니까?
연우	? (태하 돌아보는)
태하	난 필요하면 합니다, 것도 아주 잘. 그러니 한번 해보자구요.
연우	그게 무슨…? (하는데)
태하	정식으로 제안하죠. 한 달간 우리, (연우 보며) 결혼합시다.
연우	?!! (결혼? 하며 태하를 보는)

〰 S#31. 태하 집, 거실 / 저녁

연우, 태하 서로 마주 앉아 있다.

연우	그러니까 제대로 된 계약 혼인을 하잔 거요?
태하	네. 딱 한 달간 제 아내 역할을 하면 되는 겁니다. 물론, 필요할 때만. 세부 사항은 간단해요. 첫째, 내 생활방식에 무조건 따른다.
연우	(무조건…?)

〈인서트// 연우 상상 몽타주. (*마치 태하의 애완견이 된 느낌)
- 태하가 먹어! 하면 밥을 먹는 연우.
- 태하가 올라가! 하면 2층으로 가는 연우.〉

연우	(!) 내가 집에서 키우는 개요? 무조건 따르라니. (팔짱 끼며) 불통이오!
태하	무조건은 빼죠. 이것도 필요하면 최대한 따른다.

연우	(팔짱 풀며) 통이요, 그 정돈.
태하	둘째, 본가 사람들과 따로 만나지 않는다.
연우	시집살인 나도 사양이니, 통! (하다가) 근데 아까처럼 우연히 만나면 어떡하오? 아무리 가짜라도 시댁 식구들인데.
태하	우연이라도 따로 만날 일, 안 만들면 됩니다.
연우	아니 그래도, (하는데)
태하	(빠르게) 셋, 비밀 유지! 넷, 타인 앞에서 조선 얘기 금지! 다섯, 특별한 일 아니면 외출 금지! 여섯, … 금지! 일곱, … 금지! 여덟, … 금지! 아홉, … 금지!

태하가 빠르게 말하는 조건들, 연우의 머리 위로 자막 처리돼서 지나가다가 외출 금지 이후부터는 말이 더 빨라지며 〈금지〉란 단어들만 연우의 머리를 때리고 간다. (*CG)

태하	(정상적인 톤) 마지막으로, (하는데)
연우	(넋 나간) 간단하단 말의 뜻은, 알긴 아는 거요?
태하	한 달 후엔 이 계약을 파기하고, 무조건 나간다.
연우	(왠지 서운하고 치사한) 걱정 마시요! 건 나도 바라는 일이니까. 무.조.건! 그럼 이제, 내 조건을 말하겠소!
태하	?! (살짝 긴장) 조건… 이요?
연우	(바로) 내가 집에 돌아갈 수 있게 무조건 돕는다. (바로) 둘!
태하	(당황) 또 있습니까?!
연우	(당연하지! 하는 표정으로 눈썹을 씰룩이는)

⌒ S#32. 태하 집, 주방 / 저녁

연우, 초코파이를 맛있게 먹고 있는데 태하가 그 앞으로 계약서를 내민다.

태하	(계약서 한 장 주며) 이건 연우씨 겁니다.
연우	(계약서 받고) 좋소! 그럼 앞으로 서로 잘, (하면서 악수할 듯 손 내미는)
태하	(악수하잔 건가? 싶어 손 내밀며) 잘 부탁합니다. (하는데)
연우	(새끼손가락만 내밀며, O.L) 약속 지키면서 헤법시다!
태하	(댕!!!, 연우 새끼손가락 보고 뭐지 이건? 하는데)
연우	(펼쳐진 태하 새끼손가락에 자기 손가락 걸더니 태하를 빤히 본다) ?

태하, 빤히 보는 연우 눈빛에 심장이 쿵쿵! 뛴다! 재빨리 손가락 빼며,

태하	그, 그래요. (돌아서서 가는, 가슴 만지며… 왜 이러지? 갸웃)
연우	(태하 보다가) 새조선은 약속도 특이하게 하네…. (하며 악수 흉내)

⌒ S#33. 태하 집, 태하 방 / 밤

태하, 서랍에서 약통을 꺼내 물과 함께 약을 먹고 테이블 위에 약통을 올려두고. 워치로 심박수 확인하고 침대에 앉아서 연우의 계약사항을 다시 읽어 본다.

〈인서트// 연우, 엄청 진지하게 태하에게 자기의 계약 조건을 말한다.

연우	하나! 집에 돌아갈 수 있게 무조건 돕는다. 둘! 끼니와 다과,

특히 촉호는 늘 챙겨둔다. 셋! 호칭은 이름으로, 넷! 새조선에 대해 잘 알려주며, 다섯! 귀하디귀하게 자란 (강조) 금쪽 같은 날 함부로 대하지 않는다!〉

태하   (하!) 금쪽…? (이게 잘한 짓인가 모르겠다, 하… 침대 위로 누워버리는)

～ S#34. 태하 집, 연우 방 / 밤

연우, 침대에 앉아서 계약서를 빤히 쳐다보다가 내려놓으며,

연우   (하…) 생판 모르는 사내랑… 어머님 아시면 기절하시겠지? (하다가) 아냐. 돌아가기도 전에 객사할 순 없잖아. 사기꾼이지만 서방님이랑 닮기도 했구, 괜찮을 거야. (배롱나무 가지 보며) 박연우! 꼭 돌아가자! 꼭!

～ S#35. 디저트 카페 앞 / 다음날, 아침

소녀 감성이 풍부해 보이는 예쁜 카페 앞. 오픈에 맞춰 줄 서 있는 여성들이 보인다. 20대 여성 둘이 빠르게 와, 줄을 서려는데 그 앞을 턱ㅡ! 지팡이가 가로막는다!

강회장   (빙긋 웃으며) 이런. 미안해서 어쩌나…. 내가 좀 빨랐네. 한 0.1초? (헤헤)

190

여성 둘, 어쩔 수 없이 강회장 뒤에 서는데 이때, 앞쪽에 태하 차가 도착하고 태하가 내려 강회장 쪽으로 온다. 여성 둘, 태하의 미모를 보고 헉!!! 해서 입을 틀어막는데.

강회장   (기분 좋은) 잘 생겼지? 내 손주야, 손주. 내 거~ (씩-!)

〰 S#36. 디저트 카페 안 / 아침

여성 손님들만 잔뜩인 카페 안. 강회장이 차에 케이크를 먹으며 태하와 얘기 중이다.

강회장   (휴대폰으로 케이크 사진 찍으며) 그래서, 화접도 전시회 그거 그냥 어멈이 하게 두라고? 왜 (무심한 듯) 부딪치는 게 무서워?

태하   (단호한) 아뇨. 말 나오는 것도 불편하고, 그 일 아니어도 제 능력 충분히 보일 수 있어요, 그래왔구요.

강회장   그래? (태하 보며) 근데 그 화접돈 왜 필요한 거야? 우리 백화점에?

태하   대사 부인이 평소 윤암선생 그림 팬이었나 봐요, 전공도 미술 쪽이고. 이번 SH 뉴욕지점 진출에 미국 쪽 VIP들 도움이 꽤 필요하거든요.

강회장   이미 다 파악해놓고 웬 앓는 소리야! (포크로 케이크 자르며) 다 된 밥상에 숟가락 얹어 떠먹는 것도 재주고 능력이야. 넌, SH만 생각해.

태하   (보면)

강회장   말 나오는 게 불편하면 입 다물게 만들어. 그 정도 배포 없인,

(단호한) 나도 회사도 아무것도 못 지켜. (하며 케이크 먹는다)

태하, 생각 많은 얼굴인데 이때 휴대폰 진동이 울리고. 보면 〈현욱선배〉라
고 뜬다.

～ S#37. 병원 검사실 / 낮

태하, 심전도 검사 중이다.

～ S#38. 현욱 진료실 / 낮

현욱, 태하와 마주 앉아 있다. 현욱, 태하의 검사 결과를 보고 있다.

현욱   심장이 불규칙하게 뛴다고?? 검사상으론 크게 달라진 건 없는
       데 (살짝 걱정스런) 주로 언제 그래?

태하, 현욱의 말에 자연스럽게 연우를 떠올리자 저도 모르게 얼굴이 붉어
지고!

〈플래시컷//
2부 S#14. 수영장 연우 보고 심장이 쿵쾅! 기절.
S#32. 연우 눈빛에 심장이 쿵쾅!〉

현욱   (태하 보며, 분위기 풀 겸 장난) 왜, 뭐 좋아하는 여자라도 생겼어?

태하	! (당황) 네?
현우	놀라긴. (피식–) 니 심장에 해로운 여자라도 생겼냐고~~
태하	(바로) 아뇨! 그냥, 뭐… 어떨 때 갑자기 좀 그래요.
현욱	일단 언제 그러는지 체크해봐. 계속 그럼 정밀 검사해보게.

〰 S#39. 태하 집, 거실 / 낮

소복 입은 연우, 초코파이 먹으면서 거실 소파로 와 리모컨으로 TV를 켜며,

연우	지피지기면 백전불태라! 공부하자, 공부. 새조선 공부! (TV 리모컨 옆에 커튼 리모컨 보고) 이건 뭐지? (하고 누르는데)

거실 커튼이 자동으로 열린다. 연우, 헉! 하고 놀라서 초코파이 떨어트리고 뒷걸음치다가 거실 테이블을 건드리면서 꽃병이 넘어지고 물이 쏟아진다. (*꽃병 안 깨지고)

연우	(!, 손과 옷으로 물 닦으며 주변 보는데 갑티슈 발견) 무명천인가? (휴지 한 장 뽑자 또 한 장이 쏙! 나온다, 오!)
로봇청소기	(E) 예약 청소를 시작하겠습니다. (하더니 움직이기 시작한다)

연우, 응? 이리저리 보다가 테이블 아래로 고개 숙여 보는데 청소기가 연우를 향해 다가온다. 거꾸로 보는 연우 시점에선 괴물처럼 보이고. 연우, 악! 놀라서 일어나다가 테이블에 머리까지 쾅!! 찧고 아파하며 일어서는데 로봇청소기가 연우 코앞까지 왔다.

연우   뭐… 뭐야! 오지 마!! 저리 가! (하는데)

로봇청소기 (연우 앞으로 돌진하며) 위치를 파악하고 있습니다.

연우   (!!) 오, 오지 말라니까!! (현관 밖으로 빠르게 도망치는)

〰 S#40. 태하 집, 마당 + 거실 안 / 낮

맨발로 뛰쳐나오는 연우. 현관문이 닫히는데 띠리링! 하고 도어락이 잠긴
다. 연우, 하… 안도의 한숨을 내쉬고는 조심히 창가로 가서 거실 안을 내
다보는데.

거실 안/ 로봇청소기, 연우가 먹다가 떨어트린 초코파이 부스러기도 청소
하고 있다.

연우   (헉!) 가, 감히 내 촉호를….!! (거실 창 두들기며, 근엄) 이노옴~!
         멈춰라! 네 이놈!! (안 되겠다, 현관으로 가서 문을 열려는데 잠긴)
         왜 이래?!! (문을 잡아당기고 흔들며) 열려! 열려! 열리라고ー!!
         (소용 없고)

연우, 다시 창가로 와서 혹시 들어갈 공간이 있나 여기저기 살피는데 없다.

거실 안/ 로봇청소기, 어느새 초코파이 부스러기 다 먹고 다른 곳으로 가
고 있다.

연우   (울상, 힝! 바닥에 풀썩 주저앉으며) 이게 뭐냐고ー! 어머니~ 사월
         아~~!!!

〜 S#41. 병원, 산책로 / 낮

양갈래 많은 머리, 디스코 머리, 한쪽으로 많은 머리 등 각종 많은 머리를 한 여자애들 뒤통수가 보이고 맨 마지막 아이를 벗짚 머리 땋기로 빠르게 손질 중인 누군가가 보인다. 카메라 화면 돌리면 열중해서 머리를 땋고 있는 사월이다!

사월	(머리 완성하고, 대만족) 다 됐다! 완전 멋진데~! (하면서 손 내밀면)
여자애들	(들고 있던 천 원짜리 사월에게 주고) 언니, 짱 멋져요!! (하는데)

(CUT TO) 일각에서 성표가 통화를 하며 걸어오고 있다.

성표	(통화하며 오는) 네! 부대표님 거의 다 왔습니다. 네! (끊고)

사월, 돈 세면서 오다가 통화하는 성표와 부딪친다. 동시에 천 원짜리가 공중으로 흩어지고! 성표, 놀라서 쳐다보는데 순간 사월이 엄청 빠르게 손을 사샥! 움직여 돈을 전부 잡아내고 젤 높이 솟은 천 원 한 장까지 입으로 물어내며 지켜낸다. 그러더니 시크하게 성표 한 번 봐주고 가버리고. 성표, 그 모습을 멍~ 하니 바라보는데.

태하	(성표 발견하고 와서) 홍비서, 뭐합니까?
성표	(뻑이 간) 무림… 고수를 만났습니다.
태하	?! (이건 또 뭔 소리야? 하며 보는)

S#42. SH서울, 마케팅 사무실 / 낮

현정, 인터넷 보고 있고… 하나는 컴퓨터로 윤암선생 관련 자료를 보며 정리 중이다.

석주	(뛰어 들어와) 들으셨어요? VIP 화접도 전시회, 그거 강드로가 한대요.
현정	석주씨, 어디서 섬세하게 자다 왔어? 뭔 말도 안 되는 멍소릴 해! 민대표님이 오래전부터 침 발라놓은 건데, 강드로가? 그걸?
석주	진짜라니깐요! 그 팀에 있던 동기한테 들었어요!
현정	그게 진짜면 내 손목과 오백 원, 아니 오천만 원 걸겠쉬! (하는데)
태하	(들어오며) 오팀장, 손목 걸어야겠네요.

현정과 석주, 하나, 놀라서 일어나면 태하와 성표가 마케팅팀 사무실로 들어오고 있다.

태하	우리가 화접도 전시회 마무리합니다. 시간 없는 거 알지만 인수인계 잘 받아서 최선, 다해주길 바래요.
하나	(기다렸다는 듯) 윤암선생 관련해서 찾아 둔 자료가 있는데 정리해볼까요.
태하	유대린 뭐든 빠르네요. 그래요, 부탁해요. (하고 성표와 나가는)
현정	(헐) 뭐야 갑자기…. 이거 뭐니? 민대표가 밀린 거야? 정말?
석주	팀장님, 오천만 원 언제 주세요? 송금도 가능한데.
현정	! (석주 입 막으며) 근데 하나씬 언제 윤암선생 자룐 준비했어?

하나   (둘러대며) 홍보팀에서 부탁한 게 있어서. 이렇게 될 줄 몰랐는
        데… 앞으로 좀 바빠지겠네요. (자리에 앉아 빙긋! 웃는)

⌢ S#43. 태하 집, 마당 + 현관 앞 / 저녁

태하, 현관으로 오는데 소복에 긴 머리카락 늘어트린 연우가 앞으로 다가
온다!

태하   ! (놀라서 뒤로 물러서는, 연우인 거 확인하고) 박연우씨? (하는데)
연우   (울상) 집에 촉호를 먹는 괴물이 있소!!!

⌢ S#44. 태하 집, 거실 / 저녁

로봇청소기가 바닥을 청소하고 있고, 연우 그 모습을 신기하게 보고 있다.

연우   그러니까 이게 저 혼자 청소할 줄 아는 도구란 거요? (오~) 거
        참 신통방통하네. (맘에 든) 그래! 넌 앞으로 돌쇠다, 돌쇠!
태하   (한숨 쉬며 보는) 박연우씨, 대체 아는 게 있긴 합니까?
연우   꽤 많소. 내 일곱에 소학을 떼고, 열 살에 사서삼경도 통달했으
        니. (하다) 아! 오늘 새로 배운 것도 있소. (갑티슈 들고) 보시오.
        (휴지 뽑으며) 뽑으면… 또! (휴지가 뿅) 나오는 거! (의기양양한!)
태하   (댕!! 해서 보는)

연우, 이게 아닌가? 해서… 큼 하고 갑티슈 내려놓는데 배에서 꼬르륵! 소

197

리가 난다. 민망한 연우, 배시시 웃고…. 태하, 그런 연우 보는.

〜 S#45. 편의점 앞 + 동네 거리 / 저녁

태하의 티와 바지를 입은 연우[*], 물건이 가득 든 봉지를 들고 태하와 함께 편의점을 나온다. 신나서 걸어가는 연우, 그런 연우와 좀 떨어져 걸어가고 있는 태하.

연우	(손에 든 카드를 보며) 이 조그만 걸로 (봉지 보며) 이걸 다 살 수 있다니 정말 신기한 세상이오. (주머니에 카드 넣고) 내 귀하게 쓰겠소.
태하	바쁜 거 끝나면 홍비서 보낼 테니 필요한 거 사도록 해요.
연우	그때까진 사기꾼 양반 옷 좀 빌리겠소. (옷보며, 좋은) 천도 부드럽고 움직이기 좋아 아주 딱이요! (하며 하늘을 보는데 달이 둥글다) … 달이 둥근 게 만월인가?
태하	아닙니다, 만월. 음력 보름은 아직 며칠 남았거든요.
연우	(태하 보며, 팩폭) 사기꾼 양반, 친구 없지 않소?
태하	(바로 인정) 없습니다. (궁금) 어떻게 알았습니까?
연우	(작게 중얼) 모르면 바보지…. (큼, 했다 화제전환) 아, 그거 아시오? (슬쩍) 저 달에 옥토끼가 살고 있단 거. 예전에 아버님께서 내게만 알려주셨소.

달을 보는 연우의 시점에 방아를 찧고 있는 옥토끼가 나타나 찡긋! 윙크한

● 티셔츠 한쪽 부분을 묶어서 품을 줄이고, 바지 아랫단을 접어 제 몸에 맞춘.

다. (*CG)

태하	(댕!! 옥토끼…?, 어이없다) 아… 옥토끼? 아버님??
연우	(자랑스런) 내 아버님 본관은 함양이시고, 박, 재자 원자 되시는데 이조판서를 지내셨다오. 말했잖소! 내 귀~한 금쪽 같은 반가의 여식이라고.
태하	아, 네. 뭐 금쪽이…. (큼… 하며 부러 빠르게 걸어가고)
연우	(웅? 해서) 이보시오! 같이 좀 갑시다! (하고 쫓아가는)

～ S#46. 태하 집, 태하 방 / 밤

태하, 윗옷을 벗는데 현욱에게 문자 오는. 〈심장은 어때? 해로운 여자, 괜찮아?^^〉

| 태하 | (하!) 해로운 여잔 무슨, 금쪽 같은 (도리질) 금쪽이지. (하는데) |

갑자기 문이 벌컥 열리더니 연우가 로봇청소기(*이하 돌쇠)를 들고 들어온다. 태하, 헉! 해서 재빨리 양손으로 맨 가슴 가리는! (*심장 상처 자연스럽게 가려지는)

| 연우 | (돌쇠 보며) 사기꾼 양반! 돌쇠는 어찌 움직이게 하는 거요? (하다가 태하 맨몸 본) !!! (얼음, 그대로 뒤로 로봇처럼 물러나서 가버리는) |

태하, 아우 씨! 하며 열려 있는 문 닫으러 다급히 가다가 자기 발에 걸려

자빠진다! 으악! 하며 그대로 대자로 뻗어버린 태하, 부들부들 떠는데…
쪽팔려 죽겠다!

〜 S#47. 태하 집, 연우 방 / 밤

연우, 얼음된 채로 돌쇠 끌어안고 그대로 침대로 가서 이불 뒤집어쓴다. 잠
시 조용~했다가 이내 '꺄!!!'하는 비명이 들리다가 멈추더니 이불을 휙!
걷고 나오는 연우.

〈인서트// S#46. 손으로 가슴 가린 태하. 그러나 근육이 불끈! 주변은 뽀
샤시 반짝!〉

연우   (저도 모르게 입 살짝 벌리고, 돌쇠 끌어안고) 사내…로구나! (하다
           가 헉!, 가부좌 틀고) 마하반야바라밀다 관자재보살…. (불경을
           외운다)

〜 S#48. SH서울, 내부 오픈 테라스 / 다른 날, 낮

혜숙과 황명수 걸어가고 있는데 한쪽에 직원들이 뭔가를 구경하며 모여
있다.

일각/ 태하, 기자와 인터뷰 중이고 그 모습을 사진기자가 촬영 중이다. 마
케팅팀과 성표, 옆에서 그 모습 보고 있다. 하나, 반짝이는 눈으로 태하 보
고 있고.

| 기자 | 이번 전시회가 SH 뉴욕지점 오픈의 교두보가 되는 건가요, 그 |
| 럼? |

| 태하 | SH의 뉴욕 진출도 물론 중요하죠. 하지만, 개인적으론 이번 행사가 양국 교류에 더 큰 기여를 할 수 있게 되길 기대하고 있습니다. |

| 황명수 | 아주 신났어요, 신났어. 인터뷰까지 하고. 지가 무슨 대표도 아니고. (답답한, 혜숙 보며) 정말 그냥 이대로 보고만 계실 겁니까? |

| 혜숙 | (짜증나지만, 애써 티 안내고 가려는데) |

| 최비서 | (다급히 혜숙에게 와서) 대표님. (하더니 혜숙 귀에 대고 뭐라고 말한다) |

| 혜숙 | ?! (놀란 눈으로 얘기 듣는) |

〰 S#49. SH서울, 혜숙 사무실 / 낮

혜숙과 최비서 안으로 들어온다. 혜숙 책상 앞쪽으로 걸어가며,

| 혜숙 | 그러니까 화접도가 정말 위작이란 거야? 확인 제대로 했어? |

| 최비서 | 네. 큐레이터 통해서 따로 확인한 겁니다. 크로스체크도 했구요. |

| 혜숙 | (책상 앞으로 와 서며, 하!) 윤암 작품이 워낙 모작이 많다 그래서 혹시나 했더니! 윤사장, 그놈이…! |

| 최비서 | 어떻게 할까요. |

| 혜숙 | 뭘 어떻게 해! 당장 윤사장, (하다) 아냐… 잠깐 기다려. (뭔가 생각하는) 어차피 담당은 태하잖아? (홋!) 가서, 큐레이터나 데 |

려와.

S#50. SH서울, 전시장 안 / 저녁

마케팅팀이 전시품을 확인 중이다. 하나, 정중앙에 불투명한 유리 케이스 쪽으로 와 아래쪽 버튼을 누르자 창이 투명하게 바뀌면서 조명과 함께 그 안에 화접도가 자태를 드러낸다. 하나, 확인을 끝내고 다른 곳으로 이동한다. 화면, 위작인 화접도를 비추는.

S#51. 강회장 집, 전경 / 다른 날, 아침

S#52. 강회장 집, 주방 / 아침

태민, 밤새워 놀다 하품하며 들어와 유리잔에 물 따라 마시는데 출근 준비 끝낸 혜숙이 들어온다. 태민, 혜숙 보고 멈칫했다가 이내 인사하듯 손들어 보이고 나가려는데,

혜숙   (물 따라 마시며) 이제 적당히 놀았으면 담주부터 출근해.
태민   (피식─) 난 회사 재미없는데. 그런다고 뭐 달라지나? (보며) 어차피 SH, 강태하 거잖아. 할아버지 우리한테 줄 생각 없어. 몰라서 그래요?
혜숙   (보며) 그래서, 너처럼 꼬리 내리고 도망치는 개라도 되라고? (태민 가까이 다가와 서며) 말했잖아. 얼마 안 되는 네 몫이라도

챙기려면 정신 차리라고. 어차피 태한, 너 상대로 생각도 안
해.

태민   !! (빠직) 근데 왜 날 회사로 못 밀어 넣어서 이 난린데?!

혜숙   (보며) … (쐐기를 박듯) 널… 낳은 죄, 그 정도면 되겠어?

태민   !! (하!) 죄…?? (상처 받은) … (분노, 유리잔 꼭 쥐고 혜숙을 노려보
는데 컵이 깨진다, 손이 베어 피가 나는데도 혜숙을 쳐다보는) ….

혜숙   ! (피가 흐르는 태민의 손을 보다가) … 쉽게 화를 드러내지 마. 낼
거면, 니가 아닌 남을 다치게 하든지. (차갑게 돌아서고)

태민   (상처 받은 눈으로 혜숙의 등을 바라본다)

⌒ S#53. 강회장 집, 정원 / 아침

혜숙 나오는데 최비서가 다가와 선다.

혜숙   (태민 상처가 그래도 마음에 걸린다) 최비서…. 가서 태민(이, 하다
가) … 아냐, 됐어. (하고 가는)

⌒ S#54. 강회장 집, 태민 방 / 아침

태민, 방으로 들어와 화가 난 듯 책상 위의 물건들 죄다 쓸어버리며 씩씩거
리는데, 떨어진 물건들 중에 돈봉투가 보인다. 뭐지, 이건? 돈봉투 들어서
보는데. 문득!

〈플래시컷// 2부 S#43. 돈봉투를 던지는 연우.〉

태민   (하!!) … 잘됐네… 안 그래도 더럽게 재미없었는데…. (피식! 눈빛 변하는)

∼ S#55. SH서울, 복도 / 아침

잘 차려입은 태하가 성표와 지나가다가 최비서와 황명수, 이사들과 함께 지나가는 혜숙과 마주친다. 태하, 혜숙과 이사들에게 가볍게 목례하고 지나가려는데.

혜숙   (멈춰 서며) 오늘 전시회 기대가 커요, 강부대표. SH에 중요한 일인 만큼 최선을 다해야 할 겁니다. 무슨 말인지 알죠?

태하   (혜숙 보며) 네, 잘 알고 있습니다. 그럼. (하고 지나쳐 가는)

혜숙   … 흣! 비웃듯 하며 앞으로 가는)

∼ S#56. 태하 집, 거실 / 낮

연우(*소복 옷고름으로 머리 묶은), 과자를 먹으며 심각한 얼굴로 TV를 보고 있다.

〈인서트// TV 화면. 재연프로그램의 한 장면. 시모와 며느리의 대화 장면.

시모   영숙이 너! 우리 아들, 재철이를 대체 뭘로 꼬신 거야! 어!

며느리   (파워 당당) 예쁘니까요

시모   (하!) 뭐라고? 야, 장영숙! 너 그게 말이 돼?

며느리   (파워 당당) 네. 겁나 예쁘니까요.〉

연우   … 새조선도 예쁘면 장땡이구나…. (과자봉지에 손 넣는데 비었
          다) ?!!

이때, 연우 옆으로 지잉— 청소를 하며 돌쇠가 다가온다.

연우   (돌쇠 보며) 돌쇠야…. 이거… 긴급상황 맞지? 정말 급한 거지?
          응?

돌쇠, 마치 그렇다고 대답이라도 하듯 연우 발에 와서 탁탁! 부딪치는.

～ S#57. 태하 집 앞 / 낮

연우, 카드 들고 삼선슬리퍼 신고 나오는데 태민 차가 연우 앞에 선다. 연
우, 놀라서 보는데 차에서 태민이 내린다. 연우, 헉! 해서는 집으로 들어가
려는데 막아서는 태민.

태민   어딜 가시나? 우리 소복씨. (하다가) 어? 오늘은 소복 안 입었
          네? (씩)
연우   (헉! 고개 돌리며, 얼굴 찌그러트리는) 누, 누구 십니까?!
태민   왜 이러실까~ 우리 형수님이? (큭) 됐으니까, 나랑 어디 좀 가
          지?
연우   아뇨, 제가 좀 바빠서. (하고 집으로 들어가려는데)
태민   (막고) 저번에 나한테 던진 돈봉투, (연우 보며) 그거 디게 아프
          더라?
연우   !! (기억 난 거야? 해서 보는데)

205

태민	(보며) 너, 강태하랑 뭐야? 계약결혼? 뭐 그런 건가?
연우	(당황했지만, 아닌 척) 그게 무슨 소립니까!
태민	궁금하면 따라오든지. 아니면… (협박) 내 맘대로 하고.
연우	… (보다가) 어디로 가는 겁니까?
태민	(차 조수석 열어주며) 일단 타. 그럼 알려줄게.

〰 S#58. 도로 위, 태민 차 안 / 낮

태민 운전 중이고, 연우 조수석에 앉아 태민을 쏘아보고 있다.

태민	누가 잡아먹어? 눈 돌아가겠네.
연우	(나름 협박) 어디로 가는 건지 말씀하십시오. 아니면 내릴 겁니다.
태하	진짜? 그럼 더 재밌긴 하겠다. (큭—) 얼마 받기로 했어? 강태하한테.
연우	(!) 아까부터 대체 무슨 소립니까! 형님과 전, 좋…아서 혼인한 겁니다.
태민	(풉!) 뭘 해?? (푸하하!) 와…. 모쏠 강태하가 소복일 좋아해? 왜??
연우	(모쏠?? 건 뭐지?, 그래도) 왜긴요. 내가… (S#56 배우처럼 파워 당당하게) 예쁘니까, 겁내 예쁘니까요.
태민	(!!) 뭐????! 푸하하하하!! (미친 듯이 웃고)
연우	(이 분대꾼이 미쳤나? 해서 보는)

206

태민, 연우와 함께 걸어오고 있다. 연우, 주변을 살피며 여기가 어디지? 보는데.

연우   … 여긴… 어딥니까?

태민   좋아하는 남편 일하는 곳도 몰라? 강태하 회사잖아, 여기.

연우   (!!) 뭐요?! 전 가보겠습니다. (하고 가려는데)

태민   (왼손으로 연우 잡고) 자꾸 이럼 강태하 말고 민대표한테 간다? (씩!)

연우   (지지 않고) 대체 왜 이러시는 겁니까!!

태민   (큭) 재밌잖아~! 그게 누구든 곤란해지는 거.

연우   (!, 태민 손 뿌리치며) 이거 놓으십시오! (하는데)

태민   (다친 손이 부딪쳐 아프다) 아!! (손 잡고, 인상 쓰는 *이제야 보이는)

연우   ?! (응? 해서 태민 손 보는데 피가 보인다, !!) 다쳤습니까?

태민   (손 치우며) 됐어. (하는데, 피가 바닥에 떨어진다)

연우, 재빨리 머리끈으로 쓴 옷고름을 풀어서 태민의 다친 손을 잡고 동여매 준다. 태민, 아! 하며 보는데 머릿결이 흘러내리는 연우의 모습이 솔직히 예쁘다.

연우   (동여매며) 가만 있으십시오. 그냥 두면 덧나니까 의원에게 보이고 치료부터 받으십시오. 그리고….

태민   (뭐야 이 여자…. 이 상황에 날 걱정하는 거야?) ……. (잠시 방심)

연우   (작게 중얼) 삼강오륜은 국밥 말아 드셨습니까? 형님께, (태민 보며) 강태하가 뭡니까! 버릇없이! (지금이다! 하면서 동여매던

끈을 꽉! 묶는다)

태민   !! (방심했다) 아!!! (하며 손을 잡고 살짝 주저앉는데) 아프잖아!

연우   앞으론 조심해, 이 분대꾼아!!! (하면서 후다닥 도망치는)

태민   아…! (했다가 당했다!) 야! 소복!! 거기 안 서!! (일어서서 뒤쫓아
       가는데)

〜 S#60. SH서울, 전시장 앞 / 낮

연우, 달려오다가 전시장으로 들어가는 성표를 발견한다. '홍가양반?!' 잘
됐다 싶어 성표를 따라 안으로 들어가고. 잠시 후, 태민이 와서 주변을 살
피다 그냥 가버린다.

〜 S#61. SH서울, 전시장 안 / 낮

성표, 안으로 들어오는데 '홍가양반!' 하며 뒤따라오는 연우.

성표   ?! (돌아보며, 연우 발견, !!) 어? 여, 여긴 왜??! 어떻게 오셨어요?

연우   아… 그게… 그 분대꾼이, (하는데)

태하   (E) 지금 뭐 하는 겁니까?!

연우와 성표, 돌아보면 태하가 어이없는 얼굴로 보고 있다.

태하   (하!) 홍비서! 박연우씨가 왜 여기 있는 거죠? (하다) 홍비서가
       불렀어요?

성표   (!) 아, 아닙니다!! 저도 지금 방금 만난 건데…. (힝… 억울한)

태하   (연우에게 와) 일단 나가요. 여기서 중요한 행사 있으니까 당장,
        (하는데)

연우   (태하 뒤의 화접도를 보고 놀란다) !! (화접도로 가서 낙관을 보는)
        ….

태하   (이 여자 왜 이래?) 내 말 안 들려요?! 박연우씨!!

연우   (태하 보며) 이게… 윤암의 그림이오?

태하   (또 왜 저래? 하…) 홍비서, 데리고 나가요. 얼른! (하는데)

연우   그렇다면 이 그림은, (단호하게) 가짜요.

태하   (기막힌) 이봐요, 박연우씨! (하는데)

연우   (낙관을 보며) 윤암의 낙관 모양은 이게 아니오. 게다가 필세˙
        도 다르고, 뭣보다 윤암은 절대 색을 화려하게 쓰지 않소.

태하   (어이없다) 그걸 당신이 어떻게 압니까?

연우   그건 내가 조선, (하려다) 사기꾼 양반이 내 말을 헛소리로 여
        기는 거 알고 있지만 믿어주시오. (속상한) 이건 절대… 윤암의
        것이 아니니까. (진심) 한 사람의 생이 담긴 물건으로 내 장난
        치진 않소.

태하   (연우의 진심 어린 눈빛에 마음이 흔들린다) ….

연우   중요한 행사라고 했잖소. (간절한) 이게 가짠지 진짠지 확인이
        라도 한번 해봐요, 제발!

˙ 필세 : 글씨나 그림의 획에서 드러난 힘이나 기운.

～ S#62. SH서울, VIP 통로 / 낮

하나, 현정, 석주가 미 대사부부를 기다리고 있다.

현정	(하나에게) 강드로는? 왜 아직 안 와~ VIP 모아 두고!
하나	(도리질) 모르겠어요. 홍비서님한테 연락 해볼까요??
석주	배탈이 났거나 아님 강드로 배터리가 방전된 거 아닐까요?
현정	석수씨, 섬세하게 죽을래? 지금 이 상황에 그러고 싶니? 응?
	(하는데)

이때, 문이 열리고 보디가드들과 미 대사부부, 4~5명 VIP들이 들어온다.
다들 긴장!

～ S#63. SH서울, 전시장 안 / 낮

큐레이터, 벌벌 떨며 고개를 푹 숙이고 있다. 태하, 성표, 연우 있고.

태하	그러니까… 민대표님도 이게 위작인 거 알고 있단 말입니까?
큐레이터	(끄덕) 죄송합니다. 대표님께서 절대 말하지 말라고 하셔서….
태하	!! (주먹 꼭 쥐는, 민대표!!) …. (어떡하지? 머릿속이 복잡하다)
성표	(걱정스레 태하 보는데, 전화 오는, 받고) 네, 오팀장님. (사이) 벌써요? (태하에게) VIP들 도착했답니다!
태하	!! (워치 확인하는) …. (하… 머리 쓸어넘기는데)
연우	(뭔지 잘 모르겠지만, 심각한 일 같아 걱정스럽게 보는) ….
성표	(휴대폰 손으로 가린 채) 일단 솔직하게 상황을 설명하시고,

태하	(바로) 안 됩니다! 뉴욕지점 관련 VIP들한테 SH 내부에 알력 다툼이 있단 걸 보여줄 순 없어요!
성표	(답답한) 그럼요? 위작을 둘 수도 없고, 진짜 그림도 없잖아요!
연우	(그림…? 뭔가 생각하다가, 아!!, 태하 보며) 있소!! 진짜 윤암의 그림이!
태하	(보는) ?!

⌒ S#64. SH서울, 복도 / 낮

하나와 현정, 석주가 VIP들과 함께 걸어오고 있는데 성표가 웃으며 다가와 인사한다.

성표	(영어) 강태하 부대표님의 비서 홍성표입니다. 저희 부대표님께서 특별하게 준비하신 이벤트가 있는데, 지금부터 제가 안내해드리겠습니다.
VIP들	(이벤트? / 뭐지요? / 흐음…? 하며 웅성거리는)
현정/석주	(석주 보며 속닥) 이벤트? 그런 게 있었나?? / 모르겠는데요…. (갸웃)
하나	(영어, 바로 눈치채고) 함께 가시죠. (성표 따라 안내하는)

⌒ S#65. SH서울, 전통 다도실 체험관 / 낮

전통 도자기와 그릇, 차들이 전시돼 있고 한쪽 다도실에서 VIP들이 전통차와 다과를 먹고 있다. 그 앞에서 성표가 짧은 설명 중이다.

성표	(영어) 한국인들은 전통을 지키고 배우는 데 가치를 둡니다. 해외 고객들은 그 전통을 함께 느끼길 원하죠. 그래서 마련한 체험공간입니다.
미대사	(영어, 차를 마시며) 귤로 만든 차라고 했나요? 향이 좋네요.
성표	(영어) 감사합니다. (하며, 슬쩍 시계를 보는데)
태하	(E) 30분. 아니, 40분 정도만 시간을 끌어줘요.

〈인서트// 전시장, S#63 이후 상황.

태하	내가 그림 찾아올 때까지, VIP들 전시장에 못 들어가게 막아줘요.〉

성표, 긴장된 표정으로 시계 한번 확인하곤. VIP들 보며 미소 지어 보이는.

～ S#66. 호텔, 로비 / 낮

태하, 호텔 로비로 연우와 다급하게 들어온다.

태하	박연우씨. 정말 그 상자 안에 윤암의 그림이 있던 게 맞아요?
연우	맞소! 찰나였지만… 분명히 봤소.

〈플래시컷// S#25. 나비 그림이 그려진 액자를 들고 가는 직원들.〉

태하, 연우를 쳐다보고 있는데… 호텔 직원이 다가와 꾸벅 인사를 한다.

직원	강태하 부대표님? 연락받고 기다렸습니다.
태하	아, 네. 말씀드린 상자 찾아보셨나요?
직원	예… 근데 그게…. (난감한 표정이고)

〜 S#67. SH서울, 혜숙 사무실 / 낮

혜숙	(책상 앞에 앉아서) VIP들이 전시장이 아니라 다른 곳으로 갔다고?
최비서	아무래도 강부대표도 위작인 걸 알게 된 것 같습니다.
혜숙	… 시간을 끌겠다…? (하…! 뭔가 생각하는 표정)

〜 S#68. SH서울, 전통 다도실 체험관 / 낮

성표, 시계를 보고 있는데 혜숙과 최비서가 들어온다. 다들 놀라서 보는데.

혜숙	(영어) 안녕하세요, SH서울의 민혜숙 대푭니다. 다과를 다 즐기셨으면 그만 전시실로 올라가실까요?
성표	! (당황했지만 아닌 척, 민대표에게) 부대표님께서 곧 오실 텐데….
혜숙	(무시) 최비서, 손님들 모셔. (미 대사부부에게 가서, 영어로) 가시죠.

혜숙과 최비서, VIP들과 함께 나가고… 마케팅팀도 '이게 무슨 일이지?' 하며 일단은 쫓아간다. 성표, 다급하게 태하에게 전화를 건다.

〜 S#69. 호텔, 창고 / 낮

연우, 뭔가를 허망한 듯 보고 있다.

연우   정말… 여기에 윤암의 그림이 있단 말이오?

보면, 그림이며 소품, 오래되고 안 쓰는 물건들이 잔뜩 쌓여 있는 창고다.
태하도 난감한 표정인데 이때, 성표에게 전화가 온다. 받는.

태하   (!) 민대표가 벌써요? (하…) 어쩔 수 없겠네요, 알았어요. (끊
         고, 연우 보며) 이제 됐습니다. 그만 가죠. (하고 돌아서는)
연우   (멍하니 쌓여 있는 물건들을 보다가 태하를 따라 돌아서는)

〜 S#70. SH서울, 전시장 안 / 낮

VIP들, 마케팅팀과 잔뜩 긴장한 큐레이터가 화접도가 있는 불투명한 케이
스 앞에 서 있다. 혜숙과 최비서는 뒤에서 그 모습을 쳐다보는.

대사부인   (영어, 기대에 찬) 이게 윤암선생의 화접도 인가요?
하나   (영어) 네, 맞습니다. (하며 케이스의 버튼을 누르는데)

케이스가 투명하게 변하며 조명이 들어오지만 그림이 없다! 현정, 힉! 입
을 틀어막고 석주, 하나도 당황한다. VIP들은 영어로 웅성거리고, 큐레이
터는 손을 꼭 쥐고 떠는.

대사부인	(영어) 이게 어떻게 된 일이죠?
하나	(영어, 난감한) 아… 그게… (하는데)
혜숙	(영어, 미 대사에게 와) 죄송합니다. 윤암선생의 화접도는 위작이라 다급히 치웠다고 하네요.
대사	(영어) 위작이요? 그게 무슨 말입니까.
혜숙	(영어) 저도 방금 들은 얘기라… 아주 큰 결례를 했네요, 강태하 부대표가.
디들	(이게 무슨 소리야! 하며 웅성거리는데)
하나	(놀라서) 대표님, 위작이라뇨? (하는데)
혜숙	(영어) 일단 제 사무실로 가시죠. 가서 다시 설명드리겠습니다.
대사	(영어, 잠시 고민하다가) 알겠습니다. (아내 데리고 가는데)
현정	(석주 보며, 속닥) 뭐니!! 강드론 왜 안 와!!

다들, 전시장 문 앞으로 가는데 어느새 태하가 서 있다. 놀라서 보는데.

태하	(영어) 안녕하세요, 강태합니다. 제가 좀 늦었네요. 근데 원래 주인공은 좀 늦게 등장하는 법이죠. (입구 보며) 윤암의 그림을 소개합니다. (미소)
혜숙	?! (무슨 소리지? 해서 보는데)

문이 열리고 성표가 윤암의 진짜 화접도를 전시용 유리케이스에 넣어 밀고 들어온다. 혜숙, 놀라서 보고…. 다들, 이게 뭐지? 싶은데…. 태하, 화접도를 쳐다본다.

〈인서트// S#69 이어서. 태하를 따라 돌아섰던 연우. 뭔가 생각하더니 물건들 쪽으로 가서 뒤지기 시작한다. 태하, 그만 해라 말리는데 찾아라도 봐

야 하는 거 아니냐며 열심히 뒤지는 연우. 그러다 윤암의 그림을 찾아내고,
여깄소! 하며 좋아하는.〉

태하, 쏙─ 고개 돌려 혜숙을 매섭게 본다. 혜숙, 화가 나지만 주먹 꼭 쥐
고, 참는!

〜 S#71. SH서울, 전시장 앞 / 낮

태하와 미 대사부부, VIP들 인사 중이고 그 뒤로 성표와 하나, 석주, 현정.
보디가드들이 서 있다. 혜숙과 최비서는 좀 떨어진 곳에 있다. 태하와 악수
를 나눈 미 대사부부와 VIP들을 마케팅팀이 안내해서 가고. 모두가 빠져나
가자 태하에게 다가오는 혜숙.

혜숙   (태하 보며) 대단하네, 강부대표. 근데 가져온 그림, 진짜는 맞아?
태하   물론이죠, 확인해보셔도 됩니다. (쏙─ 혜숙 옆에 다가와) 미국
        쪽 관계자들한테 일종의 서프라이즈였다고 대충 둘러댔습니
        다. SH서울 대표가 미국 진출을 방해한단 이미질 심어 줄 필
        요는 없잖아요.
혜숙   (주먹을 꾹 쥐고 이를 앙다무는) …. (한 방 먹었다, 싶은데)

이때 태하, 뭔가를 보더니 꾸벅 인사를 한다. 혜숙 뭐지? 해서 돌아보면
강회장이 최이사, 고이사 등 강회장 쪽 이사들과 함께 서 있다! 혜숙, 놀란
눈으로 쳐다보는!

강회장   잘했어, 강부대표! 이제 뉴욕지점 오픈도 문제없겠는데 허허

허! (이사들 보며) 개점 1주년 행사도 강부대표한테 맡기는 거
어때?

혜숙/태하   !! (개점 1주년 행사를?) / …….

최이사   (강회장 편들며) 그러게요. 이젠 믿고 맡기셔도 되겠습니다.

이사들   (맞습니다 / 아주 잘했어요 / 든든하시겠습니다 등등 칭찬하고)

강회장   (태하 어깨 툭툭 치며, 좋아하는) 그러게. 잘했어, 아~주 잘했다!!

⌒ S#72. SH서울, 혜숙 사무실 / 낮

혜숙, 쾅! 책상을 내리치는데 이때, 노크와 함께 문이 열리고 최비서 들어
온다.

혜숙   (날카롭게) 뭐야! 혼자 있고 싶으니까 나가!!

최비서   지금 꼭 보셔야 하는 게 있어서. (품에서 하영 사진 꺼내 책상에
놓는다)

혜숙   (사진 보며) 이건… 또 뭐 하는 물건인데?! (하는데)

최비서   강태하 부대표와 결혼할 뻔했던 여잡니다.

혜숙   (!) 태하랑… 뭘 해? (하며 다시 사진을 보는)

⌒ S#73. SH서울, 태하 사무실 안 + 앞 / 낮

연우, 책상에 앉아 있는데 '강태하!' 하며 태민이 들어온다. 연우, 헉! 놀라
책상 밑에 숨는데 삼선슬리퍼가 비죽 튀어나오고 그걸 본 태민, 피식 웃곤
책상으로 가는데.

태하	(열린 문으로 사무실 들어오며) 강태민. 너, 뭐 하는 거야.
태민	! (돌아보며) 내 발로 다니는데 허락받아야 해? (흠~) 뭘 좀 찾고 있었거든. 하~얀 도둑고양이.
연우	(도둑고양이? 저 분대꾼이!!)
태하	(태민 앞으로 와) 여긴 회사야, 내 사무실이고. (보며) 사람, 부를까?
태민	오케이~ 간다고, 가! (다친 손 보며) 병원에도 가야 하고. (가려는데)
태하	그리고, (싸늘한) 저번엔 그냥 넘어갔지만 박연우씨한테 멋대로 굴지 마. 그 사람 내 아내야. 두 번은 용서 안 해.
연우	!! (아내란 말에 순간 심쿵!)
태민	(태하 보며) 아내? (훗!) 글쎄… (책상 밖으로 삐져나온 연우 슬리퍼 보며) 하는 거 봐서. (하더니 나가 버린다)
태하	(가는 태민을 보는)

사무실 앞/ 태민, 밖으로 나오며 연우가 동여매 준 손 보며 피식— 웃고 가 버리는.

사무실 안/ 태하, 고개 돌려 책상 쪽 보는데 연우가 빼꼼 고개를 내밀며 헤헤— 웃어 보인다.

⌒ S#74. 한정식 집 전경 / 저녁

～ S#75. 한정식 집 / 저녁

태하와 연우 마주 앉아 있다. 연우, 한옥 내부를 이리저리 둘러보며 좋아한다.

연우	여기 오니 꼭 집에 온 것 같소. 왜 이런 곳에 이제 데려와 준 거요?
태하	어떻게 된 겁니까. 왜, 회사에 온 거냐구요.
연우	그게… (태민 애긴 못하고 둘러대는) 윤암 그림이 있다길래 보고 싶어서.
태하	(둘러대는 거 알지만 모르는 척) 말하려고 했는데, 본가 사람들 조심해요. 태민인 어디로 튈 줄 모르고, 민대푠 위험한 사람이니까.
연우	대충 그림은 그려지오. (흠) 내 있던 곳에선 제 형제를 죽이고, 조카 죽이고, 자기 아비의 여자들을 죽여 젓갈을 담근 임금도 있었으니… 뭐. 그래도 (태하가 살짝 안쓰럽긴 하다) 사기꾼 양반 속은 좀 시끄럽겠소.
태하	(화제 돌리는) 어쨌든 오늘, 고마웠습니다.
연우	(S#30 태하 흉내) 고맙소, 빠른 인사.
태하	!! (민망해서, 괜히 물 마시고)
연우	(복수했다, 뱔름 웃는)
태하	(흠… 하다, 물컵 내려놓고) 근데 어떻게 안 겁니까? 그림, 말입니다.
연우	당연한 거 아니요? 윤암은… 내 벗이니까. (윤암 떠올리는)

～ S#76. 연우 조선시대 회상 몽타주

1. 비단가게 밀실/ 호접으로 변한 연우 앞에 엽전 몇 개와 낡디 낡은 종이
에 그린 나비 그림을 건네는 윤암(*30대 후반 여인 / 소작농). 손끝이 더럽고
뭉툭한 게 밭일을 오래 한 거친 손이다. 연우, 나비 그림을 들어서 본다.

연우   (NA) 딸의 혼례복(*활옷)을 사기엔 턱없이 부족한 돈을 가져와,
             미안해 하며 내밀던 그 그림이 어찌나 아름답던지.

2. 초가집 마당/ 마당에서 열심히 새끼를 꼬고 있는 윤암과 딸(*15세). 연
우와 활옷이 든 보자기를 품에 안은 사월이 들어오자 뭐지? 해서 보는 윤
암.

(CUT TO) 평상에 앉아 활옷을 펼쳐보는 윤암과 딸, 너무 좋아하며 옷을 안
고 눈물 짓는데 연우가 종이와 붓, 먹, 염료 등 그림 재료를 건넨다. 윤암,
놀라서 연우 보는.

연우   (NA) 여인이란 굴레에, 신분에 갇혀 맘껏 날아갈 수 없는 그 재
             주가 (나처럼) 안타깝고 아까워 벗이 되고 싶었소.

3. 별채, 툇마루/ 윤암, 연우에게 화접도(*S#70)를 선물해준다. 연우, 주머
니에서 동그란 모양의 도장을 꺼내 윤암(閏岩)이란 낙관을 찍고는 윤암에
게 도장을 선물한다. 윤암, 연우가 준 도장을 손에 꼭 쥐고 좋아한다.

연우　　윤암이란 아호*랑 낙관도 내가 만들어줬소. 바위처럼 단단하게 살라구. (비밀 얘기라도 하듯) 윤암의 화접도 색이 왜 연한 줄 아시오? 염료를 아껴서 그렇소. 내 매번 사다준대도 아껴 써서.

태하　　(이상한 여자가 하는 말인데 이상하지 않다…. 그래서 이상하다) ….

연우　　(태하 시선에 지레짐작, 차!) 알았소! 다 뻥이오, 쌩뻥! (꿍얼) 어차피 안 믿을 거 왜 물어봐. (삐죽, 흘기는데)

태하　　(살짝 억울한) 내가 뭘 어쨌다고 그럽니까?! (하는데)

이때, 문이 열리고 음식들이 들어오기 시작한다. 그러자 연우, 오! 하고 눈이 커지는 이하, 음식들 빠르게 세팅되는 컷컷 보이고. 그때마다 연우의 신나는 반응들!!

연우　　이게 다 뭐요? 내 거요? 오—! (하고 좋아하다가 갑자기 멈칫! 하다)

태하　　(?) 왜 그래요?

연우　　(율란 보며) 새조선에서도 율란을 먹는 모양이요. 어머님이 좋아하셨는데.

태하　　(보다가, 젓가락으로 율란을 연우 접시에 주며) 그럼 더 맛있겠네요.

연우　　?! (보면)

태하　　(연우 불편하지 않게, 아무렇지도 않다는 듯 밥을 먹는다)

연우　　(고맙다, 율란 먹는데 괜히 코가 찡해져) 이럴 땐 약주 한잔 해야하

● 아호 : 문인이나 예술가 따위의 호나 별호를 높여 이르는 말.

는데~ (태하 보며) 안 되겠소? (잔 넘기는 제스처, 헤헤~)

태하   (바로) 난 술 안 먹습니다.

연우   (고맙긴, 삐죽) 내가 먹소, 내가! 다 먹을거요!

(CUT TO) 혼자서 한잔 한잔 마시면서 신나서 재잘재잘 떠드는 연우와 무심한 듯 그런 연우를 힐긋힐긋 보는 태하. (*시끄러운데 이상하게 눈을 뗄 수 없는 여자다)

〜 S#78. 한정식 집, 작은 뜰 / 저녁

계산을 끝내고 나오는 태하. 연우를 찾는 듯 주변을 두리번거리는데 보면, 살짝 취기가 오른 연우, 한쪽의 작은 뜰 벤치에 앉아 달을 보고 있다.

태하   (연우 옆으로 와 서며) 괜찮습니까?

연우   (취한) 어? 사기꾼이다! 개! 귀 비루나! 털어먹을! 사기꾼 놈!

태하   (취했구만, 쯧) 늦었습니다, 그만 가죠. (하는데)

연우, 확! 손을 뻗어 태하를 자기 옆으로 잡아당긴다! 태하, 쏟아지듯 연우 옆에 와 앉으며 놀라서 쳐다보는데 연우가 가만히 태하를 본다. 태하, 뭐지…? 싶은데.

연우   오늘 (가슴을 툭툭 치며) 여기가 너~무 가득했소. (좋다) 윤암이… 여기에서라도 그녀의 그림이 살아 숨 쉰다는 게 정말 벅찼소.

태하   (보다가) 그래서… 그렇게 열심히 그림을 찾은 겁니까?

222

연우	(끄덕이다가, 진심) 도움이… 되고 싶었소.
태하	? (도움?)
연우	(달을 보며) 한 번은 꼭, 사기꾼 양반에겐 저 달 속의 옥토끼가 돼 주고 싶었으니까. (사이) 갑자기 뚝 떨어진 날! 그래도 받아 준 사람이니, 작은 소원이든, 도움이든… 그게 뭐든… (말이오).
태하	(선 긋는) 받아준 게 아니라 거랠 한 겁니다, 정확하겐. 그러니 까 서로 손해 없이 마무리해야죠. (잠시 뭔가 생각) 그래도 오늘 은, (고마웠다)

잠든 연우가 태하 어깨에 얼굴을 기댄다. 태하, 연우와 얼굴이 가까워지자 몸에 잔뜩 긴장이 들어가는데… 순간!! 드르렁! 연우가 코를 곤다! 태하, 헐!! 뭐지, 이 여자??!

〰 S#79. 태하 집, 거실 + 주방 / 밤

태하, 끙차! 하면서 업고 온 연우를 소파 위로 던져 놓는다.

태하	도움?! (하!) 금쪽이 주제에 무슨! (하고 방으로 가려는데)
연우	(몸 웅크리며) 사월아… 추워…. (하며 코 훌쩍)
태하	(보다가, 연우 이불 가져오려고 2층으로 가는)

잠시 후, 누워 있던 연우, 몸을 뒤척이다 '물' 하며 일어나 앉더니 주방으 로 향하고.

주방/ 연우, 싱크대 물 틀어서 마시고 돌아서다가 아일랜드 식탁의 뭔가를 삐딱하게 고개 꺾어서 빤히 보다가 갑자기 시비를 건다.

연우   야… 뭘 보냐? (휙! 뒤를 보는데 아무도 없다, 다시 식탁보며) 나?
        나?? (하는데 연우가 보고 있는 건 매립형 콘센트 세트다!!) 눈 똥~~
        그렇게 뜨고… 왜 그러고 보는데? 응? 응? (우씨!)

거실/ 태하, 2층에서 연우 이불 들고 내려오는데 연우가 없다. 뭐지? 싶은
데.

연우   (E) 니들 자꾸 그럼 혼난다!!
태하   (뭐지? 주방 쪽 보는)

주방/ 연우, 몸을 흐느적거리며 젓가락 두 개 들고 매섭게 콘센트를 노려
보고 있다.

연우   모르나본데… 내가 한양 제일의 투호놀이꾼이야. (젓가락 양손
        에 들고, 던지는 시늉) 던지면 백발백중! 알아?!
태하   (들어오다가 연우 보고 헉!!) 여, 연우씨! 뭐 하는 거예요?!
연우   보지 말라고—! (하며 젓가락으로 콘센트 구멍 찌르려는데)
태하   (헉!) 안 돼요!!

태하, 몸을 날려 연우를 밀치면서 같이 바닥으로 떨어진다. 동시에 젓가
락은 그대로 콘센트 구멍에 쏙! 들어가 치직— 스파크가 튀면서 정전이 되
고! 보면, 태하가 연우를 끌어안고 바닥에 누워 있다(*태하가 아래). 태하,
으… 아파하는데 연우, 몸을 일으켜 앉더니 빤히 태하를 쳐다본다. 그러자
태하의 심장이 또 쿵쾅! 쿵쾅! 뛴다. 순간, 연우 시선에 태하의 모습이 조

선태하(1부 S#61, 벽치기 했을 때)와 겹쳐 보인다.

연우   (태하 가슴에 손을 올리더니) 빨리 뛰는 듯한데, 어찌 괜찮으십니
          까…?

태하   !! (당황한, 더 쿵쾅! 뛰는)

연우   (조선태하처럼 보인다) 이번에도… 도망가실 겁니까?

태하   ? (연우 보며) 박연우씨?? (하는데)

연우   (미소) 아니 됩니다. 이번엔…. (고개 푹 숙이다가 태하 입술에 쪽!
          뽀뽀)

태하   !!! (놀란 눈으로 연우를 보는데서)

(엔딩)

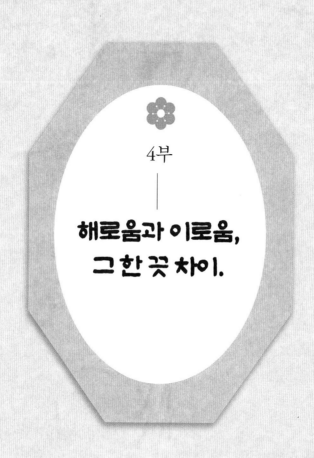

4부

—

**해로움과 이로움,
그 한 끗 차이.**

⌒ S#1. 태하 집, 주방 / 밤 – 3부 S#79 이어서

연우, 태하의 가슴에 손을 올리며 바라보고 있다.

연우   (조선태하처럼 보인다) 이번에도… 도망가실 겁니까?
태하   ? (연우 보며) 박연우씨?? (하는데)
연우   (미소) 아니 됩니다. 이번엔…. (고개 푹 숙이다가 태하 입술에 쪽!
          뽀뽀)
태하   !!!!! (놀라서 연우를 보는데, 심장이 미친 듯이 뛴다)

(E) (워치 경고음) 삐삐삐!!

태하, 헉! 해서 몸을 일으킨다는 게 그만 자기 이마로 연우의 이마를 빡!
밀어친다! 연우, 억! 뒤로 대자로 뻗고! 태하, 아… 이마 만지면서 연우를
살펴보는데, 갑자기 연우가 폴더처럼 몸을 반을 접으며 벌떡 일어나 앉더
니 태하를 쳐다본다.

태하   !! (놀라서) 아니 때리려고 한 게 아니라… (하는데)
연우   (벌떡 일어나더니 휙─ 뒤로 돌아서 거실 쪽으로 비틀비틀 걸어간다)
태하   ?! (응? 뭐지? 갑자기? 해서 보는)

⌒ S#2. 태하 집, 거실 / 밤

술 취해 피식피식 웃으며 갈지자로 걷던 연우, 소파로 와서 털썩 눕더니 태
하가 갖고 온 이불을 곱게 덮고 새근새근 잠이 든다. 뒤따라온 태하, 너무

나도 평온한 연우의 모습에 다리에 힘이 빠지며 풀썩 그 자리에 주저앉는!
헐… 대체… 뭐냐고~ 저 여잔!!!

TITLE 4부. 해로움과 이로움, 그 한 끗 차이.

⌒ S#3. 성표 집, 거실 / 밤

성표, 맥주 마시며 신기하게 뭔가 보고 있다. 보면, 노트북 속 웹소설이다.

나래	(맥주 가져와 앉으며) 뭐야. 또 웹소설 봐? 그냥 좀 현실 연애를 해, 쫌!
성표	쉿! 남주가 여주랑 첫 뽀뽀하고 밤새 잠 못 드는 로~맨틱한 에피거든!
나래	로맨틱은! 뽀뽀 한번 했다고 왜 잠을 못 자, 쌍팔년도 순정만화냐?!
성표	그럴 수도 있지~ 마우스 투 마우스잖아!
나래	무슨 모쏠도 아니고. 이보세요, 아즈씨~ 상상 속 로맨스는 버리고 현생을 좀 사세요, 제발!! 요즘 그런 사람이 어딨다구! (쯧! 하며 맥주 마시는데)

⌒ S#4. 태하 집, 태하 방 + 방 앞 / 밤

태하, 여긴 어디… 난 누구…? 이런 느낌으로 눈을 말똥말똥 뜨고 침대에 누워 있다.

229

〈플래시컷// S#1. 태하에게 뽀뽀하는 연우.〉

태하, 또 심장이 콩닥콩닥 뛰자 눈 감고, 가슴에 손을 올리고 후~후~ 심호흡을 한다.

태하 　　(나대는 심장 달래며, 차분) 그냥 접촉 사고야. 별거 아니라고.
　　　　(하는데)

〈상상 인서트// 연우가 입술을 내밀고 다가오는! *입술 뽀샤시*〉

태하, 헉! 해서 눈 뜨더니 이일은 이, 이이는 사, 이삼 육… 하며 구구단을 외운다.

방 앞/ 방문 틈에서 〔17×1＝17 / 17×2＝34 / 17×3＝51…〕 자막 CG로 새어 나오며.

태하 　　(피곤한, E) 십칠의 일은 십칠, 십칠의 이는 삼십사, 십칠의 삼은 오십일….

⌒ S#5. 태하 집, 거실 / 다음날, 새벽

소파에서 자고 있던 연우, 잠에서 깨어나 눈을 스르륵 뜬다. 낯선 천장이 보이고, 여긴 어디지…? 싶은데 이마가 아프다. 연우, 이마를 만지며 '아…' 하는데 문득!

〈인서트// 태하랑 박치기 하며 뒤로 쓰러지는 연우! (*박치기 후 쓰러지는 상황)〉

연우   !!! (눈 커졌다가, 이불킥하며 벌떡!) 미쳤(어!! 하다 손으로 입 막고)
         (태하 방 보는, 태하가 나올까봐 싶어 후다닥 2층으로 올라간다)

⌒ S#6. 태하 집, 연우 방 / 새벽

연우, 방으로 후다닥 들어와 침대에 엎드려 이불을 뒤집어쓴다.

연우   (이불 밖으로 고개만 내밀며) 박연우!! 너, 진짜 왜 그래애~!! (으
         아아!)

⌒ S#7. 태하 집, 거실 / 아침

출근하는 태하, 거실로 조심히 나와 소파를 살피는데 연우가 없다. 2층에
있나? 싶어 조용히 나가려고 뒤를 도는데 연우가 서 있다. 태하, 헉! 하고
뒤로 물러서는.

연우   (냅다 고개 숙였다 들며) 어젠 정말 미안했소! 간만에 마신 술이
         라….
태하   (뽀뽀 얘긴 하고 싶지 않다, 피하며) 알았으니 그만하죠. (하는데)
연우   (걱정) 안 다쳤소? 내가 갑자기 달려들어서, (하며 태하 앞으로 오
         는데)

태하	(달려들어 뽀뽀했단 소린 줄 알고, 물러서며 O.L) 됐습니다! (하는
	데)
연우	(미안한) 내가 술 취하면 워낙 그걸 잘하는 편이요.
태하	(뽀뽀를 잘해?, O.L) 잘하긴 뭘 잘합니까! 됐다구요!!

후다닥 나가는 태하의 머리 위로 또 구구단 CG. (*9단부터)

| 연우 | (민망) 많이 아팠나? 난 왜 술만 취하면 (이마 만지며) 박치길 하 |
| | 지? |

〈회상 인서트// 조선시대. 어린연우, 제사상 위의 술 몰래 마시고, 제사상에 박치기 / 연우, 툇마루에서 사월이랑 술 마시며 깔깔 웃다가 박치기!〉

| 연우 | (힝, 고개 돌리다 충전 중인 돌쇠 발견) 아라쏘~ 앞으론 조심할게! |

〰 S#8. 강회장 집, 다이닝룸 / 아침

강회장, 혜숙, 해령, 서준… 식사 중이고, 도우미들 옆에 서 있는데 태민이 들어온다.

태민	(자리에 앉으며, 도우미에게) 난 그냥 커피만요.
도우미	(한쪽에 준비해 놓은 커피, 태민에게 가져다준다)
강회장	(기분 좋아 보이는) 아침부터 그 쓴 건 뭐하러, 밥을 먹지. (하다
	가) 그래도 간만에 다 모이니 좋긴 하구나. (웃는)
해령	아부지 기분 좋은 게 뭐 우리 때문인가? 태하 때문이지. 전시

흰가 뭔가 뒤집어지게 잘했담서요. (혜숙에게) 언니, 그러다 자리 뺏기는 거 아니유?

혜숙 누구든 일 잘하면 회사에 좋은 거죠. (기분 나쁜 거 애써 참으며 밥 먹는데)

태민 (커피 마시곤) 할아버지. 저두 담주부터 회사 나가요.

강/혜숙 ! (보며) 회사를? / ! (젓가락질 멈칫 했다가… 가만히 내려놓는)

해령 (헐!) 뭐? 니가?? 왜??

태민 왜긴. 나도 SH 사람이잖아. 회사에 관심 갖는 거 당연하지.

강/혜숙 (별 반응 없이 밥을 먹는) / …….

해령 니가? (픕!, 농담처럼) 어쩌려구? 태하랑 후계자 싸움이라도 하게?

태민 (농담처럼) 음~ 그래볼까? 것도 재밌겠는데? (하는데)

강회장 (탁! 소리 나게 숟가락을 내려놓는다)

다들 (강회장을 보는 뭔가 긴장된 느낌)

강회장 (혜숙 보며, 미소) 애미가 이제 좀 든든하겠구나.

혜숙 든든하긴요. 태민이 아직 어린 걸요.

강회장 하나하나 배우면 되는 거지. (태민 보며) 잘 해봐. (하면서 밥 먹는) ….

해령 (슬쩍 혜숙에게만 들리게 속닥) 언니… 내 자린 없을까? (눈 깜빡 깜빡)

혜숙, 대꾸 없이 밥 먹으며 강회장 살피는데… 강회장, 속을 알 수 없는 얼굴이다.

S#9. 강회장 집, 2층 계단 / 아침

태민, 계단으로 올라가는데 혜숙이 따라온다. 태민, 뭐야? 해서 돌아보면.

혜숙　　무슨 생각이야, 갑자기.

태민　　뭐요? (하다가) 아… 회사? 가서 내 몫 챙기라면서요.

혜숙　　필요한 거 있으면 최비서한테 얘기해.

태민　　근데 나, 누구랑 편 먹을지 아직 안 정했는데.

혜숙　　편?? 말했지. 너 태하 상대론 안 된다고. (보며) 나한테도 그래.

태민　　(훗) 왜 이래요~ 강태하 긁어대라고 회사에 불러 놓고.

혜숙　　(보면)

태민　　잘 부탁해요. (손 밴드 보이며, 부러) 저번처럼 아프겐 하지 말고. (가고)

혜숙　　…. (어디로 튈지 모르는 태민이 신경 쓰이지만, 일단 됐다 싶고)

S#10. SH서울, 회의실 / 낮

태하와 성표, 마케팅팀 개점 1주년 행사 관련 회의 중이다.

하나　　개점 1주년의 메인 이벤트가 될 특별 전시회인 만큼 SH의 새 비전을 보여줄 수 있는 브랜드와의 협업이 뭣보다 중요하다고 생각합니다.

태하　　(회의 집중 못 하는)

〈플래시컷// S#7.

연우   내가 술 취하면 워낙 그걸 잘하는 편이오.〉

태하   (E) 취하면… 뽀뽀를 잘해? 확실히 문제가 있어. 어떻게 뽀뽀
          를…. (하…)

하나   (태하 보는, 뭔가 이상하지만) 협업할 브랜드 후보 명단입니다.
          석주씨?

석주   네! (일어서서 모두에게 서류 나눠주는, 태하에게 주며) 여깄습니다.

태하, 서류 받아 보는데 '뽀'자가 들어간 아티스트명과 브랜드명의 '뽀' 글
자가 확대돼 '뽀뽀'로 보이면서 마구 튀어나온다. (*헤이뽀 / PPOMIA / 올
레드뽀 / 드뽀르앙)

〈인서트// 뽀~ 하며 입술을 예쁘게 내미는 뽀샤시한 연우.〉

태하, 헉! 해서 서류 밀어내는데 이때, 갑자기 석주의 휴대폰 벨(*뽀뽀뽀 동
요 벨소리)이 울린다!

(E) 아빠가 출근할 때 뽀뽀뽀~ 엄마가 안아줘도 뽀뽀뽀~

태하   !! (벌떡 일어서며) 아니야, 아니야!!

하/현/성   (헉!! 놀라서 쳐다보는) …….

석주   (다급히 휴대폰 끄며) 죄, 죄송합니다. 진동으로 해 놓는다는
          게…. (눈치)

태하   (어쩌지? 하다, 서류 들고 둘러대는) 다 아니라는 건 아니고… 재
          검토 후 다시 회의하죠. (아무렇지 않은 척 나가는)

성표	! (벌떡 일어서서 따라 나가는) 부대표님??!
현정	(태하, 성표가 나가고) ……. (잠시 멍했다가) 뭐니… 지금?
석주	(딴소리) 그니까요~ 제 벨소리 완전 유치했죠? 조카가 멋대로 바꿔놔서,
현정	(O.L) 그거 말고, 강드로! (허!) 지금 화낸 거지? 우리 기획안이 막 '아냐, 아냐!' 그럴 정도였냐구~! (속상) 나… 완전 섬세하게 마음에 흠집 났어.
하나	기획안 때문은 아닌 것 같아요. 오늘 유독 집중을 못하시더라구요.
현정	아, 몰라몰라! (하다) 근데 강드로 화내는 캐릭터였어? 왜 저래? 아픈가?

〰 S#11. SH서울, 회의실 앞 복도 / 낮

태하, 후… 하며 복도를 빠르게 걸어가는데 성표가 그 뒤를 쫓아온다.

성표	(쫓아오며) 괜찮으십니까? 부대표님?!
태하	(태연한 척, 가면서) 뭐가 말이죠?
성표	갑자기 화를 내서서, 무슨 일 있으셨습니까?
태하	(바로) 화요? 내가요? 아닌데요. (다시 한번) 아닙니다.
성표	(?) 아, 네. (갸웃, 따라가다가) 참, 박연우씨 말인데요.
태하	! (멈춰 서서, 성표 보며) 박연우씨요? 왜요!
성표	(살짝 당황) 에?? (하다) 그게… 제가 생각을 좀 해봤는데 연우씨요, 사극 덕후였던 미술학도가 아니었을까 해서요??
태하	(?) 사극 덕후… 미술학도요?

성표	윤암선생님 그림을 바로 알아봤잖아요. 근데 말투는 사극풍이고. 머리를 다치면서 미술과 사극, 두 개가 섞인 거죠. 기억상실도 생기고.
태하	(다시 가면서) 기억상실…. (흠) 그럴 수도 있겠어요.
성표	(따라가며) 박연우씨 상태 파악에 도움 될 겁니다! 근데 호칭은 이제 바꿔야겠죠? (중얼) 결혼 했으니 박연우씬 좀 그렇고, 사모님은 오바고… (아!) 연우님 어떠세요? 사극 버전으로? (하며 태하 보는네 없나) ?!

보면, 태하 혼자 어느새 가고 있고…. 성표, '부대표님!' 하며 급히 따라가는.

ᕭ S#12. 오피스텔 앞 / 낮

하영이 나오자 카메라 렌즈가 하영을 줌인하며 찍는 CG. 보면, 건너편에서 차에 타고 있는 덩치1이 하영의 사진을 찍는 중. 택시를 잡으려고 손을 뻗는 하영의 모습 위로.

최비서	(E) 이름 김하영, 나이 28세, 현재 무직입니다.

ᕭ S#13. SH서울, 전시장 / 낮

혜숙, 윤암의 그림 쇼케이스 앞에 서 있다. 옆에는 황명수가 그 뒤엔 최비서가 있고.

황명수	(하영의 사진*3부 S#72*을 보며) 김하영…? (하!) 이 여자가 강부 대표랑 원래 결혼하려고 했던 계약 신부라구요??
혜숙	(황명수 보며) 그랬다네요. 예상대로 태하 결혼, 가짜였어요.
황명수	(!) 그 박연우란 여잔 뭡니까, 그럼?? (윤암 그림 가리키며) 이 그림도 강부대표랑 그 여자가 찾아왔다면서요? (최비서 보며) 아니야?!
최비서	호텔 측에 확인한 바로는 그렇습니다.
황명수	갑자기 신부가 바뀐 것도 황당한데 그 바뀐 신부가 그림까지 찾아왔다? (허!) 박연우, 대체 정체가 뭐야?? 와~ 미스테리네, 이거?
혜숙	(그림 보며) 그런 거, 이젠 상관없어요. (윤암 그림 앞에 와 서며) 어차피 태하랑 같이 정리할 거니까. (그림에 비치는 차가운 눈)

〰 S#14. 태하 집 앞 / 저녁

회사 차량이 도착한다. 운전석에서 성표가 내리고, 태하가 뒷좌석에서 내린다.

태하	제 차, 수리는 어떻게 됐습니까?
성표	바퀴가 터졌다는데, 뭔가 좀 이상해서 정밀 검사 맡겼습니다.
태하	(흠) 알겠어요, 수고했어요. (집 쪽을 보는데 연우가 있겠지?) ……. (흠…)
성표	네! 그럼 쉬십시오! (하고 태하 들어가길 기다리다가) … 안 들어가십니까?
태하	(!) 가야죠. 갈 겁니다. (하다, 성표 보며) 먼저 가세요.

성표   아니죠! 어떻게 제가 먼저. (가라 손짓하며) 어서 가십시오, 어
         서! (손짓!)

성표, 눈치 없이 계속 들어가라고 손짓하고 쳐다보자 태하, 큼… 하며 일단
들어간다.

〜 S#15. 태하 집, 거실 / 저녁

태하, 들어오는데 TV(*컬링 장면)만 틀어진 채 연우가 없다. 어디 갔지? 싶
은데 이때, '돌쇠! 돌쇠!' 하면서 연우가 컬링 하듯 걸레질하고 뒤에서 돌
쇠가 쫓아오고 있다. 태하, 그 꼴이 황당해서 헐! 하고 보고 있는데.

연우   (태하 발견, 걸레질 멈추고) 왔소?

태하   … 뭐 하는 겁니까?

연우   아~ (TV 가리키며) 이걸로 새조선 공부 중이었는데 재밌는 게
         나와서 따라 해봤어요. (하다) 말투도 꽤 잘하지 않소? 아니, 꽤
         잘하죠? (신난) 이게 참 요물인 게 내 공부라면 지긋지긋한데
         이건 정말 재밌소.

태하   (빤히 연우 보는데) ….

성표   (E) 머리를 다치면서 미술과 사극, 두 개가 섞인 거죠. 기억상
         실도 생기고.

연우   (태하가 자길 빤히 보자) 왜 그러오? (하다) 혹시… 어젯밤 일 때
         문이면,

태하   (바로 단호하게, O.L) 아뇨! 그 얘긴 이제, 정말 됐습니다.

연우   (쩝―) 뭐… 그럽시다. (하면서 소파 쪽으로 가려는데)

239

태하	(연우 보다가) 박연우씨, 내일 시간 좀 내줄래요?
연우	(응? 하며 돌아보는 표정)

✎ S#16. 서연대학 병원 야외 주차장, 태하 차 안 / 아침

연우, 살짝 빡친… 싸늘한 얼굴로 앉아 있다.

연우	(살짝 빡친) 그러니까… 여기가 새조선의 의원,이란 거요?
태하	네. 정확한 명칭은 '병원'이죠.
연우	(하!) 난 지금 완전 쌩쌩하고 멀쩡하니 의원에게 갈 이유 따윈 1도 없어요! (씩─ 웃어 보였다가, 표정 싹 바꿔서) 알았으면 집에 갑시다!
태하	안 됩니다. 내겐 책임이 있으니까요.
연우	? (책임? 하고 보면)
태하	할아버지 고집에 박연우씨를 끌어들여 내 아내로 곁에 둬야 하는 책임. (연우 보며) 당신을 집에 돌려보내야 할 책임.
연우	…. (그런 생각이었구나)
태하	그리고 곧 할아버지 생신이에요, 그 전에 박연우씨 상태 알아야겠어요.
연우	(어쩔 수 없다 싶고)

✎ S#17. 서연대학 병원, 로비 / 아침

연우, 좀 전에 삐죽하던 것과 달리 눈이 땡그래져서 연신 주변을 살피며 오고 있다.

연우   (신난) 새조선은 의원이든 뭐든 다 이렇게 거대하오? 이런 건 얼마면 지을 수 있지? 기와집 열 채? 우리 사월이가 봤으면 뒤로 넘어가겠구나.

태하   (?) 사월이? 그건 누굽니까?

연우   있어요~ 어릴 때부터 내 가장 가까운 자매 같은 아이가. (보고 싶다)

연우, 태하와 가는데 뒤쪽으로 크림빵을 먹으면서 지나가는 사월이가 보인다!

사월   ! (뭔가 느낀 듯 멈춘다, 연우가 간 쪽 돌아보며) 우유도 사먹어야징~

〰 S#18. 서연대학 병원, 현욱 진료실 / 낮

태하와 현욱, 마주 앉아 있다.

태하   (믿을 수 없다는 표정으로) 이상이… 없다구요?

현욱   응. CT, MRI 아무런 이상 없다는 소견이야. 아주 정상적인 뇌라는데? (하다가) 하는 행동은 확실히 좀 이상하긴 했지만. (흠…)

〈인서트// CT실. 연우 짧은 상황 컷컷.

241

1. 검사복 차림의 연우, CT기계 붙잡고 '이건 무슨 동굴이오?' 신기해하는.

2. 단단히 묶여 기계로 들어가면서 '아아아~' 하며 '오! 소리 울리는 것 좀 보시오!'〉

태하	머릴 다친 줄 알았는데. (!) 기억상실도 아니에요?
현욱	뇌엔 특별한 문젠 없는 모양이야.
태하	(뭐지 진짜? 싶은데) ….
현욱	너 심장은 어때? 요새도 자꾸 뛰어? (슬쩍) 그냥 이번에 정밀 검사 다시 받자, 몇 가지 확인도 해볼 겸.
태하	(덤덤한 척) 왜요, 나 당장 죽어요?
현욱	(!) 얌마! 너 무슨 말을 그렇게, (하다) 됐다! 여튼 고집은. (그러다 문득) 근데 이 뇌 사진 주인공, 그 심장에 해로운 그 여잔 아니지?
태하	(바로) 아니요, 아니에요.
현욱	그래? 아님 말구~ (하는데 맞는 거 같은데? 싶은 표정)

〰 S#19. 서연대학 병원, 현욱 진료실 앞 복도 / 낮

태하, 진료실에서 나와 연우가 있는 쪽으로 오다가 멈칫한다. 보면, 연우 피곤했는지 그대로 잠들어 있다. 태하, 연우를 빤히 보는데….

현욱	(E) CT, MRI 아무런 이상 없다는 소견이야. 아주 정상적인 뇌라는데?
태하	(흠…) …. (연우가 그간 했던 조선 관련 얘기들을 떠올린다)

〈플래시컷//

3부 S#6. 자기는 진짜 조선에서 왔다고 말하는 연우.

3부 S#45. 아버님이 박, 재자 원자 되신다며 얘기하는 연우.

3부 S#27. 연우의 지문 조회가 깜깜이라고 말하던 성표.〉

태하	(성표에게 전화) 홍비서, 뭐 하나 확인 좀 해줄래요? (하며 연우 보는데)
연우	(새근새근 자는 듯 하다가 드르렁—!! 세차게 코를 곤다)

⌒ S#20. 서연대학 병원, 복도 일각 / 낮

태하와 연우가 걸어가고 있다.

연우	(투덜) 거 왔으면 바로 깨우지. 코를 그리 골 때까지 그냥 보고 있었소?
태하	그냥 본 게 아니라, 깨우기도 전에 골았다구요. 그 코를!

연우, 태하가 얄미운 듯 흘기는데 이때, 앞쪽에서 어떤 아줌마(*50대)가 다가온다. 아줌마, 갑자기 심장의 고통을 느끼면서 '억!' 소리와 함께 태하 쪽으로 쓰러지면서 옆에 있던 태하의 손목을 잡아채는. 순간, 놀란 눈으로 아줌마를 쳐다보는 태하!

〈인서트// 겁에 잔뜩 질린 어린태하(*6세)의 손목을 확! 잡는 윤희(*태하 친모)의 손. 윤희, 쉑… 쉑… 당장이라도 숨이 넘어갈 듯 호흡하며, '태… 태하야…' 하고 부른다. 어린태하, 겁에 질려 손을 빼려고 하는데… 더 강

하게 잡아당기는 윤희!〉

태하, 몸이 잔뜩 긴장되며 숨이 가빠 온다. 성표에게 연락하려고 휴대폰을 꺼내는데….

연우   (그런 태하 눈치 못 채고, 아줌마 붙잡으며) 괜찮으십니까?!
                (주변 두리번거리며) 여기! 누가 좀 도와주십시오! 여기요!

지나가던 의료진이 다가와 아줌마의 상태를 체크하고, 남자 의사가 아줌마를 업고 자리를 뜬다. 연우, 다행이다… 하고 뒤를 돌아보는데 괴로워하는 태하가 보인다.

연우   (?!) 사기꾼… 양반?
태하   (숨을 몰아쉬며) 하… 하… (삐삐삐─ 워치 경고음)
연우   ! (안 되겠다 싶어서, 주변을 보며) 여기요!! (하는데)
태하   (연우의 팔을 턱! 잡는다. 안 된다는 듯 고개를 젓는) 안 돼요… 부르면… 안 (돼…) 하지… 마… (다리에 힘이 풀린다) ! (벽에 기대어 미끄러지듯 의자에 주저앉고! 손에 들고 있던 휴대폰 놓치고)
연우   !! (태하 옆으로 와) 괜찮소?? 정신 좀 차려보시오!! (하는데)
태하   (괴롭다. 눈을 감고 숨을 헐떡이는) ….

～ S#21. 강회장 집, 별채 윤희 병실 안 + 문 밖 / 밤 - 태하 회상

어린태하, 윤희의 침대 옆에 몸을 낮추어 앉아 있다. (*문 밖에선 잘 안 보이

는 위치)

어린태하   (윤희 옆에 기대어) 엄마… 괜찮아? 아직도 많이 아파?

윤희, 쉑… 쉑… 거친 숨을 몰아쉬고 있는데 이때, 밖에서 달칵! 하면서 문이 잠기는 소리가 들린다. 그 소리에 놀란 어린태하가 문 쪽으로 조심스럽게 걸어가는데 이때, 바이탈 사인 모니터의 그래프가 요동치면서 윤희가 발작한다! 놀라서 돌아보는 어린태하! 윤희 앞으로 빠르게 다가와 서고.

어린태하   (겁에 질려, 울먹이며) 엄마! 엄마, 왜 그래!! 엄마!! (하는데)
윤희/태하   (태하의 팔목을 확! 잡는다) / !! (놀란, 아까보다 더 겁에 질렸다)
윤희   (쉑… 쉑…거칠게 호흡하며) 태… 태하야…! (하며 어린태하 손을 꽉 잡는)

어린태하, 겁에 질려 윤희 손 억지로 빼내고 슬금슬금 뒷걸음질 치다가 문으로 달려가 열려는데 안 된다! 어린태하, 문을 두들기며 '도와주세요! 누구 없어요!' 하는데 이때, 차르륵! 소리와 함께 문틈으로 진주알(*혜숙 팔찌)들이 굴러들어온다.● 어린태하, 뭐지? 해서 문에 나 있는 작은 창을 보는데 혜숙이 지나가는 게 보인다!!

병실 밖/ 혜숙, 다급히 가다가 뒤를 돌아보지만… 이내 다시 고개 돌려 가버리는.

● 윤희의 병실은 밖에서 문을 잠그는 구조다. 태하가 있는지 모르고 간호사가 강회장의 명령으로 문을 잠갔다. 이후 혜숙이 왔을 땐 이미 문은 잠겨 있었고, 태하가 그 안에서 패닉에 빠진 상태였다.

병실 안/ 어린태하, '혜숙이… 왜?' 하는 표정으로 있는데 이때, 또 모니터 그래프가 요동치면서 윤희가 더 격하게 발작을 한다. 어린태하, 놀라서 엄마 쪽으로 돌아보는!

～ S#22. 서연대학 병원, 복도 일각 / 낮 - 현재

태하, 눈을 꼭 감고 몸을 숙인 채 힘들게 숨을 몰아쉬고 있다. (*워치 경고음 계속) 연우, 괴로워하는 태하를 보다가 조심히 끌어안는다. 쿵쾅쿵쾅! 연우 품에서 빠르게 뛰는 태하의 심장! 연우, 가만히 태하 등을 토닥이며 조용히 자장가(*2부 S#51)를 흥얼거린다. 조금씩 조금씩 태하의 가쁜 숨이 잦아들자 워치 경고음도 끊긴다. 연우, 경고음이 사라지자 안았던 걸 풀고 태하를 보는데… 태하도 연우를 쳐다본다.

연우   (태하 가슴에 손을 얹고 쿵쿵 뛰는 심장 느끼며) 그저 아주 잠깐 들
          리는 작은 북소리요. (따뜻하게 웃어주며) 걱정 마시오. 곧, 괜찮
          아질 테니까.
태하   (연우의 따뜻한 미소에 조금씩 마음이 편안해진다) …….

(E) 바닥에 떨어진 태하 휴대폰 벨소리. 보면, 〈홍비서〉다.

～ S#23. 서연대학 병원, 현욱 진료실 / 낮

현욱, 컴퓨터로 지금까지 검사한 태하의 심장 사진들을 심각하게 보고 있다. 그 위로,

현욱   (E) 검사받자고 한 거 그냥 한 말 아니야.

〈회상 인서트// S#18 이어서. 태하, 진료실을 나가려고 문을 열려는데 뒤에서 현욱이 그런 태하를 보고 있다.

현욱   나, 너 주치의야. 권고 아니고 경고라고. 최대한 빨리 날 잡아.

태하   (돌아보며) … 평생 죽음과 맞닿아서 살았어요. 그런 경고 이젠 좀 지치네요. (슬픈 미소)〉

현욱, DR. Chris Barnard에게 메일을 쓴다. (*영어로 메일 보내는 모습 위로)

현욱   (E) 박사님, 잘 지내셨습니까? 5년 전 박사님께 수술받았던 강태하 환자 주치의 최현욱입니다. 몇 가지 의논드리고 싶은 게 있어서요. (표정)

〜 S#24. SH서울, 마케팅팀 사무실 / 낮

현정, 성표와 통화 중이고 하나가 옆에서 지켜보고 있다.

현정   (통화) 회의를요?? (사이) 네 알겠습니다, 홍비서님. (끊고) 이상하네…?

하나   왜요? 부대표님한테 무슨 일 있대요?

현정   건 아니고… 갑자기 다른 일정 때문에 회일 취소한다네? 강드로 요즘 왜 이래? 답지 않게 성질도 부리더니. (하다) 어머! 연애하나??

이때, 사무실 한쪽으로 황명수가 슬그머니 들어와 파티션 뒤에 숨어 엿듣는다.

하나　　(!) 연애요?? 설마요. 공과 사 분명하신 분인데. (걱정) 어디 아프신가? 오늘 1주년 행사 관련 회의라 쉽게 취소 안 하실 텐데.

황명수　?! (속닥) 회의를 취소해? 강부대표가? (하며 더 귀를 가까이 대는데)

이때, 석주가 아이스아메리카노 세 잔(*뚜껑 닫힌)과 초코케이크를 쟁반에 들고 탕비실에서 나온다.

석주　　왜요? 무슨 일 있어요?

현정　　강드로가 회의 캔슬했어. 오후 일정 일단 보류. (하며 컴퓨터 보는데)

석주　　(신난) 진짜요? 진짜 회의 없어요? 아싸! (하며 후다닥 오다가) 으악!!

석주, 순간 자기 발에 걸려 넘어지면서 커피와 케이크를 공중으로 날린다. 순간, 날아오른 케이크가 파티션 너머로 떨어지면서 '으악!' 황명수 외마디 외침이 들리고! 현정, 그 소리에 '뭐니!' 하며 파티션 뒤로 와 보는데… 아무도 없다!! 엥???

～ S#25. SH서울, 주차장 / 낮

최비서, 혜숙에게 차 문 열어주는데 손수건으로 머릴 닦으며 황명수가 달려온다.

황명수	(헉헉거리며 달려오는) 대표님~~~! (혜숙 앞에 와 서는)
혜숙	! (케이크 묻은 황명수 꼴 보고 슬쩍 뒤로 피하며) … 뭡니까?
황명수	(헉… 헉… 혜숙 앞으로 다가서며) 그게 말입니다. (하는데)
혜숙	(바로) 거기 서서 말하세요, 거기. (뒤로 다시 물러서는)
황명수	아, 네. 강부대표가 지금 회의를 갑자기 취소했답니다. 근데 알아보니까 아침에 병원에 들렀다가 연락을 한 모양이에요.
혜숙	(?) 병원이요…?
황명수	게다가 홍비서는 강부대표랑 통화하고 급히 나갔다네요. 살짝 ~ 구린내가 나는 게 무슨 수작인지 한번 확인해보시면 어떨까요?
혜숙/최	(흠…) 알았어요. (차에 올라타는) / (문 닫아주고 앞자리로 가는)
황명수	다녀오십시오! (인사하고는 머리카락에 묻은 케이크 손수건으로 닦다가, 슬쩍 손수건 냄새 맡더니) 다크 초콜릿? (갸웃)

⌒ S#26. 태하 집, 태하 방 / 낮

태하, 침대에 누워 자고 있고. 성표 그 모습 보다가 조용히 밖으로 나간다.

⌒ S#27. 태하 집, 거실 / 낮

연우, 걱정되는 듯 태하 방 쪽을 보며 왔다 갔다 하는데 성표가 다가온다.

연우   (성표 앞으로 와) 어떻게 됐소?

성표   방금 약 먹고 잠드셨으니까 걱정 마세요.

연우   그럼, 다행이오. (소파에 앉더니, 슬쩍) 사기꾼 양반… 어디 아픈
         거요? 지병이 있거나….

성표   아뇨~ 얼마나 건강하신데요! 요새 신경 쓸 게 많아서 피곤하셨
         나 봐요. (안쓰러운) 부대표님이 뭐든 속으로 삭이는 편이시거
         든요.

연우   (그래도 뭔가 마음에 걸리는) …….

～ S#28. 태하 집, 연우 방 / 밤

연우, 바닥에 앉아 있고 그 옆에 돌쇠(*작동 안 하는)가 있다. 뭔가 생각하
는 연우.

〈플래시컷// 1부 S#65. 피를 토하며 힘겹게 숨을 쉬고 있는 조선태하.〉

연우   둘이 다른 사람이잖아. 서방님은 잘 웃고 따뜻했지만, 이 사람
         은 뾰족하고 차가워. 그러니까 (사이) 괜찮을 거야. (돌쇠 보며)
         그치, 돌쇠야?

(E) 현관 벨소리가 울린다.

연우   ?! (문 쪽을 보는)

～ S#29. 태하 집 앞 + 혜숙 차 안/ 밤

혜숙의 차 앞에 최비서가 서 있다. 문이 열리고 연우가 나온다.

연우	(최비서를 보며) 누구… 시오? (하는데)
최/혜숙	(차 뒷문을 열어주자) / (차에서 내려 연우를 보고 웃는다)
연우	!! (놀라서 보는) …. (일단 목례하는)
혜숙	대하 좀 보러고. 안에 있시? (하며 안으로 들어가려는데)
연우	! (막아서며, 동요하지 않고) 집에 없습니다.
혜숙	병원에서 집으로 갔다던데? 아픈 거면 나도 알아야지, 부몬데. (가려는데)
연우	(다시 막으며) 잘못 알고 오셨네요. 병원 간 적 없습니다. 그리고… (당당하지만 예의 바른) 만에 하나 그랬다 해도 들어가실 순 없어요.
혜숙	! (연우 차갑게 보며) 뭐라구…?
연우	저번엔 경황이 없어 넘어갔지만, 어머님 오시는 거 태하씨가 원치 않습니다. 아내로서 남편 뜻 따르는 게 도리니까요.
혜숙	(하?!) … 아내? 도리?
연우	네. 너른 마음으로 이해해주세요. (가벼운 눈인사)
혜숙/연우	… (불쾌한, 매섭게 보는데) / (눈을 떼지 않고 보는)
최비서	(연우 쪽으로 다가서며) 비키시죠. (하는데)
혜숙	(최비서에게) 됐어. (연우에게 와 귀에 대고) 부부 놀이 언제까지 하려고? 사람 봐 가면서 건드려. (사이, 연우 보며) 배울 게 많겠어, 우리 새아긴.
연우	!! (보는)

혜숙, 뒤돌아서 차에 올라탄다. 연우, 역시나 혜숙은 만만치 않은 상대다, 싶고.

혜숙 차 안/ 최비서가 차에 올라탄다. 혜숙, 창밖에 서 있는 연우를 보며.

혜숙   … 그래도 사람 보는 눈은 있네, 강태하. (훗!, 최비서 보며) 아버
          님 생신 선물, 슬슬 찾아와야겠어. (표정)

⌒ S#30. 태하 집, 태하 방 앞 / 밤

연우, 조심히 와서 태하가 혹시 일어났나? 슬쩍 문 쪽에 귀를 댔다가.

연우   (큼큼… 헛기침, 문에 대고) 일어났소? (조용하자, 다시) 사기꾼 양
          반…? (또 조용하자, 그냥 가려다가 걱정되어 돌아보는)

⌒ S#31. 태하 집, 태하 방 / 밤

연우, 조심히 안으로 들어오는데 보면, 어두운 방 침대에서 태하가 몸에 힘
을 잔뜩 주고 웅크린 채 자고 있다.* 연우, 또 어디가 아픈가? 해서 침대로
다가오는데.

● 태하의 오래된 습관이다. 정신적 스트레스가 심할 때 몸을 웅크리고 온몸에 힘을 주며 잠을
  잔다.

태하	(괴로운 탄식) 엄…마… (하며 힘들어 한다)
연우	!! (보는데)
어린연우	(울먹이며, E) 할아버님….

⌒ S#32. 호은당 별채, 툇마루 / 낮 - 연우 회상

상복(*호은 사망 후)을 입은 어린연우(*12세)가 툇마루에 앉아 회중시계를 들고 울음을 참고 있다. 이때, 연우모가 다가와 연우의 어깨를 끌어안아 토닥여준다.

연우모	소리쳐도 돼. 할아버님이 보고 싶다고, 그립고… 미안하다고.
어린연우	(흑…, 눈물 터지지만 그래도 참으려 한다)
연우모	그리 마음에 잡아 두면 많이 아플 게야… 그러니 보내드리렴. (머리 쓰담)

⌒ S#33. 태하 집, 태하 방 / 밤 - 현재

연우, 무슨 사연인지 모르겠지만 태하가 마음에 담아 둔 어머니 때문에 아파하는 게 안쓰럽다. 조심히 태하 곁에 앉아 가만히 태하의 머리를 쓰다듬어 준다.

강회장, 지팡이 짚고 정원의 꽃에게 물을 주고 있는데 태민이 나온다.

강회장   (태민 보고) 벌써 일어났어?! 오늘은 해가 서쪽에서 뜨려나~ (허
          허)

태민   (하품) 그냥 일찍 일어나봤어요. 이제 회사도 나갈 거고, 연습
          삼아.

강회장   (웃으며) 잘~했네! (하더니) 그럼, 온 김에 잡초 좀 뽑아줄래?

태민   잡초요? 어떤 게 잡촌데요?

강회장   여기… 꽃들 사이로 제 주제도 모르고 삐죽 튀어나온 놈들.

태민   ! (내 얘기인가…?) 아… 근데 잡초는 뽑아도 또 날 텐데….

강회장   그러니까 더 자라기 전에 (지팡이로 잡초 짓누르며) 싹을 잘라야
          지. 이 꽃밭의 주인이 누군지 잘~ 알아먹게. (웃는)

태민   (보는) ….

강회장   (다른 잡초 짓이기며) 회사 생활 힘들면 언제든 말해. 이 할애비
          가 카페를 차려주든, 건물을 사주든 다~ 해줄 테니까, 응?

태민   오~ 건물주! (엄지 척!) 근데… 난 이 잡초처럼 살래요. 뽑아도
          뽑아도 끈질기게, 좀비처럼! (씩-) 재밌잖아요. (하더니 짓눌러
          진 잡초 뽑는)

강회장   (허!) 이놈이~ 좀비가 뭐냐, 좀비가! (허허 웃으면서도 눈빛은 차
          갑다)

⌒ S#35. 태하 집, 태하 방 / 아침

태하, 어젯밤과 달리 이불을 덮고 편안히 누워 있다. 이내 눈을 뜨는 태하, 잠시 멍하니 있다가 정신을 차리고 일어나 앉는다. 잘 덮여 있는 이불을 보자 뭔가 이상한.

⌒ S#36. 태하 집, 주방 / 아침

태하, 정수기 물 따라 마시는데 연우가 들어온다.

연우	! (태하 보고) 일어났소? 몸은 좀 괜찮소?
태하	… 네. 이제 괜찮아요. (하다) 어젠… 미안했습니다.
연우	홍가양반에게 대충 들었소, 요새 좀 피곤했다고. (큼) 거… 사람이 된장, 고추장도 아닌데 앞으론 뭐든 속으로 삭이고 그러지 마시오.
태하	? (보면)
연우	뭐든 속에 담아 두지 말란 거요. 가족 문제든 뭐든, (하는데)
태하	(가족 얘기에 차갑게, O.L) 박연우씨가 상관할 일인가요, 그게?
연우	(당황) 아니, 난 그냥….
태하	어제 날 도와준 건 고맙지만, 선은 넘진 말죠. 내가 뭘 하든 내 주변에 무슨 일이 생기든 필요 이상의 관심, 불편합니다. (돌아서서 나가는)
연우	(하! 뭐야, 이거? 싶은)

S#37. 태하 집, 거실 / 아침

태하, 거실로 나오는데 연우가 뒤쫓아 온다.

연우   이보시오, 사기꾼 양반!

태하   (돌아보며) 왜, 뭐 또 할 말이 남았습니까?

연우   아니, 사람이 걱정돼서 하는 말을 꼭 그렇게 잘라 먹어야 속이
       시원하오?

태하   (팩퐉) 지금 걱정해야 할 사람은 내가 아니라 박연우씨죠. 곧
       할아버지 생신인데 가서 잘할 수 있겠어요? 그 상태로?!

연우   (!!)

태하   우리 계약, 잊지 않았겠죠? 내 아내 역할 제대로 해야 합니다.
       말했을 텐데요, 본가 사람들 만만치 않다(고, 하는데)

연우   (지기 싫다, O.L) 할거요, 것도 어마하게 잘할 거요!!

태하   (보며) 어떻게요?

연우   (!) 공… 공부, 할거요! 뭐든 배우면 될 거 아니오!

태하   (보며) 알겠습니다. 그럼 준비시키죠. (하고 방으로 가는)

연우   (보다가) 왜 뭔가 당한 거 같지? (하다, 삐죽) 어제 괜히 잘해줬
       어. (치!)

S#38. 태하 동네 전경 / 다른 날, 낮

S#39. 태하 집, 거실 / 낮

연우, 황당한 표정으로 뭔가를 보는데…. 보면, 안경을 낀 성표가 빙긋 웃으며 서 있다. 화면 넓어지면, 성표 뒤로 화이트보드에 〈부대표님 집안 가계도〉란 타이틀 아래 강회장, 혜숙, 태민, 해령, 서준의 정보가 쓰여 있다.(*해령, 서준 빼고 사진 있음)

성표 지금부터! 강회장님 생신연 대비 특별 훈련 플러스 새조선 적
    응 수업에 돌입하겠습니다. (안경 한번 올렸다 내리는)
연우 (태하 보며) … 꼭 이렇게까지 해야 하오?
태하 할 거면 확실하게 해야죠.

이때, 성표가 연우 앞에 두껍게 제본한 책을 쾅—! 내려놓는다. 연우, 헉!
해서 보면,

성표 이건! 부대표님의 위장결혼을 위해 제가 직접! 만든 스토립니
    다! 두 분의 첫 만남과 연애사, 연우님 가계도까지! 모든 게 담
    긴 완벽한 가이드북! 이것만 외우면 게임 끝!이죠. (씩— 연우에
    게 책 밀어주는) 외우세요!
연우 (제본한 책을 펼쳐보는데 못 읽는) 이게… 내가 아는 글자완 살짝
    ~ 달라서. (책 덮으며) 글부터 배웁시다. (큼!)

S#40. 몽타주 – 연우가 공부하는 상황들(시간 경과)

1. 연우 방/ 연우, 초등학생 한글 노트의 단어들을 하나씩 읽어가며 공부

하고 있다. 연우, 하트 모양 메모지에 〈돌쇠〉라고 써서 돌쇠 위에 붙여주고 좋아하는.

2. 거실/ 성표, 태하네 가계도 앞에서 일타강사처럼 열변을 토하고 있다.

성표   (태민 가리키며) 강태민! 부대표님 이복동생으로 어디로 튈지 모르는 돌아입니다. 일단, 다가오면 피하세요!!

연우   (열심히 필기하면서 듣는데 졸음이 쏟아신나) ….

성표   강해령! 회장님 외동딸로 푼수에 맥락 없는 뜬금포 공격의 1인 자이나 강강약강으로 나가시면 됩니다. 무조건 세게! 그리고, 이서준! (하는데)

연우   (쿵—! 테이블에 얼굴 대고 잔다)

성표/연우   (연우 옆으로 와 뿌!! 부부젤라 불어 깨우는) / (미동도 없이 잔다) ….

3. 주방/ 연우, 식탁에 시험지 펼쳐 놓고 엎드려 자고 있다. 태하, 조용히 다가와서 연우 손의 펜을 조심히 빼는데…. 연우 '다 못 썼소, 홍가양반…!' 잠꼬대를 한다. 그런 연우를 보며 저도 모르게 훗— 웃는 태하.

⌒ S#41. 편의점 앞 / 낮

연우, 퀭한 얼굴로 초코쭈쭈바를 물고 있고, 옆에 성표가 과자봉지 들고 오는 중.

성표   (상냥한) 힘드시죠?? 원래 공부가 그런 겁니다. 초코 드시고 회복하세요.

연우	(하…) 대체… 왜 이렇게까지 해야 하는 거요?
성표	두 분 계약결혼이 밝혀지면 큰일 나거든요. 회장님 건강도 그렇고, 지금 부대표님이 민대표님과 회사를 두고 싸우는 중이라.
연우	한마디로 왕권 다툼 중이라 약점 잡히면 안 된다?
성표	오~~~ 정답!! (하는데)

이때, 앞에서 쇼핑백을 잔뜩 든 나래가 '오빠~' 하며 붕붕 손을 흔들고 있다.

〰 S#42. 태하 집, 거실 / 낮

나래가 가져온 쇼핑백과 상자가 거실에 가득하다.

연우	이걸 다… 사기꾼, (아니) 강태하씨가 보냈단 말이오?
나래	네~ (작은 쇼핑백 주며) 이건 자수용품이요. 연우님이 부탁하셨다면서요.
연우	(쇼핑백 보며) 고맙소. (하다가) 참, 혼롓날엔 내 실례가 많았소.
나래	아뇨~ 돈 받고 한 건데요, 뭐. 제가 알미새거든요. 알바에 미친 새끼! (큭)
연우	알바…? 건 또 뭐요?
나래	아직 여기 말 서투시죠? 알바는 사극버전으론… (아!) 노비에요. 돈 받고 일하는 현대판 노비? (하다가, 중얼) 왜 설명만 하는데도 서글프지…. (쩝)
연우	오호~ 알~바 노비라… (하는데)

나래   실은 오빠가 부탁한 게 하나 더 있는데. (리모컨 들더니 TV를 켜
       며) 드라마로 배우는 대한민국 실전 국어! (빙긋) 복수극부터
       해볼까요?

⌒ S#43. SH서울, 회의실 / 다른 날, 낮

태하와 혜숙, 황명수, 현정, 석주 등 관계자들 앉아 있고. 하나가 PT 중이
다. 화면엔 미담이 외국에서 진행 중인 전시회 사진과 유럽의 왕족, 각종
셀럽들과 함께 찍은 사진 등이 지나가고 있다. (*미담의 상징인 나비 자수가
도드라져 보임)

하나   이미담 대표의 한복 컬렉션을 미디어아트, 회화, 사진 등으로
       재해석한 이번 전시로 한복과 우리 전통문화에 대한 해외 미
       술계와 패션계의 관심도 높아졌다는 평가입니다.

임원들   (관련 자료 넘겨보며 끄덕이는데)

황명수   (큼) 아무리 미담이래도 우리 SH 개점 1주년 전시회 메인 이벤
       트론 좀 부족하지 않나? 누가 한복을 입는다고. 해외 명품이면
       몰라도.

임원들   (수긍하는) 하긴 그렇죠. / 맞는 말씀입니다. / 그건 그렇네요.

태하   해외 명품, 다들 좋아하죠. 그만큼 뻔하구요.

황명수   (되치기당한, 큼… 하며 딴청 부리며) 뻔해도… 예쁜데…. (쩝)

혜숙   그래서, 강부대표 생각이 뭡니까?

태하   미담이 가진 상징성에 트렌드를 입혀 SH의 새 비전을 보여줄
       겁니다.

혜숙   (비아냥) 요즘 사람들이 말하는 국뽕… 뭐 그런 건가?

태하	국뽕이든 노이즈마케팅이든 고객의 마음을 잡으면 되는 거죠. 그게 테크닉이고, 실력 아닐까요?
혜숙	(하! 실력? 하는데)
고이사	(흠…) 미담은 회장님께서도 우리 SH에 입점시키려고 꽤 공을 들이셨죠. 해외 유명 백화점에서도 제안했지만, 미담에서 다 마다했던 걸로 압니다.
태하	안 그래도 SH 뉴욕지점을 오픈할 때 미담 입점도 진행할 생각입니다.
최이사	그럼… 뉴욕 쪽에서도 꽤 관심 있어 하겠는데요? 이거 성공하면 회장님께서도 많이 기뻐하시겠어요.
임원들	(오~ / 뉴욕에 입점까지?? / 괜찮은데요? 하며 설득되는 분위기다)
황/혜숙	(쳇! 불만 가득한 표정이다) / (빤히 태하 보는)

∼ S#44. SH서울, 혜숙 사무실 / 낮

태하와 혜숙이 마주 앉아 있다.

혜숙	그래서, 미담하곤 협의는? 진행 중인건가?
태하	곧 진행할 예정입니다. 제안서 보내놨구요.
혜숙	(훗) 예정이라… (태하 보며) 확정된 건 없단 말이구나.
태하	모든 일은 원래 제로에서 시작하는 거니까요.
혜숙	그래, 그렇긴 하지. 성공하기 전까진.
태하	(더 듣기 싫다, 일어서며) 얘기 끝나셨으면 가보겠습니다.
혜숙	(부러, 찌르듯) 부부 사이가 꽤 좋더구나.
태하	(보면)?

혜숙   (태하 보며) 왜… 못 들었니? 눈치만 빠른 게 아니라, 입도 무겁
         구나. 연우, 그 아이 맘에 들어.

태하   (!) 그 사람한테 또 무슨 짓을 한, (겁니까! 하려는데)

혜숙   (쏘아보며, O.L) 짓?!! (일어서서 보다가) … 말 조심해. 여기선…
         내가 니 대표고, 집에선 어머니야. 죽어도 그건 안 변한다고.

태하/혜숙 (도발) 글쎄요, 누군가 죽어보면 알겠죠. / !! (보는데)

태하, 돌아서서 나간다. 혜숙, 불쾌한 듯 소파에 앉는데 최비서가 들어와
선다.

최비서   대표님. 말씀하신 선물(*하영), 준비했습니다.

혜숙   (흠… 생각하는 표정)

〰 S#45. 태하 집, 거실 / 저녁

부부젤라를 목에 걸고 시험지를 든 성표(*안경 낀)가 서 있고. 소파에 연우
와 태하가 앉아 있다. 연우는 기도 중이고, 태하는 차를 마시고 있다.

성표   (엄하고, 진지하게) 마지막… 시험 결과를 발표하겠습니다.
         (시험지 뒤로 돌려 보여주며) 100점!

연우   (벌떡 일어나) 꺄!!! (성표 손의 시험지 뺏으며) 100점이다, 100점!!

성표   역시~ 제 수제자답습니다. 그럼, 이제!! 정~말 마지막 테스트!

연우   (엥? 실망한) 또 뭐가 남았어요?? (하는데)

성표   (태하 보며) 부대표님, 연우님 서로 여봉~ 하고 불러보십시오.

태하   (차 마시다가 켁!!) 뭐, 뭐요?

성표	두 분은 부붑니다. 부부가 다정하게 여보~ 하는 건 당연하죠! (단호하게) 얼른 하세요, 얼른!!
태하	(하… 어쩌지… 살짝 망설이는데)
연우	(태하 보며, 아무렇지 않게) 태하씨~ 여보~?? (빙긋)
태하	!! (헐! 놀라서 연우 보는)
성표	합겨역!! (하고선, 태하 보며) 부대표님! (뿌— 부부젤라 불며) 분발하세요!!
연우	(올레에!! 신나서) 아싸! 끝났다!!
성표	자~ 연우님! 이건 스승의 깊은 마음이 담긴 선물입니다. (뒷주머니에서 리본 달린 휴대폰을 꺼내 연우에게 준다)
연우	(휴대폰 들고 보며) 이거… 내 거요?? 진짜??!
성표	(손가락 총알 날리며) 당연하죠!!
연우	꺄!! (성표 끌어안고) 고마워요! 정말 고맙소!!! 역시 스승님, 쌍따봉!
태하	저기… 그거… 내 돈으로 산 건데… (하는데)
성표	누구 돈이면 어떻습니까아~ (연우 보며) 이제 책거리 하러 갈까요? 뭐 드시고 싶습니까! (연우 데리고 주방으로 가는)

연우와 성표, 신나서 주방 쪽으로 가는데… 태하, 어안이 벙벙한 표정이다.

∼ S#46. 태하 집, 마당 / 저녁

연우, 달을 보고 있는데 이때, 옆으로 다가와 서는 태하.

| 태하 | 또 달에 사는 토끼한테 소원이라도 빌었습니까? 세계 평화? |

연우	(이 자가!, 흘겨보다가 부러) 내일 잘~ 하게 해달라고 했어요!
태하	… 혹시, 집에 민대표가 왔다 갔습니까?
연우	! (보며) 어떻게 그걸… (흠) 병원 갔던 날, 왔었소. 사기꾼 양반 보려고.
태하	(미안한) 사적인 일로 연우씰 귀찮게 했네요.
연우	괜찮소, 계약했으니까. 뭐, 알바노비가 열심히 할 일 했다고 생각하세요~
태하	(댕!!) 알바노비요? (생각지도 못한 말에 풉! 웃음 터트린다)
연우	(태하가 웃는 걸 처음 본, 살짝 두근) ! (보며) 웃을 줄도… 아시오?
태하	! (그 말에 웃음 멈추고) … (원래대로) 어이없어서 그랬습니다.
연우	(삐죽) 새로 배운 말인데.
태하	내일, 잘 부탁해요.
연우	(끄덕) 걱정 말아요. 사기꾼 양반에게 할아버님이 얼마나 소중한 분인지 알고 있으니. (보며) 이 말도 안 되는 가짜혼인을 할 만큼 말이요.
태하	! (어떻게 알았지?) …….
연우	(태하 보며) 보면 알 수 있소. 눈은 거짓말 못 하니까.
태하	(연우가 알아봐 준 게 나쁘진 않지만, 선 긋고) 박연우씬 할 일만 하면 됩니다. 다른 건 생각 말구요. (하는데)
연우	(참 차갑다) 나도 딱! 계약한 만큼만 (강조) 할 테니 사기꾼 양반이나 잘해요! (하곤 휙— 하고 돌아서서 간다)

태하, 자길 생각해주는 연우에게 너무 딱 잘라 말했나 싶어 삐져서 가는 연우를 쳐다본다. 잠시 뭔가 생각하다가 이내 성표에게 전화를 거는.

태하	(통화) 홍비서, 민대표가 할아버지 생신에 무슨 짓 할지 몰라

요. 긴장 늦추지 말고 잘 체크해요. (표정)

〰 S#47. 프라이빗 카페 / 저녁

인적이 드문 야외 카페. 혜숙, 차를 마시며 누군가와 마주 앉아 있다. 보면, 하영이다!

하영　(나름 당당한) 제가 왜 민대표님을 만나야 하는지 모르겠네요. 전 분명히 강태하씨 제안 거절했고, 잘못한 게 없습니다.

혜숙　(훗) 그걸 왜, 김하영씨 멋대로 판단하죠?

하영　(살짝 당황) 그거야… 받은 돈도 다 돌려줬고, (하는데)

혜숙　받긴 받았네. (보며) 나한텐 중요한 건 그거야, 그러니까 그만 까불어.

하영　!! (혜숙의 기에 눌리는)

혜숙　잘 생각해, 난 태하처럼 그냥 두고 보진 않으니까. (들고 온 쇼핑백 주고, 일어서며) 연락할게요. (웃어 보이곤 간다)

하영　(쇼핑백 안의 명품 가방을 꺼내 보면, 돈다발과 휴대폰이 있다) !

〰 S#48. 태하 집, 연우 방 / 밤

연우, 나래가 가져온 옷 상자(*S#42) 중 하나를 열어 본다. 그 안에 예쁜 옷이 보이고.

나래　(E) 이건 회장님 생신날 입으라고 특별히 고르셨대요, 부대표님이.

연우   (마음에 든다, 만져보는) 옷은 맘에 드네…. (흠… 하다가, 상자를
          덮고)

연우, 서랍장으로 와서 자수 용품과 손수건(*거북이 자수가 좀 놓인)이 올려
진 수틀을 꺼내서 한 땀 한 땀 정성을 다해 자수를 놓는다.

～ S#49. 강회장 집, 앞 / 다음날, 낮

태하 차가 도착한다. 풀메이크업의 아름다운 연우, 바지정장(*태하가 사준)
을 입고 멋들어지게 차에서 내려 강회장 집을 올려다본다. 심호흡 크게 한
번 하고 들어가는데.

～ S#50. 강회장 집, 거실 / 낮

태하와 연우 거실로 들어오고. 강회장, 반갑게 연우와 태하를 맞는다.

강회장   왔구나, 왔어!! 우리 새아기 이게 얼마 만이니?
연우   (웃으며) 그간 무탈하셨습니까? 생신 축하드려요, 할아버님.
강회장   그럼~ 그래서 말인데. (수수께끼 타임!) 감은 감인데 먹지 못하
          는 감은?!
연우   (바로) 영~감입니다!
강회장   딩동댕~ 정답!! (대만족) 우리 새아긴 어쩜 이리도 귀여울까?
          (하는데)

해령	(한껏 고상하게, E) 왔구나~ 우리 조카며느님?

보면, 드레스와 양복으로 과하게 멋을 낸 해령과 서준이 걸어오고 있다. 연우, 해령을 보는데 눈이 커진다! 해령과 조선시대 마천댁이 겹쳐 보였다 사라지고.

연우	!! (E) 마천댁?!! 마천댁이 여기서 왜 나와…?
해령	(훗!) 놀랐구나? 챠오~ 나 태하 고모예요, 엄청 젊어 보이지만! 여긴 마이 썬. 쥰이야~ 이서쥰!
서준	(꾸벅) 안녕하세요, 형수님! (하며 연우를 보다가 헉!! 놀라는)
연우	(헉!! 역시나 서준을 보고 놀라는) !!
태하	(연우가 뭔가 이상해서) 왜요, 어디 불편해요? (하는데)
서준	(연우 보며, 아는 척 하지 말라는 듯 살짝 고개 도리질)
연우	(웃으며) 아뇨…. 그냥, 반가워서요. (하하. 하며 서준 보는)

〜 S#51. 강희장 집, 정원 / 낮

태하, 강희장을 모시고 가고 그 뒤를 연우가 따라가는데 서준이 쪼르르 옆으로 온다.

서준	(소근) 형수님~ 그때 나 본 거 울 엄마한텐 비밀이에요. 땡땡이 친 거요.
연우	(빙긋 웃으며) 걱정 마요. (하다) 아! 나랑 만난 것도 비밀로.
서준	(소근) 당연하죠~ 그래야 말이 되잖아요. 서로 못 본 걸로! (윙크! 하는데)

이때, 연우와 서준이 뒤쪽에서 어느새 태민이 나타나 말을 건다.

태민	뭐야. 둘이 벌써 친해졌어? 오~ 이거 샘나네~!
연우	(!!, 순간 흡! 하며 표정 관리하는데)
서준	(능청) 네! 형수님, 너~무 좋아요. (괜히) 근데 엄만 어딜 갔지? (가고)
태민	(연우 옆으로 와 서며) 우린 저번에 못한 얘기 좀 해야 하지 않나?
연우	(바로, 앞으로 빠르게 가며) 할아버님!! (하고 강회장 옆에 선다)
태민	(큭ㅡ, 연우 옆으로 와서) 나도 같이 가요, 할아버지. (연우 보며, 씩!)
연우	(태민 째릿 흘겨보더니) …. (이내, 하하… 웃으며 강회장 보는)
태하	(연우와 태민의 묘한 기류가 이상하게 맘에 안 든다) …….

한편, 뒤에서 그 모습을 지켜보는 혜숙이 있고.

～ S#52. 강회장 집, 정원 파티장 / 낮

야외 테이블에 한식으로 한상 잘 차려져 있고, 모두 앉아 식사 중이다.

강회장	우리 새아기 입맛에 맞을지 모르겠다.
해령	아부지~ 요즘 애들이 이런 걸 먹겠어요? 음식 이름도 모를 텐데.
연우	(신난) 아뇨~ 동아누르미, 수증계, 가재육, 효종갱. 다 좋아하는 건데요?

해령	(헐) 이태리에서 왔다며? (하다) 부모님 거기서 한식당 하셔?
태하/연우	(!!) / ! (헙! 했다가) 아… 부모님이 대장금, 좋아하셔서….
태민	(풉! 웃음 터지려는데 손으로 일단 막는)
강회장	(껄껄) 그래? 먹어봐. 새로 들어온 도우미 음식 솜씨가 아주 좋거든.
해령	근데~ 조카며느님은 우리 태하, 어떻게 꼬셨어? (하는데)
성표	(E) 회장님 외동딸, 강해령! 강강약강입니다! 무조건 세게!
연우	(당당차게) 예쁘니까요, 겁나 예쁘니까요.
강/서/해	(헐!! 하며 연우 보는)
태민	(푸하하하! 결국 웃음 터지는)
해령	(못마땅) 태하 너, 취향 뒤집어지게 특이하구나?
태하/연우	(민망한) / (뭘… 잘못한 거지? 하는데)

혜숙, 물 한 잔 마시더니 테이블 위에 '탁' 내려놓고 연우를 보며,

혜숙	연우, 입양아라고 들었는데 가족들은 찾아봤니?
태하/연우	!! (멈칫)
강/태민	(혜숙을 보는데)
해령	(오버) 입양?! (강회장에게) 아부지, 진짜야? 근데 결혼시켰다구요?
서준	(연우 눈치 보며, 해령 말리는) 엄마, 왜 그런 말을 해요.
강회장	그래! 내가 하라고 했어. 알았으면 그냥 밥들 먹어. (하는데)
혜숙	(치고 나오는) 가족 찾는 걸 좀 도와줄까 싶어요, 아버님.
태하	(바로) 아뇨. 저희가 알아서 할게요.
혜숙	중요한 건 연우지, 당사자잖니. (연우에게) 입양 기관은 어디였니? 서류는 있어? 가족은 찾아야지. (하는데)

태하   (화난 듯) 말씀드렸잖아요. 저희가 알아서 하겠다고, (하는데)

(E) 쨍그랑—! 그릇 깨지는 소리.

연우   (그 소리에 돌아보면, 도우미 차림의 사월이다, !!) 사… (사월아? 하
           려는데)
사월   (큰 목소리로, O.L) 죄송합니다. 손이 미끄러져서. (하면서 힐끔
           연우 보는)
연우   ……! (사월이야… 맞아…)

∼ S#53. 강회장 집, 주방 / 낮

사월, 깨진 그릇을 들고 오는데 그 뒤를 따라오는 연우.

연우   (사월에게 작게) … 사월아, 너 맞지? 그렇지?
사월   (돌아보며, 주변을 살피더니 끄덕)
연우   (반가운, 눈물이 쏟아질 것 같아 저도 모르게) 사월아! (부르는데)
사월   (O.L, 연우 입 손으로 막으며) 쉿! 이러다 누가 듣습니다, 애기씨!
연우   !! (끄덕이며 사월의 손 치우고) 대체 어찌 된 게야? 왜 니가 여기
           있어?
사월   (주변을 살피더니 그릇과 국자를 챙겨서 연우를 끌고 어디론가 간다)
연우   (E) 너도… 우물에 빠졌다고?

〜 S#54. 강회장 집, 뒷마당 / 낮

사월   (심각한 표정으로) 그게… 정확히 빠졌다기보단… (표정)

〈인서트//1부 S#72 이후. 우물가로 후다닥 달려오는 사월! 보면, 우물 앞에 연우 신발이 놓여 있고, 그 옆엔 멈춘 회중시계가 보인다. 사월, '애기씨!' 하고 놀라서 우물 안을 들여다보는데 환한 빛이 사월을 감싼다!〉

연우   빛 속으로 빨려들었단 거야?

사월   예~ 우물로 들어갔다 나와 보니 생판 이상한 곳에서 마천댁을 만난 거죠!

〈플래시컷// 2부 S#50. 사월을 붙들고 '어떡해!!' 하는 해령.〉

사월   순간 바로 촉이 왔습죠! (진지한) 이 아낙을 잡아야 한다!! 그렇게 착─ 들러붙어서 예까지 왔는데 세상마상 도련님 댁인 거예요! 그래서 여깄음 어떻게든 애기씰 만날거라 생각했는데… 이리 참말로 뵙게 될 줄은…. (흑!)

연우   ……. (눈물 그렁그렁해서 와락! 사월을 끌어안는다)

사월   ! (놀라서) 애, 애기씨…?!

연우   (울먹) 나… 너무 무서웠어. 혼자서… 아는 사람도 없고… 정말…. (흑…!)

사월   (연우 달래며, 울먹) 괜찮아요, 괜찮아! 이제 이 사월이가 있잖아요!

연우   (안은 거 풀고 격하게 끄덕) 응… 알았어! (하며 눈물 닦는데)

사월   (훌쩍, 눈물 닦으며) 그럼 이제 조선으로 돌아가기만 하면 되는 거죠?

연우　(끄덕, 훌쩍이는) 그렇긴 한데… 방법을 몰라. 어떻게 가는지 모르겠어.

사월　(훌쩍이다, 황당!) 예에?? (하는데)

이때, 연우와 사월 쪽으로 태민이가 온다. 연우와 사월 놀라고!

태민　(연우 사월 보네) 소복이 여기서 뭐 해? 할아버지가 찾는네?

연우　(뒤돌아 눈물마저 닦고, 태민 보며) 아… 그게… (하는데)

사월　(능청, 국자와 그릇 보이며) 된장이 맛있다고 장독에서 좀 꺼내달라서서. (연우 보며) 이따 가실 때 챙겨드릴 테니 걱정 마세요~ (가라고 눈짓)

연우　그래…요! (하고는, 태민이 밀면서) 가죠, 얼른! (하며 힐끔 사월 보는데)

사월/연우　(수신호, S/S) 이따 자시●에 뒤뜰에서 뵈어요. / (응! 격하게 끄덕이고)

～ S#55. 강회장 집, 혜숙 방 / 낮

혜숙　(통화 중) 슬슬 시작 해야겠어. 데려와.

● 자시 : 밤 11시에서 12시 사이.

〜 S#56. 하영 오피스텔 앞 / 낮

하영, 선글라스에 큰 가방을 들고 주변을 살피며 도망치듯 나오고 있다. 이때, 그 앞을 최비서가 가로막는다. 하영, 놀라서 보면.

최비서　약속이… 틀린데요? 김하영씨? (하는데)

최비서 뒤로 차가 와 서고. 덩치 1, 2가 차에서 내려 하영을 차에 태운 후 출발한다.

〜 S#57. 한적한 도로 위 + 차 안 / 낮

하영을 태운 차, 빠르게 달려가고 있는데 뒤에서 오토바이 한 대(*검은 헬멧 쓴)가 부웅— 빠르게 달려와 하영을 태운 차를 막아선다!

차 안/ 덩치들, 뭐야! 하고 자신들의 차를 가로막은 오토바이를 본다.

〜 S#58. 강회장 집, 서재 / 낮

강회장, 연우에게 골동품들을 보여주고 있다. 연우, 신기한 듯 둘러보는데.

강회장　태하 증조할아버지께서 골동품 화랑을 하셨단다. 거기서 우리 회사도 만들어졌고.

연우, 고개 끄덕이며 보다가 어린연우 그림이 있는 벽 쪽 수납장으로 시선이 간다.

연우	… 꽤 오래된 물건 같은데 안에 뭐가 들었어요? (궁금한 표정)
강회장	내가 가장 아끼는 게 들어 있지. (연우를 보며) 한번… 볼래? (열쇠를 챙겨 수납장으로 가 열려고 하는데)
혜숙	(노크와 함께 안으로 들어온다) 아버님, 디저트 드셔야죠?
강회장	그래?? (연우 보며) 이선… 나음에 볼까?
연우	네… 그럴게요. (하고 따라가려는데)
혜숙	(연우 보며) 아, 연우는 나 좀 도와줄래?
연우	(보며) … 알겠습니다. (표정)

⌒ S#59. 강회장 집, 주방 / 낮

연우, 접시와 포크 등을 챙기고 있는데 혜숙이 다가와 준비 중이던 접시를 손으로 쓸어서 바닥에 떨어트린다. 사방으로 튀는 유리 조각에 놀라 움찔! 하며 물러서는 연우.

혜숙	조심하지, 그랬니. 다칠 뻔했네. (유리 조각을 밟으며 연우 앞으로 오는, 보며) 어떻게, 오늘도 아내로서 도리를 다할 거니?
연우	!! (위협적으로 느껴지지만, 티를 내지 않으려고 노력하는) ….
혜숙	(홋!) 어서 나오렴. 차는 다 같이 마셔야지. (돌아서서 가려는데)
연우	(보며, 지지 않는) 할 수 있는 건, 뭐든 다 할 생각입니다.
혜숙	(!, 돌아보는) …….
연우/혜숙	제, 남편이니까요. (표정) / (이것 봐라? 싶고)

S#60. 한적한 도로 / 낮

헬멧맨, 오토바이에서 내려 차 문을 열고 하영을 데려가려고 한다. 그러자 덩치1, 2가 튀어나와 헬멧맨과 싸움을 시작한다. 헬멧맨, 덩치1, 2를 제압하는데 이때, 최비서 차가 도착한다. 차에서 내린 최비서가 헬멧맨을 향해 달려들고, 두 사람 몇 합을 주고받다가 최비서의 발차기에 헬멧맨이 쓰러진다! 덩치1, 2, 하영을 다시 잡아 차에 태워 출발하고, 최비서도 따라서 출발한다. 쓰러진 헬멧맨 으으~ 하며 헬멧을 벗으면 성표다!

S#61. 강회장 집, 정원 파티장 / 낮

테이블엔 차와 케이크, 과일 등이 차려져 있고, 연우와 태하가 앉아 있다. 일각에서 태민이가 그런 두 사람을 쳐다보고 있다. (*연우에게 시선 꽂혀서)

태하	(슬쩍, 못마땅) 이젠… 말 좀 그만하죠.
연우	(하!) 내가 뭘 얼마나 말했다고. 이 정도면 준수하구만. (흘기는데)
강회장	(옆에 와 앉으며) 둘이 뭘 그리 속닥거려?
연우	(웃으며) 태하씨가 뭘 너무 안 먹어서, 먹여주려구요. (하면서 일부러 케이크 크게 잘라서 태하 입에 넣어주며) 아~~
태하	!! (강회장 때문에 어쩔 수 없이 일단 먹으면서 하하하… 웃는)
태민	(뭔가 아니꼽다) ……. (태하와 연우 쪽에 와 앉으며) 분위기 좋다?!
태하/연우	(뭐지? 싶어 살짝 경계하는데)
태민	내가 우리 형수 결혼 선물 주고 싶은데, 뭐 좋아해요?
강회장	(웃으며) 선물? (연우 보며) 좋겠다, 우리 연우. 그래, 뭐 필요한

거 있어?

연우　아뇨, 없습니다. (태민 보며) 괜찮아요, 도련님.

태민　(부러) 구두 어때요? 아, 돈이 좋으려나? 저번에 보니까 돈봉투 막 들고 다니던데?? (빙긋)

연우　!! (태민 보며, E) 저 분대꾼이 진짜!!

강회장　돈… 봉투? (하며 연우 보는)

연우　(둘러대며) 돈은… 다 좋아하잖아요. (태민에게) 그래도 됐습니다, 노련님~!

태하　(둘 사이에… 뭐가 있는 건가? 싶은데)

이때, 혜숙과 해령, 서준이 자리에 와 앉는다. 혜숙 등장으로 대화가 일단 멈추는데.

혜숙　(자리에 앉으며, 강회장에게) 아버님. 제가 특별한 선물을 준비했는데….

강회장　웅? 선물?? 뭣 하러 그런 걸 해.

해령　뭔데 뭔데? 울 아버진 돈 젤 좋아하니까~ 현금인가? 금덩어리??

혜숙　보시면 알아요, 고모. (웃으며 차 마시는)

태하　(뭔가 느낌이 안 좋은데, 성표에게 문자가 온다, 확인하는데) …!

성표　(E) 부대표님! 김하영씨, 놓쳤습니다! 거의 다 도착했을 겁니다.

혜숙　(문자 확인하는 태하를 보며 대충 눈치 챈, 피식─ 웃으며 보는데)

태하　!! (일어서며) 할아버지, 저 잠깐 밖에 좀, (하는데)

해령　(앞에서 오는 누군가 보며) 어머~ 저 여잔 누구야??

태하, 흠칫! 해서 돌아보면 최비서가 하영을 데리고 오는 게 보인다. 연우, 누구지? 하고 보다가 놀란 태하에게 시선이 꽂힌다. 뭔가, 느낌이 이상한.

혜숙	(웃으며 일어나서) 아버님, 소개할게요. 이쪽은 태하, (하는데)
태민	(벌떡 일어나 하영에게 가서 어깨동무) 할아버지, 제 여친이에요. 예쁘죠?
연우/태하	?? / !! (뭐지?? 하고, 태민 보는)
혜숙	(!!) 강태민, 너…?!
태민	(하영 보며) 인사 드려. (하며 하영 귀에 슬쩍) 살고 싶으면.
하영	안녕… 하세요. 김하영입니다.
강회장	그래? 태민이 여자친구라고? 녀석아, 깜짝 놀랐잖아!
해령	뭐야뭐야! 언니가 말한 선물이 이거야? (하다) 설마 태민이도 결혼해?!
태민/혜숙	(피식─웃으며) 그럴까? / (그런 태민을 매섭게 보는)

〰 S#62. 강회장 집 앞 / 낮

문이 열리고 태민이 어깨동무 한 채 하영을 데리고 나온다. 태민, 하영을 풀어주며.

태민	(보며) 돈 좀 있음, 외국으로 텨. 최대한 빨리.
하영	(보다가, 뒤돌아서 후다닥 도망치듯 가는)
태민	(흠… 하며 가는 하영을 보는데)

～ S#63. 강회장 집 안, 후미진 일각 / 낮

혜숙, 태민의 뺨을 강하게 내려친다! 태민, 하! 하며 뺨 만지는.

혜숙	(화난) … 너 뭐야…! 뭐 하는 거냐고!!!
태민	말했던 거 같은데. 누구랑 편 먹을지 모르니까 아프게 하지 말라고.
혜숙	강태민!!!
태민	(혜숙에게 다가와) 목소리가 너무 커요, 엄마. 누가 들으면 어쩌려고요.
혜숙	……! (보면)
태민	그런 얕은수론 안 되지. (이죽) 민대표님이 그랬잖아요, 강태하 만만하지 않다고. (흠…) 앞으론 좀 창의적으로 하시죠? (보다가 휙― 가버린다)
혜숙	(주먹 꼭 쥐고, 애써 화를 참는) !

～ S#64. 강회장 집, 주방 / 낮

태민, 냉장고에서 생수 꺼내 마시는데 태하가 다가온다.

태민	이번엔 또 너냐? (생수 따서 마시는데)
태하	… 아까 그 여자, 어떻게 된 거야.
태민	여자친군데 그만 헤어지려고. (하는데) 볼 장 다 봤거든.
태하	(차분하게) 이러는 이유가 대체 뭐야. 무슨 생각이냐고.
태민	궁금하면 맞춰보든지. 나 이제 회사도 나갈 거니까. (가려다가)

심심한데 니 거 다 **뺏어볼까?** (피식— 웃더니 나간다)

태하 　?! (회사??) … (가는 태민을 보는, 어디로 튈지 정말 모르겠다!)
　　　……

〰 S#65. 강회장 집, 정원 파티장 / 낮

태민, 생수 들고 나오는데 연우가 사월이와 다른 도우미들을 도와 정리 중이다.

사월 　(그릇 챙기며, 슬쩍 연우에게 다가와) 애기씨… 잊지 않으셨죠? 자시. 저기… 뒷마당에서 봐요.

연우 　(끄덕이며) 알았어, 이따 봐. (하고는 사월 보며 웃는데)

이때, 쑥— 태민이 다가온다. 사월, 눈치채고 빠르게 이동하고 연우도 가려는데.

태민 　우리 소복이 나한테 빚졌다. 알아?

연우 　(엥?) 낮술 먹었습니까? (하더니 크고 무거운 그릇 태민에게 주며) 이거나 좀 들고 오십시오! (하고는 후다닥 사월이 따라서 가버린다)

태민 　(그릇 들고) 야!! (하다가, 피식— 하는데 문득 연우가 보살펴 준 상처로 시선이 간다) … 빚, 갚은 건가, 내가…? (훗! 웃는)

279

⌒ S#66. 한강 공원 + 주차장 / 저녁

인적이 드문 곳에 택시가 서 있고 하영과 성표가 서 있다. (*뒤에 오토바이)

성표   (비행기표와 캐리어 주며) 있을 곳과 필요한 건 다 준비해됐습니다.

하영   (표와 캐리어 받으며) 알겠습니다. 도와주서서 감사해요.

성표   (자기 어깨 툭툭! 치며 나름 잘난 척) 별 말씀을요.

하영   그럼, 연락드릴게요. (택시에 올라타고 출발한다)

⌒ S#67. 강회장 집, 거실 / 저녁

강회장, 거북이 자수가 놓인 손수건을 받아들고 좋아하고 있다.

연우   생신 축하드려요, 할아버님. 오래오래 건강하세요.

강회장   솜씨가 보통 아닌 걸? 게다가 거북이면 장수의 상징 아니냐!
         아주 맘에 쏙 들어. 고맙다. 어쩜 이리 마음 씀씀이도 고운지….

연우   아닙니다. 할아버님은 태하씨랑 제게 소중한 분인 걸요.

태하   (연우 보는) …. (할아버지에게 마음 써주는 게 고맙다)

강회장   그래? 하하하. 그럼 다행이고. (하는데)

연우   (슬쩍) 그래서 말인데 한아버님께 허락받고 싶은 게 있습니다.

태하   (응? 허락? 하고 보는데)

연우   시댁에 처음 왔으니, 오늘… 자고 가도 될까요? (빙긋)

태하/연우 (헐!!! 눈 커지는) / (태하 시선 피하며, 호호호~ 웃는)

∼ S#68. 강회장 집, 태하 방 / 밤

침대 위에 꽃잎이 뿌려져 있고 가운데는 하트 모양 수건과 커플 잠옷도 보인다.

연우   (눈이 휘둥그레, 침대 앞으로 와) … 이게 다… 뭡니까?

태하   (하…) 뭐긴요. 할아버지 작품이지.

연우   이런 걸… 왜…?

태하   지금 우린 부부니까요. 부부는… 같은 방을 쓰죠, 보통.

연우   (끄덕) 뭐… 부부니까 같이… (하다가, 휙!!) 합방?! 합방하란 말이오?!

태하   ! (손으로 연우 입 막으며) 조용히 좀 해요, 들리겠어요!

연우   (헉! 해서 태하 밀치며, 문 가리키곤) 나가시오! 얼른!

태하   그게 됩니까? 여기 우리 할아버지 집인데?! (하… 하다가) 안 그래도 복잡한데 왜 이런 말도 안 되는 일을 만듭니까?!

연우   (둘러대며) 그냥… 손주며느리 역할에 충실하다 보니… 미안하오. (하는데)

갑자기 태하가 연우를 보더니 앞으로 다가온다. 연우, 당황해서 뒤로 물러나다가 턱! 침대에 다리가 걸려 그대로 앉아버린다. 태하, 그런 연우 옆으로 몸을 포개듯 숙이고.

연우   ! (눈 질끈 감고) 뭐 하는 거요!! (하는데, 뭔가 이상해 눈 뜨고 보면 태하가 연우 옆에 있던 잠옷을 챙겨 들고 있다)

태하   (보며) 뭐 하긴요. 잠옷 챙깁니다.

연우   잠옷…? (하는데)

281

태하	(어이없는) 먼저 씻고 올 테니 쉬고 있어요. (하고 나가는)
연우	아… (하면서 끄덕이다가, 헉!) 응? 먼저 씻어? 왜! 어딜? (하는데)
사월	(E) 으따~ 이 몸 좀 보세요!

∼ S#69. 별채, 연우 방 / 낮 - 연우 회상

연우와 사월, 함께 나란히 누워 염정소설을 보고 있다. 연우, 삽화에 그려진 상의 탈의한 남자 몸을 빤히 보면서 눈을 깜빡이고 있다.

사월	다 좋은데, 공갈이 좀 심하네! 요런 몸 가진 사내가 조선에 어딨다고!(쯧)
연우	! (화들짝) 없어? 진짜?! (하다가) 그걸 니가 어떻게 알아!
사월	아휴~ 왜 몰라요. 내 발에 걸려 넘어진 종놈들만 몇인데. (치!) 이런 몸은 밥도 고봉으로 먹고! 맨날 (이두 운동하며) 요러고 해야 겨우 나올까 말까 하는데, 종놈들은 뻑하면 배곯고, 양반님들은 서책 보느라 엉덩이에 종기날 지경인데, 되겠어요? 그러니 공갈이죠.
연우	(흠~) 그렇구나. (하다가 삽화 보며) 공갈…. (하면서도 보기 좋다)

∼ S#70. 강회장 집, 태하 방 + 방 앞 / 밤 - 현재

연우, 아련한 얼굴로 삽화 속 몸을 떠올리다가, 헉! 한다.

연우	(도리질) 미쳤어! 무슨 몸?! (괜히 손부채질 하며 침대에 앉더니)

마하반… 마하… 마하반 (불경 외우는데 자꾸 틀리는) 마하반
야… 마하반야!!

방 앞/ 태하, 나오는데 휴대폰이 울린다. 보면, 성표고.

〰 S#71. 강회장 집 앞, 성표 차 안 / 밤

태하와 성표, 차 안에 앉아 있다.

성표 김하영씨는 오늘 밤 비행기로 출발할 겁니다.
태하 미국 도착한 후에도 체크업 계속 하세요.
성표 네! 참, 그리고. (뒷좌석에서 작은 쇼핑백 꺼내 주며) 이거 연우님
      겁니다.
태하 (쇼핑백 안을 보면 연우의 노리개다. *2부 S#69 / 훨씬 검게 변한) 이
      건…?
성표 나래가 결혼식 날 챙겨왔는데, 갖다 드린다는 걸 깜빡해서요.

이때, 성표에게 문자가 온다. 성표, 문자를 확인하다가 엄청난 걸 본 듯 눈
이 커진다.

성표 (!!) 부대표님! 이… 이것 좀 보셔야겠는데요? (하며 휴대폰 보여
      주는)
태하 (뭐지? 해서 보는데)

S#72. 강회장 집, 태하 방 / 밤

어느새 잠든 연우, 악몽을 꾸는지 괴로운 듯 몸을 이리저리 움직이고 있다.

S#73. 우물 안 / 밤 - 연우 꿈속

물 아래로 가라앉는 연우에게로 초록색 나비 한 마리가 날아오더니 이내 우물 위로 날아올라 간다. (*나비시점이 연우시점이 되는) 나비의 시점 끝에 우물 위에서 내려다보며 뭐라 말하는 (*소리가 뭉개져 잘 안 들림) 남자의 모습이 흐릿하게 보인다.

S#74. 강회장 집, 태하 방 / 밤 - 현재

연우, 헉! 하면서 눈을 뜬다. 가쁜 숨을 몰아쉬는데… 꿈이다. 몸을 일으켜 앉는.

연우   (답답한) 분명… 뭐라고 했는데… (뭔가 기분이 이상하다) ….
           (고개 돌려 보는데 어느새 시계가 11시를 가리키고 있다)

S#75. 강회장 집, 별채 인근 / 밤

연우, 휴대폰을 손에 들고 별채 쪽으로 오고 있는데 사월이가 안 보인다.

연우   사월인 아직인가? (하고 주변을 둘러보는데)

⌒ S#76. 강회장 집, 태하 방 + 성표 차 안 / 밤

태하, 다급히 안으로 들어오는데 연우가 없다! 뭐지? 해서 휴대폰을 꺼내
목록에서 〈박연우씨〉를 찾아 전화를 건다. 신호가 울리다가 받는.

태하   박연우씨! (하는데 뚝ー 끊긴다) ! (다시 거는데 또 뚝ー!) ….
           (성표에게 전화 거는, 통화) 홍비서, 박연우씨가 사라졌어요.
성표   또요?? 전화해보셨어요?
태하   안 받아요, 어딜 간 건지.
성표   (아!) 제가 연우님 휴대폰에 위치추적 앱 깔아놨습니다. 워낙
           예측불허라 해둔 건데 일단 그걸로 확인해보십시오, 저도 바로
           가겠습니다.
태하   알겠어요. (끊고, 자기 휴대폰의 위치추적 앱 켜 보는)

⌒ S#77. 강회장 집, 별채 인근 / 밤

연우, 사월을 기다리고 있는데 갑자기 바람이 불어오고 주변 모든 시공간
이 멈춘 듯 하더니 꿈에서 본 초록나비가 눈앞으로 지나간다! 연우, 놀라
서 나비를 쫓아 시선 돌리는데 그 끝에 천명(*현대 복장)이 서 있다! 천명,
연우를 보며 빙긋 웃는!

연우   (!!) 천…명?!!

천명   (등을 돌리더니 나비와 함께 어디론가 향한다)
연우   (천명 보며) 자, 잠깐! 기다려! (하며 쫓아가는)

연우가 천명을 쫓아 움직이자 바람이 불고 멈춰 있던 시공간이 다시 움직인다!

∾ S#78. 강회장 집, 뒷산 / 밤

연우 쪽/ 연우, 어두컴컴한 뒷산을 정신없이 달려가며 주변을 살펴본다. 멀리 더 깊은 숲속으로 나비가 날아가는 게 보인다. 연우, 그리로 향하고.

태하 쪽/ 태하와 성표, 태하의 휴대폰 위치추적 앱을 보며 숲으로 들어가고 있다.

싱표   (숲을 돌아보며) 언우 님은 왜 여기까지 오신 거죠?
태하   일단 찾는 게 먼저예요. (휴대폰 보며) 저 안쪽으로 가면, (하는데)

앱이 먹통이 된다. 태하, 어?! 하며 앱을 껐다가 다시 켜보는데 여전히 안 된다.

태하   안 되겠어요. 난 이쪽으로 가 볼 테니, 홍비선 저쪽으로 가 봐요.
성표/태하   알겠습니다! (하고 가고) / (숲 안쪽을 쳐다보다가 뛰어가는)

286

⌒ S#79. 강회장 집, 뒷산 더 깊은 일각 / 밤

연우, 나비를 쫓아 정신없이 가고 있는데 그런 연우 뒤에서 따라가는 후드를 뒤집어 쓴 남자(*후드맨)가 보인다. 연우, 후드맨의 존재를 모르고 계속 안으로 들어간다.

태하 쪽/ 태하, '박연우씨!' '박연우씨!' 연우의 이름을 부르며 쫓아가는데 그 위로,

성표 (E) 부대표님, 의뢰하신 박재원 대감의 자룝니다.

⌒ S#80. 강회장 집 앞 공원, 성표 차 안 / 밤 - 회상

태하, 〈박재원 대감 관련자료〉란 제목의 첨부파일을 보고 있다. (*파일 속 이조판서, 박재원, 함양, 외동딸 박연우, 황화방 등 글자가 진하게 보이는)

태하 (성표의 휴대폰을 보고 있다, E) 이조판서 박재원. 본관은 함양….
    (!)

〈플래시컷// 3부 S#45. 본관은 함양이시고 박 재자 원자에 이조판서라 말하는 연우.〉

태하 (눈으로 읽으며, E) 현재 행정구역인 정동 일대인 황화방에 거주
    했으며,

〈플래시컷// 3부 S#24. 예전 이곳이 한성부 서쪽의 황화방이었다고 말하는 연우.〉

태하   (중얼) 슬하에 자녀는 외동딸로 이름은⋯ (!) 박⋯ 연우다! (!!!)

S#81. 강회장 집, 뒷산 더 깊은 일각 / 밤 – 현재

태하, 연우를 찾아서 확인해봐야 한다! 휴대폰 손전등으로 주변을 살피며 가는.

S#82. 강회장 집, 뒷산 열녀비 일각 / 밤

연우, 바로 앞에서 날아가는 나비를 쫓아가는데 갑자기 눈앞에서 나비가 사라진다!

연우   뭐야⋯ 어디로 간 거야⋯. (주변 살피며) 어디⋯ (하는데)

이때, 어디선가 초록빛이 반짝거리고. 연우, 그쪽으로 시선을 돌리는데 수풀 사이로 열녀비(*烈女朴氏之閭)가 보인다. (*전체 한자가 아닌, 열녀(烈女)만 보이는)

연우   (?) 저게⋯ 뭐지? (하고 다가가려는데)

이때, 후드맨이 연우 뒤에서 천천히 다가온다. 그러다 나뭇가지를 밟아 바스락! 소리가 나자 연우가 휙! 뒤를 돌아본다. 하지만 아무도 없고.

연우   … (이상한, 앞으로 가며) 거기… 누구 있소? (하다) 천명… 자넨
            가?

연우, 천천히 앞으로 걸어가는데 뒤쪽에서 그런 연우를 보며 다가오는 후
드맨의 시선!

〰 S#83. 미담 쇼룸 / 밤

쇼룸 중앙에 미담의 심벌인 나비를 주제로 한 자수 작품이 액자에 걸려 있
고, 고풍스럽고 아름다운 고전적인 한복과 현대적인 느낌의 한복들이 전시
돼 있다. 혜숙, 커다란 나비 자수 액자를 보고 있는데 누군가 다가와 선다.

미담   (E) 오래 기다리게 해서 죄송합니다.
혜숙   (돌아보며, 가벼운 목례) 안녕하세요, 이미담 대표님. (하고 보는
            데)

혜숙을 향해 미소를 보이는 미담은 다름 아닌 연우의 모친이다!!

혜숙   미담의 대표님을 이렇게 뵙다니 영광이네요.
미담   고맙습니다. 저야말로 SH 민대표님께서 직접 연락주셔서 놀
            랐어요. 쉽게 만날 수 있는 분, 아닌 걸로 아는데….
혜숙   (웃으며) 그럴 리가요. 이렇게 대표님 뵈려고 왔잖아요?
미담   그래서… 궁금했어요. 갑자기 이 밤에 찾아오신 이유가 뭔지.

(보는 표정)

〰 S#84. 강회장 집, 뒷산 열녀비 일각 / 밤

연우, 천천히 앞으로 가고 있고… 후드맨, 연우의 어깨를 잡을 정도로 가까이 왔는데 대각선 쪽에서 번쩍! 태하의 휴대폰 손전등 불빛이 반짝이자 쳐다본다! 태하 시선에서 좀 떨어진 곳의 연우가 보인다. (*후드맨은 나무 뒤에 가려 안 보이는)

태하   (!!) 박연우씨!!! (하며 연우 쪽으로 달려가는)

후드/연우   (태하 목소리에 휙− 몸을 숨기는) / (태하가 부르자 뒤를 돌아보는데)

순간, 또 시공간이 멈춘 듯 하며 연우와 태하 사이에 초록나비가 날아간다. 동시에 파바밧! 낯선 기억들이 마구 떠오르는 태하!

〈인서트// 조선태하의 기억.(*마치 흐릿한 흑백필름처럼 컷컷으로 떠오른다.)
- 어린연우, 복건(*어린태하의)을 들고 냇가를 뛰어다니며 도망치고 있다.
- 냇가에서 돌탑을 함께 쌓고 있는 어린연우와 어린태하.(*얼굴 안보이는)〉

〈플래시컷//
1부 S#42. 원망스럽게 나뭇가지를 조선태하에게 휘두르는 연우.
1부 S#44. 서로를 끌어안고 있는 조선태하와 연우, 낙화놀이가 시작된다.〉

태하   !! (이게 다… 뭐지? 하는데)

이내, 나비가 사라지고 시공간이 움직이더니 태하를 돌아보던 연우가 발을 헛디디며 뒤쪽 언덕 아래로 굴러 떨어질 것처럼 비틀거린다! 순간, 태하가 '박연우씨!' 하며 달려와 연우를 끌어안지만 결국 함께 언덕 아래로 구르는데!

(엔딩)

5부

—

통…하였습니까?

S#1. 강회장 집, 뒷산 열녀비 일각 / 밤 - 4부 S#84 이어서

태하, 연우를 찾아오다가 저 멀리 연우의 모습을 발견한다.

태하   (!!) 박연우씨!!! (하며 연우 쪽으로 달려가는)

연우, 태하가 부르자 뒤돌아보는데 순간, 연우와 태하 사이로 초록나비가 날아가며 또 시공간이 멈춘다! 동시에 파바밧! 낯선 기억들이 마구 떠오르는 태하!

〈인서트// 조선태하의 기억.(*마치 흐릿한 흑백필름처럼 컷컷으로 떠오른다.)
- 어린연우, 복건(*어린태하의)을 들고 냇가를 뛰어다니며 도망치고 있다.
- 냇가에서 돌탑을 함께 쌓고 있는 어린연우와 어린태하.(*얼굴 안보이는)〉

〈플래시컷//
1부 S#42. 원망스럽게 나뭇가지를 조선태하에게 휘두르다가 우는 연우.
1부 S#44. 서로를 끌어안고 있는 조선태하와 연우, 낙화놀이가 시작된다.〉

태하, 이게 뭐지? 놀라는데 나비가 사라지고 시공간이 움직이더니 연우가 발을 헛디디며 뒤쪽 언덕 아래로 굴러 떨어질 듯 비틀거린다! 순간 태하가 '박연우씨!' 하며 달려와 연우를 끌어안고 언덕 아래로 굴러 떨어진다. 연우를 꼭 끌어안은 채 쓰러진 태하*. 잠시 후, 태하가 먼저 '으으' 하며 몸

---

* 태하가 연우를 품에 안고 굴러서 연우 얼굴엔 상처가 없다. 태하는 볼 옆에 살짝 긁힌 상처 보이고.

을 일으키는데 보면 연우는 기절한 상태다.

태하   ! (기절한 연우 보며) 박연우씨!! (하는데)

이때, 반대쪽에서 성표가 휴대폰 손전등을 켜고 '부대표님!' 하고 뛰어오는 게 보인다. 한편, 일각의 후드맨은 어둠 속으로 사라지고. 태하, 연우를 걱정스럽게 보는데.

TITLE 5부. 통…하였습니까?

⌒ S#2. 강회장 집, 별채 인근 / 밤

사월   (연우 기다리는) 왜 이리 안 오시는 거야… (하는데)

이때, 연우를 업고 오는 성표와 그 옆에 태하가 보인다. 사월, 뭐지? 해서 보는데.

사월   누구지…? (연우 발견) !! (성표에게 달려와 연우 살피며) 애기씨?!!
태하/성표   !! (놀라서 보는… 뭐지?)

⌒ S#3. 강회장 집, 태하 방 / 밤

성표, 연우를 침대에 눕히자 사월, 연우 살피며 어쩔 줄 몰라한다.

사월	(연우 살피며) 애기씨… 괜찮으세요?? 정신 좀 차려보세요….
성표	(슬쩍) 저… 근데 연우님하곤 어떻게… (아는 사이냐, 하려는데)
사월	(휙! 뒤돌아 태하 보며, 멱살 잡을 듯) 대체 어찌 된, (하는데)
태하/성표	!! (놀라서 사월 보는)
사월	! (도련님 패스!, 성표 멱살 잡고) 울 애기씨, 왜 저래요! 왜 저러 냐고!
성표	!! (멱살 잡혀) 아니, 저 그게… 전 잘 모르는데….
사월	(잡고 흔들며) 언 놈이야!! 언 놈이 그랬어!!!
성표	(SOS) 부… 부대표님~~~ (하는데)
태하	(정신 사납다) 그만! 그만 해요, 둘 다!!
성표/사월	! (멈칫!) ….
태하	(성표에게) 데리고 나가요, 조용히. (다시 연우 보는)
성표	네! 알겠습니다. (사월 옷소매를 잡는데)
사월	(성표 손등 찰싹 때리곤 흘겨보다가, 다시 연우 보며 걱정) 애기씨….

성표, 사월을 달래듯 데리고 나가고. 태하, 연우를 보고 있는데 머릿속이 혼란하다.

⌒ S#4. 강회장 집, 거실 / 밤

성표와 사월, 주변! 살피며 조심스럽게 내려오는데. 성표, 힐끔 사월을 보며,

성표	(작게) 근데… 우리 초면 아니죠?
사월	(작게, 꿍얼거리며) 뭐래~ 대놓고 초면인 낯짝인데. 꿈 꿨소? (하! 하는데)

이때, 인기척이 들린다. 성표와 사월, 소파 뒤로 후다닥 숨는데 혜숙이 들어온다.

소파 뒤/ 사월, 혜숙을 보며 슬쩍 움직이다가 성표 발을 꾹! 밟는다. 성표, 악!!! 사월, 한 손으론 성표 팔뚝, 다른 손으론 성표 입을 틀어막는데 은근 성표 팔뚝이 실하다?! 얼레? 싶은데 성표는 코앞으로 다가온 사월 때문에 두근두근! 한다.

혜숙 쪽/ 방으로 가려던 혜숙, 소리가 들리자 소파 쪽을 쳐다보더니 다가오다가 휴대폰 문자 진동이 오자 확인하고는 그냥 방으로 가는.

사월	(긴장 풀려) 하… 큰날 뻔 했네. (하는데)
성표	(콩닥콩닥, 사월 보며 반한) … 그러게요, 큰일… 큰일이네….
사월	?? (뭐래…??)

～ S#5. 강회장 집, 혜숙 방 / 밤

혜숙, 화장대로 와 액세서리를 빼며 거울을 보는데.

～ S#6. 미담 사무실 / 밤 – 회상 (＊4부 S#83 이어서)

미담과 마주 앉아 있는 혜숙, 서류봉투를 건넨다. 미담, 뭐지? 하며 보는데

혜숙	SH서울, 개점 1주년 행사 관련 제안섭니다.

미담	? (서류 보며) 제안서는… 강태하 부대표에게 이미 받았는데요.
혜숙	알고 있습니다. 이건 제가 따로 준비한 거예요. 어떤 제안이 미담에게 더 어울릴지 고민해 주셨으면 해서요.
미담	… 강태하 부대표도 알고 있나요?
혜숙	(훗) 왜요? SH서울 대표는 접니다만.
미담	(혜숙 태도가 맘에 안 드나, 예의 있게) 그렇군요. SH는 큰 회사라 좀 다른가보네요, 시스템이. 이런 식의 제안은 오해를 살 것 같은데….
혜숙	어차피 사업은 All or Nothing이죠. 결과를 내려면 뭐든 해야 하구요. 그만큼 제게 미담이 필요하단 소립니다.
미담	(찌르듯) 강부대표를 견제하기 위해서요?
혜숙	(미소) 제안은 제안일 뿐이니까 더 이익이 되는 쪽에 서주시면 됩니다.

∽ S#7. 강회장 집, 혜숙 방/ 밤 – 현재

혜숙, 미담의 태도가 불쾌한 듯 있다가 최비서에게 전화 거는.

혜숙	내일 이사들하고 점심 좀 해야겠어. (표정)

∽ S#8. 강회장 집, 태하 방 / 밤

태하, 아직 정신을 못 차린 연우를 여전히 보고 있다.

〈플래시컷//

2부 S#14. 태하를 보며 와락 꺼안으며 '서방님!' 하는 연우.

2부 S#33. 호텔 창밖의 경복궁을 보다가 쾅! 창문을 들이박는 연우.

3부 S#6. 난 '조선에서 왔소!'라고 외치는 연우.

3부 S#19. 배롱나무 아래에서 어머님… 아버님… 하며 울던 연우.〉

태하, 혼란한 듯 도리질을 하는데…. 연우가 스륵 눈을 뜬다!!

연우	(스륵— 눈을 뜨는) …. (방인 거 확인하고) 내가 왜… 여기에….
태하	(!) 정신 들어요?
연우	… (일어나려는데 오른쪽 손목 아래가 쓰라린) 아…! (보면, 손목 상처고)
태하	(연우 상처 보는) ….

⌒ S#9. 강회장 집, 전경 / 밤

⌒ S#10. 강회장 집, 태하 방 / 밤

태하, 알콜스왑으로 연우 상처를 소독해준다. 연우, 따가워서 아!! 하는데.

태하	(연우 봤다가, 후… 불어주며) 좀 참아요.
연우	(살짝 민망한데 태하 얼굴의 상처 발견, !) 나 땜에 다친 거요?
태하	괜찮아요, 별거 아니니까. (연고 발라주는)
연우	(미안하고, 고마운) 미안해요.

태하	숲엔 왜 간 겁니까?
연우	(E) 천명 얘긴 안 믿겠지?? (둘러대며, ON) 답답해서 바람 좀 쐬려다… (슬쩍) 헌데 그 숲은 뭐요? 비석 같은 것도 있던데…. 사람이 사는 곳이오?
태하	아뇨. 거긴 길도 없고 위험해요. 그러니까 다신 가지 마요.
연우	알겠소…. (하며 태하 보는데)
태하	(생각 많은 얼굴로 연우의 상처 위에 밴드를 붙여 준다) ….

∽ S#11. 강회장 집, 정원 / 밤

태하, 성표와 통화 중이다.

성표	(F) 연우님께 확인해보셨어요? 그 조선에서 왔다는 거….
태하	… 아뇨, 이해가 전혀 안 돼서… (하다가) 박연우씨 자료 어디서 받은 겁니까? 내가 직접 만나봐야겠어요. (표정)

∽ S#12. 대학교 사학과 교수 연구실 / 다음날, 아침

태하(*얼굴에 작은 상처)와 성표, 남교수가 마주 앉아 있다.

남교수	(한문 자료 복사본 보여주며) 박재원은 조선 후기 유명한 실학잡니다. 부친이신 박현 역시 내로라하는 학자였구요. 집안 자체가 명문가였죠.
태하	그 딸이라는 박연우의 자료, 더 있을까요?

남교수	(흠…) 여긴 이름밖에 없긴 한데 좀 더 찾아보겠습니다.
태하	박재원이 살았다는 황화방이 지금 그랜드 서울 호텔과 가깝나요?
남교수	그랜드 서울이요?? (고지도 보며) 호은당이 이쯤이니… 비슷한 위치네요.
성표	(?) 호은당이요? 거긴 또 어딥니까?
남교수	아, 박현의 아호가 '호은'이었거든요. 그래서 사람들이 박재원 대감댁을 호우당이라 불렀죠.
태하	(지도를 보는데, 생각이 더 많아진다)

⌒ S#13. 대학교 주차장, 성표 차 안 / 아침

태하, 뒷좌석에 앉아서 태블릿으로 화면을 보고 있고. 그 옆에 성표가 앉아 있다.

〈CCTV화면// 2부 S#14. 수영장 물속에서 솟구쳐오르는 연우.〉

| 성표 | 부대표님과 제가 들어온 후, 연우님이 튀어나오십니다. 이전 영상 어디에도 물로 뛰어드는 모습은 없었구요. 그리고 수영장 배롱나무 말인데요. |

〈인서트// 밤 → 아침으로 시간 경과 되면서 꽃이 피는 호텔의 배롱나무. 밤, 잎만 무성하던 배롱나무에 꽃봉오리 한 개가 열리더니 이내 꽃망울을 터트린다.

성표   (E) 지금까지 제대로 꽃을 피운 적이 없었답니다. 근데,

아침, 배롱나무에 꽃들이 만개해 있다.〉

성표   연우님이 나타난 날 꽃이 활짝 폈다네요. 그리고, 이건 제 생각
           인데요. 그 사월씨란 분도 아무래도 조선에서 온 것 같습니다.
태하   그렇겠죠, 어제 그 반응을 봐선. (흠)
성표   (하!) 조선에서 어떻게… 말도 안 돼. (중얼) 그 사월씬 어떻게
           회장님 댁에 있는 거지? (태하 보며) 이거… 실합니까?
태하   (혼란하고 난감한)

〜 S#14. 강회장 집, 태하 방 / 아침

연우, 침대에 대자로 누워 쿨쿨 자고 있는데 '… 일어나세요! 애기씨!' 하
는 목소리가 들린다. 연우, 시끄러운 듯 손사래 치며 부스스 눈을 뜨는데
사월이 얼굴이 보인다.

연우   (?) 사… 월… (!) 사월이?! (벌떡) 뭐야! 조선이야?! 조선이구나
           아~~

하다가 주변을 보는데 여전히 새조선이고 팔짱 낀 사월이가 그런 연우를
보고 있다.

연우   (그제야) 아니네. (쩝-)
사월   조선은 무슨, 가는 방법도 모르신다면서.

연우	(기지개 커며) 갑자기 니 얼굴 보이니까 그랬지. (하품)
사월	어젠 어찌 되신 거예요! 산적 같은 사내한테 업혀 오셔서 얼마나 놀랐는데요!! (연우 살피며) 몸은 괜찮으신거죠?
연우	산적…? 잘생긴 꽃선비 아니고?
사월	꽃선비? (!) 도련님 말고요! 그 옆에 왜 팔뚝 실~한 산적 하나 있더만.
연우	(아!) 홍가양반?! 홍가양반이 날 업고 왔어?!
사월	그니까 어제 어찌 된 거냐구요!
연우	! (사월 손잡고) 나… 돌아갈 방법 찾은 거 같아!! (표정)
최이사	(E) 강부대표가 결혼을 했다구요??

〜 S#15. 고급 한정식집 안 / 낮

식사가 끝난 후 혜숙과 황명수, 이사들이 차를 마시고 있다. 이사들, 결혼이요? / 아니 그게 무슨… / 갑자기 무슨 말입니까? 다들 놀란 눈치인데.

최이사	(당황) 민대표님 이게…?! (하…) 언제, 누구랑 결혼했단 겁니까?
혜숙	것보다 회장님께서 강부대표를 SH서울 대표로 올리시려고 합니다. (부러 흘리듯) 결혼도 했으니까요.
고이사	예? 아니 강부대표 결혼과 대표 자리가 무슨 상관입니까?
황명수	그러게요~ 회사가 무슨 결혼 선물도 아니고. 말도 안 되죠! (하는데)

이때, 문이 열리더니 강회장이 들어온다. 혜숙과 황명수, 이사들 모두 놀라 벌떡 일어선다. 강회장, 쓰윽— 주변을 둘러보더니 이내 썩— 웃으며.

강회장	내가 좀 늦었네. 다들 밥은 잘 먹었어? (자연스럽게 상석으로)
혜숙	! (상석 내주는) ….
강회장	(앉으며) 축하들 안 해줘? 내 손주가 결혼했다는데.
이사들	!! (축하드립니다! / 좋으시겠어요 / 든든하시겠어요!! 한마디씩 하는)
혜숙/황	(못마땅한) … / (눈치 보며 앉는)
고이사	회장님, 하나 여쭙겠습니다. 강부대표를 SH서울 대표로 생각하시는 겁니까? 결혼 때문에요? 만약 그러시다면 안 될 입니다.
강회장	역시 고이사야~ 할 말은 하는구만! 내 말은 미담하고 준비 중인 거 강부대표가 잘 끝내면 얘기해보잔 거야. (혜숙 보며) 안 그래, 민대표?
혜숙	제가 오햏 좀 했네요. 네, 알겠습니다. 그 문젠 1주년 행사 끝나고 절차대로 논의하죠. (강회장 보며) 필요하다면요.
강회장	그럼~ 뭐든 절차대로 해야지!! 암~! 허허허.
혜숙	(미소 띠며 차를 마시지만, 눈매는 차갑고 날카롭다!)

〜 S#16. SH서울, 마케팅팀 사무실 / 낮

하나, 샌드위치 먹으면서 컴퓨터 작업 중인데… 현정과 석주가 커피를 들고 들어온다.

현정	하나씨, 또 샌드위치? 점심 때 일하면 (농담) 앞으로 패널티야. 석주씨, 섬세하게 만 원씩만 걷자 우리.
석주	(손으로 봉투 만들어) 대리님~ 일만~원요! (헤헤)
하나	팀장님이 주신 미담 자료, 부대표님 보시게 정리 중이었어요. (회사 전화 와서 받는) SH서울, 유하나 대립니다.

윤재	(F) 안녕하십니까, 미담 도윤재입니다.
하나	(!) 네, 도실장님! (하며 현정 보는)
현정/석주	(미담? 미담? 하며 다가오고) / (오!)
하나	(듣다가, 표정 바뀌며) 제안을 거절 하신다구요? (필사적으로) 일단 만나서 얘기하시죠. 원하는 조건 있으시면 언제든, (하는데)
윤재	(F) 죄송하게 됐습니다. 제안 주신 건 감사드리구요, 그럼. (끊는)
하나	(!) 도실장님! 도실장님! (하다) 하….
현정	왜? 미담에서 안 한대?? (헐) 어쩌지? 행사도 얼마 안 남았는데.
석주	팀장님, 이거 미담이랑 꼭 해야 하는 거 맞죠? (하는데)
하나	(뭔가 생각) … (일어서며) 저, 부대표님 좀 뵙고 올게요. (나가는)
현정	하나씨!! (부르다가) 자기가 간다고 뭐 달라져? 미치겠네, 진짜.
석주	이거 안 되면 부대표님은 어떻게 되는 거예요?
현정	뭐긴! 섬세하게 쫑나는 거지. 민대표님이 그냥 두진 않을 걸?

〜 S#17. 미담 사무실 / 낮

미담, 한복 스케치 중이고 윤재가 옆에 서 있다.

윤재	(아쉬운) 한 번 더 생각해보시죠. 강부대표 제안, 꽤 괜찮았는데.
미담	아쉽지만 어쩌겠어. 이미 마음 정한 일인데.
윤재	알겠습니다. (인사하고 나가는)
미담	(스케치 하다 멈추고) 흠…. (생각 많아진다)

〜 S#18. SH서울, 태하 사무실 / 낮

몇 번의 노크 소리가 들리다가 문이 열리고 하나가 조심스럽게 들어온다.

하나   (인사하며) 죄송합니다, 부대표님…. (하다가 멈칫!)

보면, 태하가 의자에 앉아 눈을 감고 있다. 창가 햇빛이 태하를 향해 쏟아지고. 당황한 하나, 나가려다가 햇빛이 마음에 걸려 창가로 가 블라인드를 내리고 돌아보는데 태하 얼굴의 상처가 보인다. 상처? 해서 보는데 인기척 느낀 태하가 눈을 뜬다.

태하   (하나 보며, 건조한) 뭡니까, 유하나씨.
하나   !! (뒤로 물러서며) 죄송합니다.
태하   뭐 하는 거냐구요, 여기서.
하나   (!) 아… 미담에서 연락이 왔습니다. 급히 보고드려야 할 것 같은데, 홍비서님께서 자릴 비우셨길래. 죄송합니다.
태하   (자세 고쳐 앉으며) 그래서, (하나 보며) 미담은요.
하나   (난감) 저희 제안 거절하겠다고 합니다.
태하   (!) 거절 한다구요?
하나   네… 그래도 한 번 더 설득해볼 생각입니다.
태하   (하…) 알겠습니다, 나가보세요. (하다가) 아, 그리고. 앞으론 급해도 웬만하면 홍비서 통해 전달하세요.
하나   네… 주의하겠습니다. (돌아서는데 뭔가 서운한)

이때, 밖에서 '부대표님' 하면서 다급히 성표가 들어온다. 하나, 성표에게 인사를 하자… 성표도 하나에게 대충 '아, 예…' 눈인사.

성표/태하   (태하 앞으로 와) 회장님께서 오셨습니다. / (할아버지가??)

⌒ S#19. SH서울 옥상, VIP 라운지 카페 / 낮

강회장, 조각 케이크를 맛나게 먹고… 태하 그 앞에서 차를 마시고 있다.

강회장   얼굴은 또 왜 그래? (농저럼) 부부싸움이라도 했어?
태하   (상처 만지며) 아뇨. 그냥 좀 긁혔어요.
강회장   (보다가) 연우 말이다. 이탈리아로 돌려보내면 어떻겠니?
태하   (?!) 이탈…리아요? (하는데)
강회장   네 결혼, 이사들도 다 알게 됐어. 애미가 말한 모양이다.
태하   ! (놀랐지만 예측했던 일이다)
강회장   왜, 겁나? SH 주인이 되려면 이 정돈 해결해야지. (흠) 태하야,
         권력은 공백을 허용하지 않아. 이사란 놈들… 꽤 시끄럽게 굴
         텐데 괜히 연우 고생시키지 말고 보내. 그게 모두를 위해 좋을
         게다. (태하 보는)
태하   …. (생각 많은 얼굴이고)

⌒ S#20. 강회장 집, 정원 / 낮

연우가 사월의 손을 잡고 끌고 가다시피 나오고 있다. (*뒷산으로 가려고)

사월   아니~ 뭔 뒷산에 천명이 있다고 이 난리세요, 난리가! 그 밤에
         뭔 중뽑났다고 산에 가서서! (의심) 헛거 보신 거 아녀요?

연우	맞다니까!! 천명을 만나면 조선으로 돌아갈 방법을 찾을 수 있을 거야!
사월	저는요~ 돌아가신 서방님이랑 똑 닮은 이 댁 큰 도련님과 애기씨가 다시 혼인한 데 그 답이 있다고 봐요.
연우	답?? 그게 무슨 소리야?
사월	원하는 걸 얻으면 조선에 갈 수 있다면서요. 그게 뭐겠어요? 애기씨랑 도련님의 (비장한) 초야죠, 초야!
연우	(아…) 초야… (하나가 빽) 초야?!!!!!

연우의 빽! '초야!!' 하는 소리에 푸드덕 새들이 날아가고!

사월	배부르고 등 따시게 살던 애기씨가 뭐가 아쉽겠어요? 헌데 초야도 못 치르고 보쌈까지 당하셨으니~ 아쉬울 건 딱 하나죠! 서방님과의 뜨거운 밤!
연우	(사월 입 막으며) 됐거든! 그딴 뜨거운 거?!
사월	(연우 손 떼 내며) 두 분 정말 별일 없으셨어요? 다 큰 남녀가 한 집서 지지고 볶다보면 그 뭐 (연우 손잡고) 손을 잡는다든가. (입술 내밀며) 입술을 부딪친다든가, (하는데)
연우	!! (사월 손 놓으며) 입술은 무슨! (하는데, 문득)

〈인서트// 4부 S#1. 연우와 태하가 박치기 하던 상황에서 화면이 일시 정지됐다가 되감기처럼 빠르게 거꾸로 돌아가면서 태하에게 뽀뽀하는 연우에서 다시 스톱!〉

연우	(헉! 하며 입을 틀어막는다)
사월	(이상한) 왜요?! 뭐 있었어요? 있었구만!!

연우   (!, 딴청) 있지! 할 일이 아직 있지. 가자, 어서! (앞장 서서 가는)

사월   (쫓아가며) 아닌데! 뭐가 있는 거 맞는데!!

⌢ S#21. 강회장 집, 태민 방 + 정원 일각 / 낮

태민, 창 쪽에 서서 아래를 내려다보고 있다. 보면, '몰라!' 하면서 가는 연우와 쫓아가는 사월이 보인다. 태민, 연우에게 시선을 두고 웃는.

⌢ S#22. 강회장 집, 정원 일각 / 낮

사월이 '뭐 있는 거 맞죠?!' 하며 쫓아오고, 그런 사월에게 연우가 고개 돌려 '모른다니까!' 외치는데 사월이 뭔가(*태민) 보고 어색하게 하하 웃으면서 빠지는데.

연우   (사월 보며) 야! 어디가! (하며 쫓아가려는데)

태민   (막아서며) 니들 가짜결혼 뽀록났더라?

연우   (?!) 그게… 무슨 말입니까?

태민   어제 왔던 그 여자, 강태하 계약 신부일 걸? 내 추측인데 맞을 거야. 민대표 작품이거든. 그니까 조심하라고~ (연우 어깨 툭-치고 간다)

연우   (머릿속이 또 복잡해지는) ….

〜 S#23. 강회장 집, 거실 / 낮

연우, 복잡한 얼굴로 들어오는데 해령이 테이블에 커다란 상자(*한복이 든)를 놓고 앉아 있다.

해령   조카며느님? 잠깐 나 좀 볼까? (빙긋)

〜 S#24. 강회장 집, 다이닝룸 / 낮

태민, 커피를 마시고 있는데 해령이 콧노래 흥얼거리며 들어온다.

태민   왜 그렇게 신났어?
해령   태하 와이프, 가정교육 중이거든.
태민   (풉ㅡ!) 가정교육? 고모가?
해령   야! 나 종갓집 큰 며느리였거든?! (치!) 쟤 말야, 아부지랑 태하가 너~무 싸고 돌잖아. 첨부터 꽉 잡아 놔야지. 우리 집이 보통 집이니?
태민   보통 아니게 콩가루지. (가려다 뭔가 보고 멈칫) !

보면, 한복을 곱게 차려입고 비녀까지 한 연우가 들어온다. 태민, 그런 연우의 모습에 놀란 듯 보고 있다. 해령, 뭐지? 해서 돌아보다가 헉!

연우   (여유만만) 고모님, 뭐부터 할까요? (하는데)
태민   (해령에게 슬쩍) 교육은 고모가 당하겠는데? (피식!)
해령   (헐!! 이대로 당할 내가 아니다!)

310

S#25. 몽타주 (*집안일은 꽝인 연우) / 낮

1. 다이닝룸/ 해령과 태민, 식탁에 있고 연우가 쟁반에 음식 들고 오는데 폼이 불안하다. 연우, 비틀비틀 오다가 해령 옷에 반찬들을 쏟고! 해령, 으악!! 태민, 헐!

2. 주방/ 연우, 어설프게 설거지하는 중. 미끄러운 세제 때문에 그릇을 팍! 팍!팍! 계속 깨고, 그때마다 뒤에서 지켜보던 해령은 헉!헉!헉! 하며 눈 커지는.

3. 거실/ 연우, 사과 깎는데 엉망진창이다. 불안하게 보던 해령, '이리 내!' 시범 보이는데 엄청 잘하고. 연우가 폭풍 칭찬하자 해령은 토끼까지 만든다. 연우, 사과 한쪽 해령 입에 넣어 주고 자기도 먹고는 엄지 척! 하고 가는데 해령, 뭔가 당한 느낌이고.

S#26. 강회장 집, 정원 뒷마당 / 낮

연우와 사월, 두 개(*앞뒤로 선)의 빨랫줄에 이불 홑청을 널고 있다.

사월	근데 이 집은 돈도 많음서 왜 이불 빨래 이러고 한대? 여튼 조선이던 새조선이던, 있는 놈들이 더 해요. (쫏!) 귀찮게스리~
연우	뭐야… (장난스레 흘기며) 그거, 내 얘기야?
사월	(딴청) 아이쿠! 냄비 올려둔 걸 깜빡했네! (후다닥 가는)
연우	(괜히) 어쭈~ 야! 너 어디가!! (했다가 가는 사월 보며 웃는)

혼자 남은 연우, 이불 홑청을 너는데 이때, 뒤쪽에서 태하가 모습을 드러낸다. 태하, 하얀 홑청 사이로 보이는 한복 입은 연우가 조선에서 당장 튀어나온 듯하고, 그 모습에 이끌리듯 천천히 바라보며 다가가는데. 연우, 사월인 줄 알고 말을 건넨다.

연우   사월아, 할아버님이 제주도란 섬에 대해 얘기해주셨던 거, 기억 나? 아주 큰 섬인데 혼자 멀리 떨어져 외롭다고 하셨잖아. 여기 새조선에서 난… 내가 꼭 그 섬 같았거든? 근데… (사이, 뭔가 생각하는)

〈플래시컷//
4부 S#29.

혜숙   부부 놀이 언제까지 하려고? 사람 봐 가면서 건드려.

4부 S#31. 힘겹게 웅크리고 잠든 태하의 모습.

S#22.

태민   니들 가짜결혼 뽀록났더라? … 그니까 조심하라고~〉

연우   … 그 사람도 그런 거 같아. (하다가, 훗) 근데 웃기지? 한 번도 가본 적 없는 제주도를 여기서 떠올리게 되다니… (하는데)

연우, 대꾸가 없자 뒤돌아보는데 홑청 뒤로 누군가의 그림자가 보인다. 누구지? 싶은데… 순간 바람이 불어와 홑청이 날리고 그 뒤에 서 있던 태하가 모습을 드러낸다.

연우/태하	?!! (사기꾼 양반?) / (가만히 연우를 보는)
연우	(태하를 보다가) 여기서… 뭐 하는 거요?
태하	(연우를 바라보며) 그냥, 보고 있었습니다.
연우	? (무슨 소리? 어리둥절한데)
태하	… 조선에서 온 박연우씨, 당신을요. (연우 보는)
연우	!!!!!!!! (태하 보는)

⌢ S#27. SH서울 매장, 맨 꼭대기층 복도 / 낮

혜숙과 황명수가 걸어가고 있다. 그 뒤를 최비서가 쫓아가고 있고.

황명수	회장님께서 강부대표를 만났답니다. 폭탄 제대로 터진 모양이네요~
혜숙	그걸론 부족해요. 연우란 애 포장해서 판 키워봐요. 태하 결혼 자체가 문제 있는 것처럼.
황명수	판이요? (하다) 아! 소문을 만들라구요? (해맑) 어떻게요?
혜숙	(짜증) 그 큰 머린 장식입니까?
황명수	(깨갱) 일단 크게 돌려보겠습니다. (하다) 근데 강부대표가 그냥 당하진 않을 텐데….
혜숙	(멈춰 서는) 어차피 시작된 싸움이에요. (난간으로 가, SH를 내려다보며) 누군가 하난 저 아래로 떨어져야 끝나는. (난 아니야!)

S#28. 호텔, 프라이빗룸 / 낮

강회장, 의자에 앉아 창밖을 보며 뭔가 생각 중이다.

〈인서트// 서울 옥상, VIP 라운지 카페 (*S#19 이후 상황)

강회장   민대표 맘먹으면 뭐든 할 사람이야, 알지?

태하   (맞는 말이지만) … 연우씨 문젠 제가 알아서 할게요, 할아버지.〉

강회장, 자기 말을 안 듣는 태하 태도가 걸리는 듯 지팡이로 바닥을 쿵쿵—치는데 이때, 노크와 함께 누군가 들어오는데… 하영이다!! 강회장 눈빛, 차갑게 변하고!

S#29. 강회장 집, 정원 뒷마당 / 낮

연우, 놀란 눈으로 태하를 보고… 태하는 그런 연우에게서 시선을 놓지 않는다. 가만히 태하를 바라보던 연우가 태하를 향해 달려가 와락 안아버린다.

태하   !!! (심장이 쿵쾅! 쿵쾅!)

연우   (태하를 안은 채, 기쁜) 고맙소! 날 믿어줘서. 정말… 고마워요…!

태하   (안긴 채 어쩔 줄 몰라하다가) 박연우씨… 좀… 불편한데요.

연우   (그제야 황급히 몸을 떼며) 미안하오… 내 너무 기뻐서 그만. (웃는데)

태하   (정말 솔직한 여자다) 그렇게 좋습니까? (살짝 훗—)

연우	좋소!! 사기꾼 양반이 드디어 믿어주다니…!!
태하	한 가진 확실히 해두죠. 당신이 조선에서 왔을지도 모른다는 거, 인정합니다. 하지만,
연우	? (하지만?)
태하	백프로 조선에서 왔다고 할 근건 아직 부족해요. 그러니까,
연우	(O.L) 몇 번을 말해도 난 정말 조선에서 왔소! 처음 만났던 그곳이 호은당이라 불리던 우리 집터였고, 난 거기서 왔단 말이요!
태하	(!!!) 호은당이요?
남교수	(E) 사람들이 박재원 대감댁을 호은당이라 불렀죠.
연우	그래요! 내 할아버님 아호가 호은이셨소.
태하	(호은을 알아? 그럼 정말인 거야?) ?!!
연우	(태하에게 다가가며) 그러니 그만 좀 따지라구요!
태하	!! (뒷걸음질) 아니, 내 말은… (하는데)

태하, 뒤로 가다가 홑청에 등이 닿아 돌아보는데 중심이 흔들려 넘어지려고 한다! 놀란 연우, '어!' 손을 뻗어 태하 팔을 잡지만 태하가 홑청을 잡아당기면서 연우까지 당겨 안아 바닥으로 쓰러진다! (*태하 셔츠 옆구리, 등이 땅에 닿아 더러워진) 동시에 둘 위로 홑청이 떨어지고! 홑청 속에서 마주하게 된 두 사람. 쿵쾅쿵쾅! 두 사람의 심장 소리가 퍼져나간다. 순간, 태하 워치에서 '삐삐! 삐삐!' 경고음이 들리고. 놀란 태하, 그제야 번뜩해서 홑청을 거둬내는데 갑자기 스프링클러가 작동하며 물을 뿜는다. 태하, 본능적으로 재빨리 팔로 연우 어깨 감싸며 손을 들어 물을 막아주는데.

연우	(신난, 태하 보며 웃는) 이것 좀 봐요! 땅에서 비가 쏟아지고 있소!

연우, 물줄기를 손으로 받으며 좋아한다. 태하, 연우에게서 시선을 떼지 못하는데! 이때, 뒷마당으로 오던 성표가 태하를 발견하고 급히 가려는데 누군가 턱! 성표의 등덜미를 낚아챈다. 보면, 사월이가 스프링클러 작동 장치를 들고 매섭게 보고 있다.

사월   어딜! (쯧) 한창 보기 좋구만! (하더니 클러 장치를 꾹! 누른다)

스프링클러의 물줄기가 더 높게 솟구치고, 그 모습에 함빡 좋아하는 연우. 태하, 아이 같은 연우를 보다가 저도 모르게 환하게 미소 짓는다.

성표   (감동) 부대표님이… 웃으셨어…. (울컥!) 웃고 계셔…! (기쁘다!!)
사월   (성표 보는, 헉!) 지금 우는 거요??

한편, 환하게 웃는 연우와 그런 연우를 보는 태하의 모습이 한 폭의 그림 같다!

〰 S#30. 미담 쇼룸 / 저녁

윤재, 옷들을 살펴보고 있는데 하나가 프린트를 들고 그 뒤를 쫓아다니고 있다.

하나   (프린트 주며) 미담이 SH 뉴욕지점에 오픈하게 되면 기존 매출 대비 67% 이상의 이익을 낼 수 있습니다. 적은 수치 아닌 거 아시죠?

윤재	죄송합니다. 저희한테 중요한 건 그런 숫자가 아니라서요. (하는데)
하나	네, 숫자 별거 아니죠. 근데 사람들은 브랜드 가치, 매출, 모든 걸 숫자로 판단합니다. 거기서 미담도 자유롭진 못하구요. SH와 미담 모두 윈윈 할 수 있는 기회예요. (고개 숙이며) 한 번 더 부탁드립니다.
윤재	(졌다) 유대리님껜 못 당하겠네요. 대표님께 한 번 더 말씀드릴게요.
하나	고맙습니다! 정말 감사해요. (웃는)

～ S#31. 태하 동네 일각, 야경이 보이는 곳 / 저녁

태하, 〈미담과 미팅 가능할 것 같다고 유대리에게 연락이 왔습니다.〉 성표의 문자 확인하고 고개를 드는데 연우가 야경을 보고 서 있다. 태하, 연우 옆으로 가 서는.

연우	(야경 보며) 새조선의 밤은… 언제부터 이렇게 반짝이고 아름다웠소? 그저 시간이 움직였을 뿐인데, 조선과는 달라도 너무 달라요. (달을 보며) 그래도 저 달은 똑같아 다행이지만.
태하	(연우 보는) …….
연우	사람의 맘이란 참으로 이상하오. 처음엔… 내 말만 믿어줘도 좋겠다 싶었는데, 막상 그리되니 꿈에서 깬 듯 아득하고 서글픈 것이… (태하 보며) 약속 잊지 말아요. 조선에 돌아갈 수 있게 돕겠단 약속.
태하	(잠시 생각하다가) 이상한 환상을 봤어요. 조선시대의 당신이요.

〈플래시컷//

1부 S#42. 원망스럽게 나뭇가지를 조선태하에게 휘두르다가 우는 연우.

1부 S#44. 서로를 끌어안고 있는 조선태하와 연우, 낙화놀이가 시작된다.〉

연우	(?) 조선시대 내 모습을 봤단 거요?
태하	박연우씨 때문에 나도 이상해졌나 봐요. (훗!) 첨엔 그게 뭔지 이해하려고 애써봤는데 이젠 됐어요. 중요한 건 그게 아니니까. (하며 연우 보는데)
강회장	(E) 연우 말이다. 이탈리아로 보내는 게 어떻겠니?
태하	(연우 보며) 약속, 지킬게요. 당신이 여기 있는 동안 난, 연우씰 도울 겁니다. 조선에서 왔든, 이해되든 안 되든. 그러니 (다짐하듯) 걱정 마요.
연우	(태하의 말이 고맙다) …….

～ S#32. 성표 집 / 저녁

성표와 나래, 치맥을 하면서 사극 드라마(*2부 S#45)를 보고 있다.

나래	뭐든 막장테크가 재밌긴 해. 사건 빵! 긴장감 빵! 그치 오빠??
성표	(TV 보며 멍하게) 너… 조선에서 온 사람 어떻게 생각해?
나래	또 웹소설 봤어? 이번엔 타임슬립 사극이냐?
성표	소설보다 더 소설 같은 현실인데… 문젠… 그 조선 사람이… 예뻐, 아주.

〈상상 인서트// 사월, 스프링클러 작동 장치를 들고 성표를 보며 빙긋 웃

는다.〉

나래   뭐래~ (닭다리 성표 입에 넣으며) 이거나 먹고 정줄 잡아, 이 덕
            후야!
성표   (닭다리 오물오물 씹으며) 정줄… 잡아야지. 나도 부대표님도.
            (맛나게 먹는)

〰 S#33. 태하 집, 주방 / 밤

연우, 물 마시고 있는데 태하가 더러워진 셔츠(*S#29)를 들고 들어온다.

연우   그건 뭐요?
태하   더러워져서 버리려구요. (다용도실 쪽으로 가는데)

연우, 셔츠를 보는데 문득 낮에 있었던 일이 떠오른다.

〈플래시컷//
S#29. 이불 속에서 태하와 마주 보고 있는.

3부 S#78. 뽀뽀하는 두 사람.
사월   (E) 초야! 초야! 초야!〉

연우   (헉!, 저도 모르게 버럭) 그거 아니거든!!
태하   (댕! 놀라서 보는) 뭐, 뭐가요?? (하는데)
연우   (!!) 그, 그러게 말이요! 거 무슨 일인지, 참! (후다닥 나가는)

319

태하   ?? (뭐야? 왜 저래? 해서 보는데)

～ S#34. 태하 집, 연우 방 / 밤

연우, 후다닥 방으로 뛰어 들어와 문을 닫고 가부좌 틀고 불경을 외우는데.

사월   (E) 초야! 초야!!
연우   마하반… 마하아~, 마하 (이런 씨!! 으으-!) 사월이, 이걸 진
         짜!!!

～ S#35. 강회장 집, 뒷마당 / 밤

사월, 에취! 재채기한다. 보면, 버너에 도자기 약탕기를 올려놓고 열심히
부채질 중.

사월   부처님, 옥황상제님, 천지신명님~ 부디 울 애기씨, 이거 드시
         고 거사 좀 치르게 해주세요~ 제발! 얼른 조선으로 가게!

～ S#36. SH서울, 마케팅팀 사무실 / 밤

깜깜한 사무실 안. 모자에 후드까지 뒤집어쓴 누군가(*후드맨)가 석주 컴퓨
터(*모니터 화면에 석주 사진)로 회사 인트라넷에 로그인해서 글을 쓰기 시
작한다.

S#37. SH서울, 전경 / 다음날, 아침

S#38. SH서울, 마케팅팀 사무실 / 아침

하나, 출근하는데 현정이 호들갑스럽게 사무실로 들어온다.

현정	유대리 들었어? 오늘 온다는 신입! 강태민. 걔, 민대표님 둘째 맞지?! (하!) 우리 마케팅팀이 뭐 지옥의 낙하산 부대야? 로열 패밀리 집합소냐구!
하나	어쩌겠어요, 윗분들 결정인데. 그냥 평사원처럼 대하라던데요?
현정	평사원?? 그게 말이야, 김말이야! 오너 아들 모르는 직원이 누가 있다고!
태민	(들어오며) 안녕하세요! 오늘부터 출근하게 된 강태민입니다!
현정	! (재빨리 자세 고치며) 안녕하십니까~! 전, 아니… 난 마케팅팀 팀장, 오현정입니(다,) 이에요. 하하… 하하… (하며 눈치 보는데)

이때, 석주가 블루투스 이어폰 끼고 노래를 흥얼거리며 들어온다.

석주	좋은 아침이요~ (하다가 태민 보며) 웅? (이어폰 빼는데)
태민	(인사) 신입으로 온 강, 태민입니다. 잘 부탁드려요, 선배님.
석주	(아는 것처럼 태민에게 손가락질) 어?! (하더니) 후배다, 후배! (신난) 팀장님! 나 선배된 거예요? 아싸아~ (하다가) 근데 강태민이면… 우리 부대표님이랑 이름이 비슷한데요? 강태하, 강태민. (헤헤)

하나	(현정에게 살짝) 모르는 직원도 있긴 있네요. (풉)
현정	(허탈한) 그러게. 우리 석준 참~ 섬세하게 해맑아. 부럽다.

이때, 현정과 하나, 석주의 휴대폰으로 동시에 '띠링! 띠링!' 카톡이 온다. 현정, 하나, 석주 휴대폰을 확인하는데… 다들 놀란 듯 눈이 엄청나게 커진다!!!

석주	(헉!) 팀장님!! 가…강드로, 우리 부대표님 결혼했어요? 언제요? 누구랑요?
현정	나도 지금 알았다고~! 오.마이.갓! (태민 보며) 진짜 결혼한 거예(,요?) 한 걸까? 그런 건가? (태민에게 대답 좀! 하는 눈빛!)
하나/태민	(대체 무슨 일이 벌어지고 있는 거지? 싶고)

〰 S#39. SH서울, 로비 / 아침

태하, 성표와 들어오고 있는데 이때, 마주 오던 직원들 태하에게 인사하고 가면서 자기들끼리 속닥거리고 뭔가 이상하다. 주변 직원들도 휴대폰 보며 태하를 쳐다보는.

성표	(이상한) 주변 공기가 좀 싸한데요? 묘하게 차갑고…. (이때 휴대폰 문자 오는, 확인하는) !! (태하에게 휴대폰 주며) 부… 부대표님! 이것 좀….
태하	? (성표 휴대폰 받아서 보는)

〈인서트// 휴대폰 화면(*찌라시) - S그룹 상속자 K의 결혼설, 아내의 정체

는?! - 국내 유통업 1위 S그룹 상속자 K가 얼마 전 극비리에 결혼했다고 함. K의 갑작스런 비밀결혼이 문제 되는 건 베일에 싸인 신부 때문임. 현재 신부에 관한 각종 카더라가 돌고 있는데 그 내용은.〉

태하, 놀란 눈으로 직원들 쳐다보는데 직원들 머리 위로 찌라시 내용 자막 CG.
- 신부 P양은 A그룹 회장의 혼외자로 K와는 정략결혼 상태임.
- 마담 출신 P양, K와 스폰 관계였다가 임신을 빌미로 결혼함.
- 상간녀라 소문의 P… / K는 신부 P와 모종의 계약이… / 신부 P가…

태하, 굳은 얼굴로 표정이 어두워진다.

◠ S#40. SH서울, 임원 승강기 앞 / 아침

태하, 말없이 서 있고 성표는 눈치만 보고 있다. 이때, '얘기 들었어? 강드로 결혼' 하며 오던 직원 둘이 태하를 보곤 헉! 눈짓하더니 다른 곳으로 후다닥 가버린다. 태하, 화를 참으며 손을 꼭 쥐는데 승강기 문이 열린다. 동시에 날카롭게 변하는 태하의 눈! 보면, 태하의 시선 끝에 승강기 안에 있는 혜숙이 보인다!

◠ S#41. SH서울, 승강기 안 / 아침

태하와 혜숙만 타고 있다. 서로 앞만 보며 대화하는 두 사람.

태하	생각 이상으로 (도발) 내가 두려운 모양이네요.
혜숙	(코웃음 치다가 이내 하하하! 웃음 터트리는) 아, 미안. (비웃는) 자의식 과잉이구나, 생각 이상으로.
태하	오늘 일, 실수하신 겁니다. 그렇다고 달라지는 건 없어요.
혜숙	내가 SH를 이 자리에 어떻게 올려놨는데! 그냥 달라는 건 염치가 없지.
태하	회사가 장난감입니까? 주고 받게. 그래서 안 되는 겁니다, 민대표님은.

이때, 승강기가 멈추고 문이 열린다. 태하, 앞으로 걸어나가는데

혜숙	(태하 뒤통수에 대고) 그건 두고 보면 알겠지. (빤히 보는)

태하, 아무렇지 않은 듯 가다가 승강기 문이 닫히자 뒤돌아본다! 분노에 찬 눈빛이고.

〰 S#42. 강회장 집, 서재 / 낮

강회장, 오래된 도자기 인형을 닦고 있고 그 앞에 서 있는 **최이사**.

강회장	이거 애미가 결혼하던 날 민사장이 준 거야. 자기 딸 잘~ 부탁한다고. 그 사람, 참 딸을 아꼈지. (흡족) 요게 꽤 귀한 거거든.
최이사	(걱정) 이사들 사이에서 말들이 많습니다. 강부대표 결혼에 대한 소문, 쉽게 사그라질지 걱정입니다. 게다가…. (눈치 보는)
강회장	(도자기만 보며) 말해, 괜찮아.

최이사	미담과 진행 중인 일도 힘들 거란 얘기가 돌아서 우려의 목소리도 있구요. 듣기론… 민혜숙 대표가 미담과 따로 만났다고 합니다.
강회장	(훗!) 민대표가 일은 아주 잘 배웠어. 그에 비하면 태한 어린 애야.
최이사	어떻게 할까요.
강회장	암만 귀해도 걸리적거리면 치워야지, 별수 있겠어?

～ S#43. 강회장 집, 서재 앞 + 안 / 낮

도우미, 서재 앞으로 오는데 강회장이 나오자 꾸벅 인사하고 안으로 들어간다.

서재 안/ 도우미, 다기가 있는 테이블로 오다가 뭔가 보고 '에그머니!' 하며 놀란다. 보면, 바닥에 목과 몸이 분리돼 박살이 나 나뒹굴고 있는 도자기 인형이 보이고!

～ S#44. SH서울, 태하 사무실 / 낮

태하, 자리에 앉아 휴대폰으로 찌라시를 다시 보고 있다. 머릿속이 복잡한데 노크와 함께 문이 열리며 성표가 태민에게 떠밀려 들어오고 있다.

성표	(태민에게 떠밀려) 죄송합니다, 부대표님! 태민, 아니 강태민 사원이,

| 태민 | (O.L) 그래도 출근 첫날인데 인사 좀 해야 할 거 같아서. |

태하, 성표를 쳐다보자… 성표, 고개 끄덕하고는 문 닫고 나간다.

태민	(소파로 와 앉으며) 의외의 한 방인데? 적어도 찌라시 주인공은 내가 먼저 될 줄?! 어쩔 거야? 소복 형수.
태하	너랑 상관없는 일이야, 관심 꺼.
태민	(돌아보며) 아~ 어차피 가짜결혼이니 이런 거쯤 별거 아니다, 그건가?
태하	!! (보면)
태민	(피식!, 태하에게 와) 설마, 놀랐어? 민대표도 아는 걸 내가 모를 리 있나.
태하	(일어서는, 태민 응시) 뭐야, 하고 싶은 말이.
태민	이를테면 경고? 나, 소복이 맘에 들거든. (훗!) 기자나 똥파리들 안 들러붙게 잘 정리해. 끝까지 책임질 거 아니면. (보다가, 나가버리는)
태하	(한 방 먹은 거 같아 기분 나쁜) !

⌒ S#45. 태하 집, 연우 방 / 낮

연우, 세탁해서 건조한 셔츠(*S#33)를 팡팡! 터는데 얼룩이 그대로다. 옆에 돌쇠 보며,

| 연우 | 얼룩이 그대로네. (흠) 버리기엔 옷감이 너무 아깝고…. |

연우, 뭔가 생각하다가 아! 해서 서랍을 열고 자수 용품을 꺼낸다. 좋았어! 빙긋 웃고. 자수실을 보며 어떤 걸로 할까? 하며 셔츠에 대보는데 뭔가 설레하는 연우다.

∼ S#46. 태하 동네 편의점 앞 + 태하 차 안 / 저녁

연우, 수리닝에 슬리퍼 신고 핫바를 입에 물고 봉지에 과자, 빵, 우유 등을 잔뜩 담아서 나오고 있다. 이때, 어떤 남자가 연우에게 '저기…' 하며 다가 와 선다.

태하 차 안/ 태하, 차를 몰고 오다가 낯선 남자와 이야기 중인 연우를 발견 한다.

태민	(E) 기자나 똥파리들 안 들러붙게 잘 정리해.
태하	!! (기자인가? 싶어 브레이크 밟고)

연우 쪽/ 연우, 남자와 이야기 하는데 그 사이로 갑자기 태하가 끼어든다!

연우	?! (사기꾼 양반? 해서 보는데)
태하	(몸으로 연우 가리며, 남자에게 매섭게) 당신, 뭐 하는 거야?!
남자	(당황) 에? (하다) 아니… 그 길을 좀 물어보려고.
태하	(연우 보며) 정말 길 물어본 거예요?
연우	(끄덕) 맞소. 헌데… 내 여기 지릴 전혀 몰라서.
남자	(삐죽—) 뭐야… 어이없네. (가버리는)
연우	(가는 남자 뒤에 대고) 다음엔 내 꼭 길을 알려드리리다! (태하 보

327

며) 왜 그리 성을 내는 거요?

태하   앞으론 모르는 사람이 말 걸면 무시해요. 그리고 (본심) 한동안
              웬만하면 집에 있구요. 여긴 조선과 달라서 위험해요. (하더니
              차로 가는)

연우   (갸웃하며 따라가는데)

한편, 일각에서 누군가(*후드맨)가 그런 연우와 태하의 사진을 찍고 있는
데!

⌒ S#47. SH서울, 전경 / 다음날, 아침

⌒ S#48. SH서울, 태하 사무실 / 아침

현정과 하나, 태하에게 새로 만든 자료와 제안서를 건네고 있다.

현정   내일 미담과 미팅에서 필요한 자료와 제안섭니다. (태하 살피
              는)

태하   수고했어요. 오팀장 얘기론 유대리가 특히 고생 많았다던데.

현정   네, 하나씨가 직접 미담까지 찾아가서 설득하느라 애 좀 먹었
              거든요.

태하   (하나 보며) 애썼네요. 유대리 공이 커요. (살짝 미소)

현정   ?! (미소?? 해서 보는)

하나   ! (좋은) 아닙니다. 당연히 해야 할 일인 걸요. (하면서 태하 보
              는)

S#49. SH서울, 태하 사무실 앞 복도 / 아침

현정과 하나, 걸어오고 있다.

현정   강드로 살짝 웃는 거 봤어?! 그 결혼했단 찌라시 찐인가봐. 최
          근에 뭔가 섬세~하게 좀 달라졌잖아. 화도 내고, 회의도 째고!
          사랑의 힘인가?

하나   (기분 니쁜) 글쎄요, 선 예전이랑 똑같은 거 같은데… (하는데)

이때, 성표가 오다가 현정과 하나를 보며 '안녕하세요' 하고 꾸벅 인사를
하는데.

하나   (슬쩍) 홍비서님. 그 찌라시, 어떻게 된 건가요?

성표   (철벽) 죄송합니다, 그건 부대표님 사생활이라.

하나   (민망, 애써 무마하려고) 미담이랑 미팅 전이라 좀 걱정돼서요.

현정   (맞장구치며) 그러게요. 중요한 일 앞두고 시끄러우면 좀 그렇
          지~

성표   미팅, 걱정 마세요. 잘 될 겁니다, 그럼. (하고 간다)

현정   (헉!) 찐이네, 찐! 봤어? 부정 안 하는 거?? (하다가) 하나씨 의외
          다. 대놓고 돌직구네? (하다) 근데 누구랑 결혼한 거지?

하나   (태하 결혼 상대가 누군지 궁금하고, 미치겠다!)

S#50. 강회장 집, 뒷산 / 낮

연우와 사월, 뒷산 초입 우거진 수풀에서 나오는데 머리에 나뭇잎이 잔뜩

묻어 있다.

사월   (풉풉—! 입에 묻은 나뭇잎 털며, 연우 머리 털어주며) 정말 여기서
         천명을 만나신 거예요? 제대로 된 길은 코빼기도 안 보이는구
         만.
연우   (기운 빠져, 수풀 보며) 분명 이리로 갔는데…. (후…)

〜 S#51. 강회장 집, 정원 / 낮

기운 빠진 연우, 사월과 걸어오고 있다. 사월, 연우 눈치 살피다가.

사월   (슬쩍) 온 김에 뭣 좀 드실래요? 좋아하시는 거 해드릴게요.
연우   아냐. 괜히 또 누구 만나면 귀찮아져… 됐어. (하는데)

이때, 해령이 강회장과 함께 들어온다. 연우와 사월, 헉! 해서 일단 숨는.

해령   아부지~ 태하 와이프 소문 사실이에요? 회사 완전 뒤집어졌담
         서요?!
강회장   (못마땅) 또 어디서 뭔 소릴 듣고 그리 호들갑이야?
해령   내 친구가 주식 어쩌고 하니까~ 나도 SH가 사람으로 걱정도
         되고. (아우~) 태하 걘 왜 그런 근본도 없는 애랑 결혼해서 이
         난장을 만든대?!
강회장   그 입! (쯧) 니 입이 더 사단이야! 언제 사람 될래? (하며 가는)

해령, 삐죽하며 '아부지~' 하며 쫓아간다. 잠시 후, 숨었던 곳에서 나오는

연우와 사월.

사월   근본이 뭐가 어째?! 감히 금쪽 같은 울 애기씨한테! 저걸 그냥
         ~ 콱! (했다가, 연우 보며) 헌데 도련님께 뭔 일 생긴 거 아니에
         요?
연우   글쎄… 잘 모르겠어. (하는데 걱정스러운)

～ S#52. 태하 집, 주방 / 저녁

태하, 물 따라 마시면서 미담 관련 자료를 보고 있는데 연우가 다가온다.

연우   (자료 보며) 아주 속으로 들어가겠소, 건 뭐요?
태하   내일 회의에 필요한 자료라서요.
연우   (슬쩍) 요새 뭐… 별일 없소?
태하   (자기 딴엔 농담) 왜요, 별일 만들어주게요? 사양합니다.
연우   (칫!) 안색도 안 좋고, 피곤해 보여서 한 말인데…. (삐죽— 하고
         나가는)
태하   (홋! 웃더니 다시 자료 보는)
연우   (가다가 쓱— 태하를 돌아본다, 신경 쓰이고)

∼ S#53. 태하 집, 연우 방 / 밤

연우, 방으로 들어와 태하 셔츠에 둔 매화와 나비 자수°를 보는데 문득.

〈플래시컷// S#31. 연우가 조선이든 어디에서 왔든 돕겠다 말하는 태하.〉

흠… 하더니 자리에 앉아 썩썩한 얼굴로 열심히 자수를 놓기 시작한다.

∼ S#54. 성표 집, 성표 방 / 밤

성표, 누워서 휴대폰을 손에 들고 웹소설을 보고 있다.

성표   오늘은 과연 돌쇠가 마님과 쌀밥을 먹을 것인가! (흐흐– 하며
            보는데)

벌컥! 방문이 열리면서 나래가 노리개가 든 쇼핑백을 들고 '오빠!' 하고 들
어온다. 성표, 놀라서 휴대폰 놓치고, 휴대폰이 성표의 이마 위로 '쿵!' 떨
어진다.

성표   악!! (벌떡 일어나 이마 만지며) 야! 갑자기 들어오면 어떡해!!
나래   왜, 뭐 또 마님이 돌쇠한테 쌀밥 주는 웹소설이라도 봤냐? 그
            냥 연애 좀 하라고요, 오빠놈아!
성표   (삐죽) 무지개 반사거든! (하다가) 아, 왜 들어온 거냐고!

●   매화와 나비가 아름답게 놓인 자수다. 어느 정도 완성이 돼 가는 상황.

나래	(쇼핑백 주며) 연우님 거! 차에 떨어져 있던데? 빠딱빠딱 안 전
	해줄래?!
성표	(노리개 꺼내 보며) 아, 이 노리개! 그날 그냥 갖고 왔지. (긁적이
	는데)

연우 노리개의 검은 부분이 선명하게 보이고.

〜 S#55. 태하 집, 거실 / 다음날, 아침

태하, 운동복 차림으로 나오는데 연우가 셔츠를 들고 다가와 태하에게 준다.

연우	(셔츠 주며) … 버리기엔 아깝고, 대충 손 좀 봤소.
태하	(셔츠 받아 펼치면 등과 허리 옆쪽에 매화와 나비 자수가 놓여 있다)
	(헐!)
연우	매화는 겨울에 봉오리를 피워 제일 먼저 봄을 알려주는 꽃이
	요, 기다림 끝에 피는 희망처럼. (본심) 사기꾼 양반에게 어울
	릴 것 같아 둬 봤소.
태하	(날 위해 자수를 놓았다고?) … 그렇군요. (흠…)
연우	(큼) 맘에 안 들면 두고 가요, 내가 치울 테니. (민망한 듯 주방으
	로 간다)
태하	(가는 연우 보는)

〰 S#56. 태하 집, 드레스룸 / 아침

출근 준비 중인 태하. 옷들을 살펴보다가 한쪽의 자수 놓인 셔츠를 본다. 잠시 고민하다가 이내 다시 다른 셔츠들을 보는데 이때 성표에게 전화가 온다.

〰 S#57. SH서울, 로비 / 아침

태하, 성표와 들어서는데.

태하   (!) 긴급 임원회의요?

성표   민대표님이 소집한 모양입니다. 그 찌라시 때문이겠죠. 오후에 이미담 대표랑 미팅 있는데 어쩌죠? 변경할까요?

태하   아뇨, 괜찮아요. (하는데)

이때, 일각에 있던 기자 여러 명이 태하 옆으로 빠르게 달라붙는다. 기자들 '결혼했단 소문 사실입니까!' '잠시만요!' '아내 분 얘기 좀 해주시죠!' 난리고. 출근하던 직원들도 다들 웅성거리며 보고, 성표는 '이러지 마세요!' 하며 막는데.

기자1   메인패치 송재홉니다. 아내 분에 대한 각종 루머, 어떻게 생각하시나요?

태하   인터뷰 약속한 적 없는 것 같은데요. (빠르게 가면)

기자1   (쫓아가며) 아내 분 사진, 사내 게시판에 올라왔던데 보셨습니까?!

태하	!! (보는, 사진…?)
기자1	두 분이 함께 인터뷰 하실 생각 있으십니까?
성표	(기자1 막아서며, O.L) 이러시면 곤란합니다. 그만 하세요, 그만!!

태하, 빠른 걸음으로 지나가고…. 경비들이 달려와 성표와 함께 기자를 막아선다. 한편, 혜숙이 앞에서 최비서와 함께 그 모습을 보고 있다가 태하와 눈이 마주친다. 혜숙, 비웃듯 태하를 보고 돌아서고… 태하, 그런 혜숙을 매섭게 보는.

⌒ S#58. SH서울, 마케팅팀 사무실 / 아침

하나, 사내 게시판에 올라온 태하와 연우의 사진(*S#46 / 연우 모자이크)을 보고 있다. 〈연우와 남자가 서 있고 / 태하가 연우와 남자 사이 가로막고 / 태하와 연우 마주 보는〉 그 아래로 댓글들이 마구 올라와 있다. 〈설마 이거 삼각관계? / 대박, 강드로 진짜 결혼했네? / 여자 상태가 왜 이래? 술 취했나? / 정말 이거 정말이야? 합성 아니고? / 와~ 이거 찌라시 진짜인가봐〉 하나, 화가 난 듯 입술을 깨무는….

⌒ S#59. SH서울, 태하 사무실 / 아침

태하, 노트북으로 사내 게시판 확인하고는 쾅! 책상을 내려치고 화를 참으려는데 노크와 함께 현욱이 들어온다. 태하, 현욱을 보는 표정.

(CUT TO) 태하와 현욱 마주 앉아 있다.

현욱 (보다가) 요새 무슨 일 있는 거 맞지?

태하 …….

현욱 너 심장 수술했던 미국 닥터한테 자료 보내봤는데 혈관에 문제가 생긴 거 같아. 일단 검사부터 빨리 받자.

태하 (바로) 다음에요. 지금은 안 돼요.

현욱 ! (화난) 강태하. 심장이라고, 니 심장! (하!) 너 위험하다고 이 자식아! 이번엔 나도 안 돼. 너 자꾸 그럼 회장님께 니 상태 알릴 거야.

태하 지금 나한테 가장 위험하고 끔찍한 건, 민혜숙 그 여자가 내 심장을 빌미로 어줍잖게 이용하는 거예요. (슬픈 눈빛) 어머니께 한 것처럼.

현욱 미친놈… (하다, 주머니에서 약통 꺼내 놓으며) 혈관 확장제야, 갖고 있어. 대신 검산 무조건 할 거니까 그런 줄 알아.

⌒ S#60. 태하 집, 연우 방 / 아침 → 낮

연우. 침대에 앉아 배롱나무 가지를 보고 있다. 여러 가지 일로 머리가 복잡하다.

연우 분명 천명이 나타난 이유가 있을 텐데. (배롱꽃 보며) 배롱꽃이 그대로인 것도. (이것저것 생각하다) 아, 몰라! 모르겠다고! (하며 괴로워하다가)

한쪽 구석에 상자가 보인다. 연우, 상자 앞으로 와서는 열어 보는데 보면, 강회장 집에서 입었던 한복이다. 연우, 한복을 쏙— 손으로 만져보다가 뭔가 떠오르는 듯한 표정이고.

(CUT TO) 한복과 연우의 옷(*새조선 옷)들로 재해석한 한복 원피스 만드는 몽타주.

1. 잡지와 한복, 옷들이 여기저기 늘어져 있고… 연우, 잡지 보며 뭘 만들 까 고민 중.

2. 한복 위에 패턴 그리고 / 새조선 옷들 자르고 / 바느질하는 모습 컷컷으로 보이고.

3. 연우, 리폼한 한복 원피스(*안 보임)를 흠… 하며 보는데 띵동! 벨소리가 들린다!

〰 S#61. 태하 집, 거실 / 낮

사월이 해온 반찬이 가득하다. 연우(*머리에 실 붙은), 우와~ 하면서 맛보는.

연우   새조선에선 이런 걸 존.맛.탱! 이라고 하던데. 역시, 우리 사월 이뿐이양~

사월   김칫국 사발로 고만 들이키시구요~! 지가 어찌 왔겠어요? 큰 도련님이 애기씨 챙겨 달래서 온 거구만.

연우   정말? 사기꾼 양반이? (은근 좋은데)

사월   그니까 잘~ 챙겨 드세요. 그래야 힘내서 초야도 치르고,

연우   (헐!, O.L) 야!! 너, 그 소리 할 거면 가!

사월   (칫!) 내숭은. (타래과 보여주며) 몸에 좋단 약잰 다 때려 넣은 거

337

니까 맛나게 드세요. 그럼… (씩-) 낮이든 밤이든 불끈해서 초
야 따윈 언제든,

연우　　(타래과 집어서 사월 입에 넣으며, O.L) 그만 좀 해, 쫌!!

사월　　(먹다가, 응?, 연우 머리의 실 떼주며) 바느질하셨어요?

연우　　머리가 좀 복잡해서, 몸이나 괴롭힐까 하고.

사월　　엄한 데다 자꾸 힘 빼실래요?! (하다가 바닥에 떨어진 서류봉투 발
견한다) 이건 또 뭐래?? (하며 봉투에서 A4 꺼내 보는데)

태하가 보던 미담 자료(*S#53)다. 연우, 어?! 해서 사월 손에 든 자료 뺏어
보는!!

〰 S#62. 도로 위, 미담 차 안 / 낮

미담, 휴대폰으로 태하와 관련된 찌라시를 보고 있다. 윤재는 운전 중.

미담　　도실장. 강부대표 소문, 어떻게 생각해?

윤재　　글쎄요, 뭐라 판단하기가 좀. 잘 아는 사람도 아니고 어렵네요.

미담　　(흠) 만나보면 대충 알겠지, 어떤 사람인진. (하며 창밖 보는)

〰 S#63. SH서울, 일각 / 낮

사람들, 뭔가를 보며 '예쁘다' '저 옷 뭐야?' 하며 웅성거린다. 보면, 리폼
한 한복 원피스를 입은 연우가 서류를 들고 사월과 걸어오고 있다.

사월	왐마~ 이게 TV서만 보던 백화점이구나. 99칸 기와집은 쪽도 못 쓰겠네. 큰 도련님, 합격! 몸은 살짝 아쉬워도 돈은 됐네, 됐 어!
연우	(별생각 없이) 아냐, 몸도 나름 괜찮아. (*3부 S#46) 저번에 살짝 봤는데,
사월	(O.L) 봐요? 뭘요! 아, 언제요!!!
연우	! (딴청) 어디로 가야 하지? (하면서 후다닥 가버리는)
사월	(쫓아가네) 어디까지 봤어요~! 아, 얼매나아!

이때, 송기자와 기자 2~3명이 연우를 지나쳐가는데 송기자에게 'SH제보 자'로부터 문자가 온다. 〈서류 들고 지나간 여자, 강태하 부대표 와이프 박 연우입니다〉란 내용이고.

송기자	!! (뒤돌아서 연우를 찾는다) … (서류 든 연우 보고) 박연우씨?!
연우/사월	(그 소리에 돌아보는데)

다른 일각/ 태민, 석주와 함께 오고 있다.

석주	어때요? 업무 파악은 잘 되고 있어요?
태민	네. 선배님 덕에 잘 배우고 있습니다.
석주	(좋은) 선배~ (헤헤-) 점심 같이 할래요? 선배가 쏠게요! (하는 데)

앞쪽의 소란스러운 소리에 보면, 놀란 연우는 고개 숙이고 있는데 기자들 은 사진을 찍어대고, 앞에선 사월이 손을 벌려 '뭣들 하는 짓이야!! 저리 가!' 하며 막고 있다.

| 태민 | ?! (연우 발견) 소복이?! |
| 석주 | ! (웅? 태민 보며) 소고기요? 건 좀 부담스러운데… 비싸서. (하는데) |

태민, 매대에서 판매 중인 모자 두 개를 집더니 하난 자기가 쓰고 연우에게 달려가 다른 모자를 씌워주곤 손을 잡고 도망친다! 연우, 손에서 서류 떨어트리고 송기자가 따라가려는데 사월이 송기자의 발을 걸어 넘어트리곤 떨어진 서류 들고 그대로 줄행랑친다! 석주, 밍해시 그 모습 보다가 도리질! 내가 뭘 본거야?!

⌒ S#64. SH서울 일각 / 낮

태민, 연우 손잡고 뛰어오다가 뒤를 보는데 아무도 없다. 태민, 멈춰서고.

태민	(헉헉…, 연우 보며) 여긴 왜 온 거야?! 강태하가 아무 말 안 해? 니들 결혼, 지금 난리라고!! (하!) 그 자식 잘 처리하라니까!
연우	(헉헉…, 태민에게 잡힌 손 빼며) 역시… 뭔가 문제가 생긴 모양이네요. (흠) 그럼 전 그만 가는 게 좋겠어요.
태민	기다려, 데려다줄게.
연우	(바로) 괜찮아요, 더 곤란해질지 모르니까 혼자 갈게요. (가는데)
태민	소복아!! 야!! (하다가 연우 앞으로 와 서며) 알았어, 대신 (뒤쪽 가리키며) 저리로 가. 저긴, 사람들 별로 없을 거야.
연우	(목례) 고마워요. (하고 태민이 가르쳐 준 쪽으로 간다)
태민	고집은…! (따라가고 싶지만, 그러면 안 될 것 같다)

〰 S#65. SH서울, 승강기 일각 / 낮

모자 쓴 연우, 주변 살피면서 가고 있는데 이때, 윤재와 함께 가는 미담을 본다!! 놀라서 쳐다보는 연우! 일순, 미담의 모습 조선시대 연우모와 겹쳐 보이고!!

연우   (!!) … 어머…니? (멍하니 보다가 퍼뜩!) 어머니…!! (하며 승강기
            로 가는데)

승강기가 열리고 미담과 윤재가 올라탄다. 문이 닫히고 그제야 온 연우가 승강기 문을 두들기며 '어머니!' 하는데 소용없다. 돌아서는 연우의 눈에 눈물이 맺혀 있고! 연우, 망연자실해서 어쩔 줄 몰라하고 있다가 눈물을 닦고 다른 곳으로 달려간다!

〰 S#66. 태하 사무실 / 낮

셔츠 차림으로 의자에 앉아 서류를 보고 있던 태하, 워치로 시간 확인하고 일어나 재킷을 입는데… 셔츠의 등과 허리 옆쪽에 자수가 보인다. 이때, 노크와 함께 문이 열리고 미담이 들어오고. 태하, 미담 앞으로 다가와 서고 마주 보는 두 사람.

〰 S#67. SH서울, 복도 / 낮

혜숙과 황명수가 걸어가고 있다.

황명수	강부대표, 기자들 때문에 꽤 곤란했던 모양입니다. 게시판 사진도 그렇고.
혜숙	미담과 지지부진한 것도 임원회의 때 몰아붙이세요.
황명수	알겠습니다. 근데 회장님께선 그 이후로 별말씀 없으셨나요??
혜숙	아직까진요. 워낙 속내를 잘 숨기시잖아요. (휴대폰이 울리고 보면 〈아버님〉이다) ?!! (뭐지? 싶은데)

⌒ S#68. SH서울, 로비 / 낮

경비들, 재빨리 움직이며 일렬로 늘어서고, 혜숙과 황명수, 최이사 및 임원들이 문 쪽으로 빠르게 걸어온다. 보면, 정문으로 들어서는 강회장. 다들, 강회장에게 인사하고.

혜숙	(강회장 앞으로 와 서며) 회장님. 어쩐 일로.
강회장	내가 내 집 오는데 뭔 이유가 필요해? 오늘 임원회의지? (하며 가는)
황명수	(헐! 혜숙에게 와, 속닥) 이거 일부러 치고 들어오신 거 맞죠?
혜숙	(능구렁이 같은 영감! 싫지만, 일단 따라가는)

⌒ S#69. SH서울, 태하 사무실 / 낮

미담과 태하, 찻잔을 앞에 두고 서로 마주 앉아 있다.

태하	분명 미담에게도 좋은 기회가 될 겁니다. 이벤트성 전시가 아

니라 미담과 함께 비전을 만들고 싶어요.

미담   제안서는 꽤 흥미롭게 봤지만 제 마음은 이미 정했어요.

태하   이유, 여쭤봐도 될까요.

미담   얼마 전에 민혜숙 대표께서 날 찾아왔어요. 다른 제안서를 들고.

태하   (!!) 그건 제가 얼마든지 설명해드릴 수 있습니다.

미담   난, 옷 만드는 사람이라 괜한 일에 얽히는 거 불편해요. 풍문을 다 믿진 않지만, 마음에 걸리는 건 어쩔 수 없네요. (일어서는) 제안, 고맙지만 미안합니다. (나가는)

태하   (!) 민대표님! (벌떡 일어나다가 찻잔을 건드려 재킷에 쏟는다) !! (쯧! 재킷을 털면서 단추를 풀고)

〰 S#70. SH서울, 복도 / 낮

미담, 복도로 나오는데 '대표님!' 하며 나오는 태하. (*재킷 열린 채)

태하   (미담에게 와) 한번만 더 생각해 주십시오. 미담의 한복, 옷의 가치, 대표님 철학, 절대 훼손 안 시키겠습니다. 약속드려요.

미담   (난감한) 뜻은 충분히 알겠지만, 안 될 것 같아요. (가려는데)

태하   (미담 막으며) 대표님! 이렇게 부탁드립니다. (꾸벅 인사를 하는데 재킷 안으로 옆구리 부분 쪽에 연우가 놓은 자수가 보인다)

미담   (자수 발견) ?! (보다가) 셔츠에 그거… (하는데)

연우, 미담을 찾아 주변을 살피며 오고 있는데 앞에 미담이 보인다! 그리움에 눈물이 가득 고이더니 그대로 미담에게 달려가 와락— 끌어안는다!

(*동시에 모자 떨어지고)

연우   (미담 안은 채로, 울먹) 어머니…!

미담   !! (갑작스럽다)

태하   (연우 확인하고, ?!) 연우씨?? (말리려고 다가서는데)

연우   (미담을 꼭 끌어안고 운다, 그렇고 또 그렇고 그리웠다) …….

미담   (태하에게 괜찮다며 손을 들어 보이더니 연우를 안아준다)

태하, 이게 무슨 일이지? 싶은데… 이때, 태하 뒤에서 성표가 정신없이 뛰어온다.

성표   (헉헉) 부, 부대표님! 지금 회장님께서… (하다 연우와 미담 보고, 응??)

〰 S#71. SH서울, 임원 회의실 / 낮

강회장이 상석에 있고, 혜숙과 황명수, 임원들이 앉아 있다.

임원1   강부대표 관련된 소문이 입점 업체들까지 퍼진 모양입니다. 이거 오너 리스크 아니냐며, 다들 난립니다, 난리!

임원2   기자들 연락 때문에 홍보부는 일이 마비가 됐어요!

임원1   상황이 이런데 해명도 안 하고 있으니, 원…!

최이사   다들 흥분 좀 가라앉히세요. 강부대표도 뭔가 생각이 있겠죠. (하는데)

황명수   (부러) 그냥 깔끔하게 결혼 공개하고 인터뷰 한번 하시죠, 회장님.

혜숙, 강회장을 힐끔 보는데…. 강회장은 그저 말 없이 듣고만 있다. 임원들 웅성웅성하는데 문이 열리고 태하(*다른 셔츠 입은)가 들어온다.

혜숙	그만들 하세요. 강부대표가 직접 설명할 겁니다. (태하 보는)
태하	(강회장에게 와 인사한 후, 임원들 보며) 먼저… 사적인 일로 소란을 일으켜 죄송합니다. 하지만 소문들은 사실무근입니다.
황명수	아니 땐 굴뚝에 연기가 났다, 이 말입니까? 결혼한 건 팩트잖아요?! 그걸 왜 숨겨서 일을 이렇게 키워요~ 키우길!
고이사	네, 결혼은 사적인 일입니다. 허나 그게 그룹에 영향을 끼친다면 얘긴 달라지죠. 헛소문이든 뭐든 해명, 해주십시오.
태하	(고이사마저 나서자 난감한) 그건… (하는데)

강회장, 지팡이로 쾅! 하고 바닥을 내리친다. 순간, 조용해지며 다들 강회장 보는.

강회장	그래서 (주변을 둘러보곤) 다들 알고 싶은 게 뭐야. (매섭다) 듣고 싶은 말이 대체 뭐냐고!
임원들	(강회장 포스에 다들 입 다물고 눈치만 보는데)
혜숙	회장님, 강부대표 때문에 회사에 어떤 문제가 생길지 모릅니다. 임원들의 염려도 타당하구요.
강회장	강부대표, 대답해 봐. 네 결혼 문제 있어? 그 소문처럼 그래?
태하	아뇨, 아닙니다.
강회장	(임원들에게) 만약 이 일로 문제 생기면 내가 먼저 이놈! 부대표에서 끌어내릴 거야, 다들 알겠어?
임원들	(큼… 선뜻 말들을 못하고 있다) ….
강회장	(태하에게) 넌, 개점 1주년 행사 준비나 잘해. 쓸데없는 말 안

나오게.

혜숙   (바로) 미담에서 제안, 거절한 걸로 아는데. 아닌가요, 강부대표?

태하   ! (혜숙 보는)

혜숙   (태하 보는 표정 위로)

〜 S#72. SH서울, 임원 회의실 앞 복도 / 낮 – 회상, S#71 이전 상황

강회장, 임원들과 함께 회의실로 가고 있고 뒤쪽에서 혜숙과 황명수가 따라가고 있다.

최비서   (다급히 혜숙에게 와) 미담에서 연락이 왔습니다. 강부대표와 우리 쪽 제안 모두 거절하겠다구요. 다시 약속 잡을까요?

혜숙   (생각하다) 아니! 그럴 필요 없겠어. (앞에 가는 강회장 보는)

〜 S#73. SH서울, 임원 회의실 / 낮 – 현재

강회장   ! (태하에게) 미담에서 거절했다니?! 사실이야?

태하   (대꾸 없이 가만히 있는)

임원들   (아니 이게 무슨! / 그렇게 자신!만만해 하더니! / 이제 어쩔 거냐… 웅성웅성)

강회장   (실망한 듯) 됐다, 나중에 얘기하자. (일어서는데)

이때, 노크와 함께 문이 열리며 성표가 미담을 안내해 들어온다! 강회장과 혜숙, 임원들 모두 놀라서 보는.

미담	(강회장에게 인사하며) 안녕하셨어요, 강상모 회장님.
태하	(미담 옆으로 와) 개점 1주년 전시회를 맡아주실 이미담 대표님 이십니다. 제가 직접 소개해드리려고 모시고 왔습니다.
혜숙	!! (놀라서 보는)
강회장	(미담 보며) 정말입니까? 거절했다 들었는데….
미담	그럴까 했는데, 강부대표가 아주 근사한 선물을 했거든요. 손주며느님께 특별한 재주가 있더라구요. 자수 솜씨가 훌륭하던데요?
강회장	손주며느리라면…? (하고 태하 보는데)
임원들	(손주며느님? / 소문의 그 여자? / 허허… 참… 하며 웅성웅성)
혜숙	(이게 무슨?! 표정이 차갑게 변해서 태하를 보는) !!
태하	(그런 혜숙을 보란 듯 보는)

〰 S#74. SH서울 옥상', VIP 라운지 카페 / 낮

연우와 사월이가 함께 앉아 있다.

사월	(!!) 참말요?? 마님하고 똑 닮은 분을 만나셨단 거예요?
연우	응…. 정말이지 어머님인 줄 알았어.
사월	것 참! 왜 자꾸 닮은 사람들을 만나지? (갸웃)
연우	나도 좀 이상해. (하다) 사월아, 이거 혹시. (하는데)

이때, 성표가 노리개가 든 쇼핑백을 들고 '연우님!' 하며 온다. 연우와 사

월 돌아보는. 성표, 연우에게 와 쇼핑백에서 노리개가 든 상자를 꺼내서 건
네준다.

성표   (상자 연우에게 주며) 이거 연우님 거 맞죠?

연우   (받으며) 뭐요, 이게? (열어 보는데 노리개다) ?!

성표   연우님께서 떨어트린 건데 (머쓱) 이제 드리네요, 죄송해요.

사월   (?) 근데 애기씨, 색이 왜 이런대요? 까만 게.

성표   첨엔 안 그랬는데 변했더라구요. (흠) 근데 이거… 은 아닙니
까? 은도 물에 닿으면 색이 변하나? (갸웃하는데)

연우   ? (노리개를 보는) …….

〈플래시컷// 1부 S#69. 피 묻은 노리개를 들어 보는 연우.〉

연우   (검은 부분 만지며, E) … 서방님 피가 묻었던 곳인데…. (설마?!!)

⌒ S#75. 태하 집, 연우 방 / 낮

배롱나무 가지에서 꽃 하나가 붉은빛을 잃으며 시들더니 그대로 고개를 꺾
는다.

⌒ S#76. SH서울, 임원 회의실 + SH서울, VIP 라운지 카 페 / 낮

태하, 자신만만한 표정으로 혜숙을 보고 웃고, 그런 태하를 매섭게 보는 혜

숙. 그리고 놀란 눈으로 노리개를 만지는 연우의 모습에서.

(엔딩)

6부
—
매듭,
연(緣)의 고리

⌒ S#1. SH서울, 태하 사무실 안 / 낮 - 5부 S#70 이후 상황

새로운 셔츠로 갈아입은 태하, 생각 많은 얼굴로 넥타이를 매고 있다. 그 옆에서 성표는 태하가 벗어 놓은 셔츠(*연우 자수가 놓인)를 챙기고 있다.

성표 　연우님은 미담 대표님께 어머니라 그러고, 이대표님은 (셔츠 보며) 뜬금없이 셔츠 좀 달라 그러고. 하루하루가 스펙타클하 네요, 진짜.

⌒ S#2. SH서울 옥상, VIP 라운지 카페 / 낮

연우와 미담이 마주 앉아 있다.

연우 　죄송합니다. 제 어머님과 너무 닮으셔서 그만….
미담 　(어머니?) 괜찮아요, 그럴 수도 있죠. (미소, 찬찬히 연우 보다가) 연우씨라고 했죠? 그 옷, 한복으로 만든 건가요? 독특하고 예 뻐서요.
연우 　(칭찬에 기쁜) 정말요?? 제가 만든 건데….
미담 　(!) 연우씨가요? 솜씨 좋은데요? (하며 옷을 본다)

연우의 시선에 일순, 연우의 자수를 들고 '잘했다' 하며 웃는 연우모와 미 담이 겹쳐 보인다. 연우, 그리움으로 미담을 보는데 그 모습을 일각에서 태 하가 쳐다보고 있다.

TITLE 6부. 매듭, 연(緣)의 고리

～ S#3. SH서울 옥상, VIP 라운지 카페 / 낮

태하와 연우가 미담과 마주 앉아 있다. 미담, 셔츠를 보고 있다가.

미담   자수도, 옷 만드는 법도 어머님께 배웠단 거예요?

연우   네, 어릴 때부터요.

미담   (셔츠 아랫부분 연우의 시그니처 나비 문양을 만지는) …,

연우/태하   (왜 저러지? 해서 보는데)

미담   … 괜찮다면 강부대표 제안, 지금 받아들여도 될까요?

태하   (?!) 저희 제안을요? 물론입니다.

연우   (좋은 일인가? 해서 태하 보는데)

미담   대신 한 가지 조건이 있어요. (연우 보며) 연우씨와 함께 일해
                보고 싶은데, 가능할까요?

연우/태하   !!! (놀라서 보는)

～ S#4. SH서울, 임원 회의실 앞 / 낮 - 5부 S#76 이어서

강회장과 미담이 웃으며 가고 있고, 조금 떨어진 뒤에서 태하와 고이사, 최
이사 등이, 그 뒤로 혜숙과 황명수가 가고 있다. 태하를 보는 혜숙의 표정
이 차갑다.

고이사   미담과 콜라보라니 정말 고생 많으셨습니다. 축하드려요.

최이사   부대표님 사모님 덕에 쉽게 풀린 것 같던데, 큰일 하셨어요.

태하   아닙니다. 다 믿고 맡겨주신 이사님들 덕분이죠.

황명수   (쯧쯧) 저… 저… 박쥐 같은 놈들… 고샐 못 참고 들러붙어서는~!

혜숙   (분하다, 주먹 꼭 쥐고 태하의 등 빤히 보는)

～ S#5. SH서울, 태하 사무실 / 낮

태하, 의자에 앉으려는데 심장이 저릿!해온다. 놀란 태하, 고통을 참으며 서랍에서 약통(*5부 S#60)을 꺼내다 놓친다. 떨어진 약통 데굴 굴러가는데 혜숙이 들어오고! 태하, 재빨리 휴대폰을 찾아 쥐곤 옆 버튼 누르는.

태하   (혜숙이 약통 못 보게 시야 막아서며) 무슨 일이세요.

혜숙   (약통 못 본) 축하 정돈 하려고. 제법이더구나, 아니 운이 좋은 건가?

태하   (아픔 참고 태연하게) 더 들을 얘기 없으니 그만 나가시죠.

혜숙   (차!) 그래, 준비 잘하렴. 회장님께서 거는 기대가 크니까. (돌아서는데)

태하   !! (격한 통증이 오는데 참는)

혜숙   (가려다가 뭔가 이상해 돌아보는) …?

～ S#6. SH서울 옥상, VIP 라운지 카페 / 낮 – 5부 S#74 이어서

연우, 노리개를 보고 있는데 이때, 성표 휴대폰에 태하의 SOS문자●(* S#5)

● 안드로이드폰엔 휴대폰 옆의 버튼을 몇 차례 누르면 본인이 지정한 사람에게 긴급 문자가 가는 설정이 있다. 심장 때문에 위험한 상황이 생길지도 모르는 태하가 성표를 긴급 연락처로 지정해놓은 것.

354

가 뜬다!

성표	(!) 연우님은 사월씨랑 집에 가 계세요. 전 일이 좀 남아서. (후 다닥 가는)
사월	(싫지 않은) 사월씬 무슨~ (큭) 애기씨, 우리도 그만 가요. (일어 서는데)
연우	(노리개만 보다가) 어? 어…. 그래. (여전히 노리개만 보는)
사월	(뭔가 이상해) 왜요? 노리개에 뭐라도 묻었어요?
연우	(노리개 보여주며) 여기 검게 변한 부분, 뭔가 이상해서. (조심스 럽게) 서방님의 피가 묻었던 곳이야….
사월	(!) 피요??
연우	(끄덕) 서책에서 본 적이 있어. 은은 독에 닿으면 검게 변한다고.
사월	독…? (헐!) 독이요?? (앉는) 그럼 서방님이 독살이라도 당하셨 단 거예요?
연우	건 모르겠지만 왠지 느낌이 안 좋아. (불안한, 노리개 보는) ….
사월	(연우 보다가, 부러) 애기씨가 다모나 암행어사도 아니고 노리개 만 보고 어찌 알아요! 게다가 누가, 왜 서방님을 죽이는데요? (달래듯) 그냥 물에 빠져서 색이 변한 거겠죠. 넘 깊게 생각 마 세요, 예?
연우	(그런 걸까? 노리개만 보는)

～ S#7. SH서울, 태하 사무실 안 + 앞 / 낮

혜숙	(뭔가 이상한) 어디 불편하니?
태하	(부러) 좋을 리 없지. 민혜숙, 당신이 여깄는데.

혜숙   뭐?! (하는데)

이때, 문이 열리며 성표가 들어오더니 자연스럽게 혜숙과 태하를 가로막고
선다.

성표   (혜숙 보며) 회의 가실 시간이라서.

혜숙   (못마땅하게 보다가 획-나가버리는)

태하   (혜숙이 나가자마자 다리가 꺾이면서 쓰러지는) !

성표   ! (태하 붙잡으며) 부대표님! (하는데)

태하   (와중에) 조용… 밖에 들려…. (숨 몰아쉰다)

사무실 앞/ 혜숙, 힐끔 사무실 쪽을 돌아보더니 불쾌한 표정으로 가는.

사무실 안/ 태하, 소파에 앉아서 생수와 함께 약을 먹고 있다.

성표   병원부터 가시죠. 최교수님께 연락드리겠습니다. (휴대폰 꺼내
           는데)

태하   (숨 몰아쉬며) 안 돼요. 1주년 행사… 아니, 할아버지 수술하시
           고 박연우씨 정리될 때까진 소란 떨지 말아요.

성표   (답답한) 부대표님! (하는데)

태하   부탁 아니라… 명령입니다. (보는)

성표   … 알겠습니다. 그럼 물이라도 더 가져올게요. (나가는)

태하, 거친 숨을 몰아쉬며 안정을 취하려는데 문득,

〈플래시컷// 4부 S#22. 자장가를 불러주며 잠깐 들리는 북소리라 말하던

연우.)

태하, 연우의 자장가 소리를 떠올리면서 조금씩 안정을 되찾는다.

～ S#8. SH서울, 마케팅팀 안 + 앞 / 낮

하나와 석주, 테이블에 앉아 있는데 현정이 호들갑 떨며 온다.

현정	들었어, 들었어? 완전 깜놀할 소식?! 미담, 설득한 거 강드로 와이프래!!
하나	(!) 누구…? 부대표님 와이프요?
석주	(헐) 찐이요? 그럼 그 찌라시 뭐지? 이상한 여자라면서요?
현정	섬세하게 쌩뚱인거지. 이미담 대표가 홀딱 반했대~! 강드로 요즘 달라진 거 역시 와이프 때문이었어. 근데 누구지? 재벌 3세? 연예인? 셀럽?
하나	(화난) … (벌떡 일어서더니) 저, 홍보팀 좀 다녀올게요. (나가는)
현정	! (당황했지만) 어? 어, 조심히 다녀와~ (왜 저러지? 이상한)

사무실 앞/ 잔뜩 화가 난 하나, 주먹을 꼭 쥐는데 표정이 예사롭지 않다.

～ S#9. 미담 사무실 / 저녁

태하와 미담 마주 앉아 있다. 태하, 나비와 모란 자수(*연우 자수와 비슷한

357

/ 아랫부분에 이음수 나비 날개)가 놓인 오래된 보자기* 액자와 자기 셔츠를 보고 있다.

미담   (보자기 보며) 외가에서 내려온 자수예요, 200년 정도 된.

태하   (?!) 200년이요?

미담   (자수 가리키며) 난십자수랑 자련수인데 색 배치와 모양까지 연우씨가 한 자수랑 거의 똑같아요. 게다가 (보자기와 셔츠의 이음수 나비 날개를 각각 가리키며) 이음수로 만든 니비 날개, 그것두요.

태하   (보다가) 이거 때문에 저희 제안, 받아들이신 건가요?

미담   연우씨 자수를 보는데 이 보자기가 떠올랐어요. 궁금하더라구요, 박연우씨가. (흠) 인연, 운명 이런 말 촌스럽대도 난 믿어요. 강부대표도 나도, 그리고 연우씨도 그 알 수 없는 인연으로 만났을 테니까. (웃는데)

태하   인연이요…. (하면서 셔츠의 이음수 나비 날개를 본다)

〰 S#10. 태하 집, 연우 방 / 저녁

연우, 서랍에 노리개를 넣으려다가 시든 배롱꽃(*5부 S#76)을 보고 멈칫! 한다.

연우   (시든 배롱꽃 들고) 어제까진 괜찮았는데…? (하는데)

사월   (문 열고 들어와) 애기씨, 얼른 나와서 좀 도와주세요!!

● 연우가 조선시대 어머니께 선물했던 자수다. 뒤쪽에 연우모의 죽은 딸을 향한 그리움이 담긴 편지가 숨겨져 있다.

연우   (!) 응? 어, 그래. (하고 배롱꽃 보지만, 더 생각 안 하려고 놓고 나가는)

테이블 위의 시든 배롱꽃과 그 옆의 노리개 보이고.

〰 S#11. 태하 집, 거실 / 저녁

태하와 성표가 들어오는데 푸드득! 닭 한 마리가 날아온다. 놀란 태하는 재빨리 피하고 뒤에 있던 성표는 '헉!' 뒷걸음질 치다가 잉덩방아 찧는다! 놀란 성표에게 다시 닭이 달려드는데, 이때! 국자 든 사월이 닭을 낚아채 잡는다. 성표, 입 쩍 벌리고 보는데 한 손엔 닭을 잡고, 다른 손엔 국자를 든 사월이가 마치 아테네 여신처럼 보인다!!

사월   사내 기가 그리 허해서… 쯧! (하고 보는데)
태하   (쫄아서 친절하게) 아직 안 갔네요, 사월씨?
사월   (태하에겐 나긋) 애기씨랑 도련님 초야, (하다) 몸보신 하시라고
              준비 좀 했어요. 얼른 씻고 나오셔요~! (빙긋 웃고 주방으로 가는)
성표   (홀딱 반했다!) 지금… 나보고 웃은 거죠?? 아~ 정말 멋져! (뿅~
              하다가, 벌떡 일어서며) 사월씨! 내가 도와줄게요! (하며 후다닥
              쫓아가는)
태하   ?? (뭐지, 이건?? 해서 보는)

〰 S#12. 태하 집, 주방 / 저녁

백숙 한 상 차려져 있고, 성표가 우와~ 하면서 다가온다. 뒤이어 연우와

태하 오고.

성표　이게 다 뭡니까? (감동해서 앉으려는데)

사월　(김치통 들고 나타나 성표 목덜미 잡으며) 얼레? 어따 궁둥일 붙인
　　　대?!

연우　왜~ 홍가양반도 같이 먹어야지.

사월　이건 두 분이 오붓하게 드세요. (김치통 성표 주며) 그짝은 요거!

성표　(입맛 다시며) 그냥 먹고 가면 안 됩니까?

태하　(편들며) 그래요, 같이 먹고 가요. (하는데)

사월　(으름장, O.L) 아, 어딜요! (성표 보며) 가자고요! 얼른!!

태하와 성표, 사월의 으름장에 쫄아서 보는데… 연우, 그 모습에 풉! 웃음
터지는.

〜 S#13. 태하 집 앞 / 저녁

사월, '갑시다, 가!' 하며 김치통을 든 성표를 밀면서 다급히 나온다.

성표　사월씨!! 좀 천천히요!! 아, 왜 이래요, 진짜! (하는데)

사월　왜긴요! 밤이 됐고! 도련님 왔고! 그럼 알아서 빠져주는 거고!

성표　그니까 왜요~~!!

사월　그건, (확! 얼굴 들이밀며) 숙제예요! 담에 볼 때까지 풀어보는지.

성표　!! (쿵쾅쿵쾅!) 다, 다음? 숙제요??

사월　(새침하게 획— 돌아서서 가는)

성표　(아!) 다음 언제요? 저, 저기요!! (따라가며) 데려다줄게요! 사월
　　　씨~~

⌒ S#14. 태하 동네 일각 / 저녁

편한 차림의 연우와 태하, 야경이 잘 보이는 곳 벤치에 앉아 있다.

태하	역시 이대표님과 연우씨 어머님이 많이 닮았던 거군요.
연우	(끄덕) 마음 아플 만큼요, 어떤 인연인진 모르겠지만. (하늘을 보는)
태하	(그런 연우 보다가) 이대표님 제안, 받아주면 좋겠어요. 아니, 받아줘요. 디자이너로서 박연우씨가 필요합니다.
연우	?! (태하 보는, 잠시 생각하다가 일어서더니) 늦었는데 그만 가죠. (가는)
태하	! (잠시 멈칫, 이내 연우 뒤를 쫓아가며) 생각할 시간 필요하면 줄게요. 대신 긍정적인 방향으로, (하는데)
연우	(뭔가를 보더니 갑자기 걸음을 멈춰 서서 쳐다본다) ….

태하, 연우 시선 따라보면 과잠바를 입은 남녀 대학생들이 웃고 장난치며 가고 있다.

연우	(학생들 보다가) 박연우란 이름은 내 것이 아니었소. 누군가의 부인, 어떤 이의 어미로만 불릴 거였으니까. 그래서 부러웠어요, 새조선 사람들이. 누구든 제 이름으로 사는 게.
태하	(?) 그럼 내 제안, 연우씨에게도 좋은 거 아닌가요?
연우	좋은 것과 해도 되는 건 다르오. 서로 필요해 한 혼인이지만, 폐 끼칠 생각 없어요. 괜히 나 때문에 회사에서 더 시끄러워지면,
태하	(O.L) 그럴 일 없어요. (연우 보며) 나, 믿어도 돼요.
연우	(믿으라는 말에 살짝 심쿵! 한다)

태하	그리고 연우씨랑 이대표님 인연과 상관없이 박연우씨 가능성
	보고 제안하는 겁니다.
연우	(가능성을 봤단 말에 기분이 좋다, 살짝 고개 숙여 웃더니 돌아서서
	가는)
태하	(그런 연우 쫓아가며) 연우씨. (하는데)
연우	그래서 (쓱- 보며) 돈은 많이 줄 거요? 나 꽤 비싼데.
태하	(그제야 안도) 얼만데요? 얼마면 됩니까? (웃는데)
연우	! (태하 미소에 또 심쿵!, 시선 돌리며) 무조건 많이! 아~~주 많이,

태하, '그니까 얼마요!' 연우, '알아서 해요!' 하면서 티격태격 가는 두 사람.

〰 S#15. 태하 집, 연우 방 / 다른 날, 아침

연우, 자기가 만든 옷(*S#2과 다른)을 입고 거울 앞에 서 있다. 후~ 숨 한 번 쉬더니.

연우	박연우! (옆에 있는 돌쇠 보며 주먹 꼭!) 아자! 아자자! (빙긋!)

〰 S#16. 태하 집, 거실 / 아침

태하, 워치를 보면서 연우를 기다리다 인기척에 뒤를 돌아보는데 순간 커지는 눈! 보면, 계단에서 내려오는 연우가 너무 아름답다! 태하, 연우에게 눈을 떼지 못하는데!

연우	(태하 앞으로 와 빙긋 웃으며) 첫 출근이라 신경 좀 써봤는데 어떻소?
태하	(완전 반한, 홀린 듯) 아름다워요… (하다가)(!) 아, 옷말이에요. 옷! (하더니 획— 돌아서며) 가죠. (하며 가는데 당황한 표정이다)

⌒ S#17. 태하 집 앞 / 아침

태하와 연우 나온다. 태하, 차 문 열고 타는데 연우 차에 타지 않고 태하를 쳐다본다.

연우	(당당하게) 난, 택시 타고 가겠소. 사람들에게 들키면 안 되니까.
태하	괜찮으니까 근처까지 타고 가죠?
연우	뭐든 확실해야 좋소! 우린 이제부터 남남이요! (하더니 씩씩하게 가는)
태하	(연우 보다가) 중간이 없네, 진짜. (피식—, 차에 올라타는)

⌒ S#18. SH서울, 회의실 / 아침

마케팅팀과 미담, 연우, 태하, 성표, 윤재가 서 있다. (*첫 인사)

태하	(소개하는) 이번 1주년 행사를 함께 할, 미담에서 오신 분들입니다.
미담	여긴 미담의 도윤재 실장, 그리고 이쪽은 객원 디자이너 박연우씹니다. 이 두 분이 주로 여기서 함께 일하게 될 거예요.

태민/하나	?! (디자이너? 하면서 연우 보는)
현정	디자이너셨구나~ (연우 옷 보며) 어쩐지 스타일이 남다르더라~!
윤재	좋은 작품 함께 만들었으면 좋겠네요. 잘 부탁합니다.
연우	저도 (기합 잔뜩) 잘!! 부탁드립니다!!!
현정/석주	(!) 엄마 깜짝야! /오~ 박력 쩌시네요. (엄지 척)
연우	(민망) 죄송해요, 좀 긴장해서. 하하… 하하하…. (쩝…)
태하	(귀엽다, 고개 돌리며 웃음 참는)
하나	(태하와 연우 번갈아 보는) …. (묘하게 연우가 거슬린다)

〰 S#19. SH서울, 혜숙 사무실 안 / 아침

혜숙	(!, 황명수 보며) 뭐요? 박연우가 미담 쪽 디자이너로 참여를 한다구요?! 말도 안 돼…. (일어서는데)
황명수	(따라 일어서며, 말리는) 대표님! 이번엔 좀 두고 보시죠. 중요한 행사 앞두고 박연운지 뭔지 데려다 났으니 분명 문제가 생길 겁니다.
혜숙	태하가 아무 계산 없이 데려왔을 리 없어요.
황명수	(설득) 그래도 다른 공격 상대가 생긴 거니 나쁠 건 없죠. 뭣보다 강회장님께 계속 맞서는 건 아직 위험합니다.
혜숙	… (일리가 있다, 자리에 앉는) 박연우한테 당장 사람 붙이고, 행사 준비 상황 하나하나 다 보고하세요.
황명수	예, 알겠습니다! (뭔가 꿍꿍이 있는 표정으로 혜숙을 본다!)

～ S#20. SH서울, 회의실 / 낮

마케팅팀과 미담팀, 태하, 성표가 미담의 디자인을 보며 회의 중이다.

미담   밀라노에서 썼던 의상 말고 서너 벌 더 추가하면 어떨까요? 나
         랑 도실장이 준비한 시안이 몇 개 있는데.

현정   홍보에도 훨씬 도움 되겠는데요? 유대린 어때?

하나   (부러) 박연우씨 디자인도 포함헤시 스토릴 만들면 괜찮을 것
         같은데.

연우   (나? 해서 보는데)

하나   다음 세대로 이어가는 미담과 SH서울의 새 비전이란 컨셉으
         로요.

태하   좋은 아이디어네요. (미담에게) 섹션 하날 그 컨셉으로 한번 해
         보시죠?

미담   (끄덕) 의미도 있고, 재밌겠네요. (하며 윤재 보는데)

윤재   (신중) 일단 디자인 시안부터 보고 결정하시죠. 박연우씨 의상,
         솔직히 아직 판단이 잘 안 섭니다.

연우   ! (윤재 말에 살짝 당황한다)

하나   (그런 연우를 힐끔 보는)

태하   (연우 편들려고) 내 생각엔,

태민   (O.L, 나서서) 당연히 잘하겠죠, 미담 객원 디자이너잖아요?

태하   ?! (태민 보는, 왜 나서는 거야?)

미담   연우씬 어때요? 괜찮겠어요?

연우   옷 만드는 사람은 옷으로 얘기해야겠죠. 기회 주시면 그에 맞
         는 답, 보여드리겠습니다. (표정)

〰 S#21. SH서울, 복도 / 낮

다들 사무실로 이동 중인데 태민, 연우 옆으로 슬쩍 붙으며,

태민   아까 완전 멋지던데요? (능글맞게) 박, 연우씨~? 연우, 연우씨?!
연우   (큼) 아, 네. (하고 앞으로 가려는데)
태민   (따라와, 작게) 근데 괜찮겠어? 호랑이 굴에 대놓고 들어온 거.
연우   (앞의 팀원들 살피며) 그쪽만 신경 꺼주면 대놓고 괜찮겠네요.
태민   (장난) 싫은데, 난 완전 신경 쓸 건데~? (큭—)

뒤에서 성표와 오던 태하, 연우와 티격태격하는 태민을 보자 기분이 나빠
지는데.

성표   연우님, 태민이랑 꽤 친해 보이네요? 역시 친화력 하난 갑이네
       요, 갑!
태하   (괜히 심퉁) 친해 보이긴 무슨. 홍비서 시력에 문제 있어요?
성표   (눈 크게 뜨고) 아뇨~ 양쪽 모두 1.0입니다! 저 특등사수였어요~
태하   (인상 팍! 쓰며 다른 쪽으로 가는데 시선은 연우와 태민을 향해 있다) ….

〰 S#22. SH서울, 마케팅팀 사무실 / 낮

연우, 벅차오르는 기분에 자기 책상을 손으로 쓱— 만져보는데 이때, 윤재
가 다가온다.

366

윤재	(연우 출입증* 주며) 이거 연우씨 거요.
연우	! (출입증의 제 이름 만지며, 감동) … 제 이름이네요.
윤재	그렇게 좋아요? 괜히 미안해지네. 아까 회의실에선 서운했죠?
연우	(솔직) 쬐끔요. 근데 겁내 잘할 거니까 두고 보세요! (웃는)
윤재	(살짝 당황) 네? (했다가 훗!) 이거 좀 무서운데요?

이때, 태하가 입구에서 쓱— 나타나는데 연우와 윤재를 본다. 뭐야 저건
또?! 허는데.

윤재	(미소, 휴대폰 들고) 휴대폰 번호 줄래요? 무서운 후배 저장 좀 하게.
연우	아, 01024… (윤재 휴대폰 보느라 자연스럽게 윤재와 몸 가까워지는데)
태하	(!!) 뭐야, 왜 저렇게 가까(워? 하는데)
현정	(쓱— 태하 뒤에서 나타나) 뭐 하세요, 부대표님?!

태하, 헉! 놀라 돌아보면 현정과 태민이 서 있다. 그 소리에 연우와 윤재도
돌아보는.

태민	(부러) 아~ 감시하러 오셨나? 그게 아니면… (하며 연우 보는)
연우	(응? 하면서 태하 보는데)
태하	아… 그게… (하다, 연우 시선에 에라 모르겠다) 오늘, 회식하자구요! 회식!

● 이름과 사진이 들어가 있는 출입증이다.

마케팅팀과 연우, 태하, 성표, 윤재가 소고기를 먹고 있다. 다들 태하 때문에 편하게 못 먹고 있는데 연우와 석주만 눈치 없이 신나게 먹고 있다. (*술은 없는)

현정	(어색한) 새 식구 들어오니까 좋네요? 이렇게 좋은 곳에서 회식도 하고.
석주	(해맑) 그러게요~ 부대표님도 오셨잖아요! 회식 참석률 빵이신데. (헤헤―)
연우	(태하 보며 평소처럼) 거 사람 성격하고! 친하게 좀 지내지. (쯧!)
현/하/윤	(댕!!! 부대표한테 뭐라는 거야, 지금?!)
태하/태민	(힐! 해서 보는) / (큭― 웃음 터지는)
성표	(!) 박연우씨 할 말 하는 캐릭터네요? 부대표님 앞에서! (어색) 아하하하!
연우	(아차!) 말은 해야 맛이고 고기는 씹어야 맛이죠~! (아무 말) 원래 남의 살이 젤 맛있잖아요! (어색) 아하하하! (한 점 먹으며) 음~ 진짜 맛있네요!
성표/연우	(서로 쳐다보며 어색하게) 아하하하!
다들	(뭐지? 저 어색한 분위긴?)
태민	(화제전환) 회식에 술은 국룰인데! 다들 한잔하죠?!
태하	아뇨, 술은 됐습니,(다 하려는데)

연우와 석주, 신나서 동시에 '좋아요!!' '콜콜!' 하다가 서로 쳐다보며 오~~! 태하, 큼… / 현정, 태하 눈치 보며 물 마시다 사레 들어 켁켁! / 하나는 표정 어두운.

368

⌒ S#24. 고깃집 전경 / 저녁

⌒ S#25. 고깃집 / 저녁

태하, 성표, 윤재, 하나 빼고 취한 사람들. '1주년 행사를 위하여' 건배하고. 태하는 연우 계속 살피고, 하나는 그런 태하 살피는. (*연우는 열심히 먹는 상황)

윤재	(연우 보며) 천천히 마셔요, 연우씨. 그러다 취해요.
태하	(어쭈? 윤재 보며, E) 남이사! 취하든 말든!
연우	(헤헤) 근데 고기가 맛있어서 술이 자꾸 땡겨요! (웃는)
태하	(연우 보며, E) 왜 자꾸 웃는 거야?!
태민	(윤재 견제, 고기 연우 그릇에 주며) 그럼 실컷 먹어요! (빙긋)
태하	! (태민 획— 돌아보며, E) 쟤는 또 왜 껴!
하나	(그런 태하 살피다) 부대표님, 물 한잔 드릴까요?
태하	(연우만 보며) 아뇨, 괜찮습니다.
하나	(기분 안 좋은) 저, 화장실 좀. (일어서는)
현정	미담은 선남선녀만 뽑나? 도실장님 연우씨 너~무 보기 좋다. 눈앞이 (석주, 성표 보며) 막~ 깜깜했다가 (연우, 윤재 보며) 环~ 해지는 그런 느낌?
석주	(삐죽—) 왜요~ 난 우유빛깔인데. (성표 보며) 아… 흙빛, 깜깜 인정.
성표	(쯧!) NO 인정! (들고 있던 쌈 석주 입에 구겨 넣는)
현정	둘이 오해 많이 받죠? 사귀는 거 아니냐고.
태하/태민	!!! (해서 보는)

윤재	(싫지 않은) 그만 놀리세요. 전 괜찮지만 연우씨 불편해요.
연우	(좀 떨어진 곳에 있던 반찬 가져오느라 못 들은) 예? 불편이요? 뭐가요? (하다) 나 안 불편한데? (헤헤)
현정	(오!) 뭐야! 둘이 섬세하게~ 어머! (하는데)
태하/태민	(짜증) 오팀장, (하는데) / (동시에, 버럭) 여기요! 고기 더 주세요!!!
성표	(뭐야… 이 태태 형제? 쓱쓱— 보는데)
윤재	(맥주병 들고) 연우씨, 한잔 더 할래요? (하면)
연우	저 많이 마시면 안 되는데~ 술 취하면 잘하는 거 있어서.
태하	?!! (잘하는 거?)

〈플래시컷//

4부 S#7. 술 취하면 잘한다 말하는 연우.

4부 S#1. 뽀뽀하는 연우.〉

태하	!!!! (이 여자가? 미친 거야?)
윤재	(?) 잘하는 거? 그게 뭔데요?
연우	(장난) 어? 알면 다치는데~ (음) 그게 뭐냐면요. (빤히 윤재 이마 보는데)
태하	!! (벌떡 일어서며) 그마안~!! 회식 끝입니다, 끝!!!
현정/석주	(놀라서 딸꾹)! / (맥주 마시다 풉!)

⌒ S#26. 고깃집 앞 / 저녁

다들, '잘 먹었습니다~' 하면서 고깃집 앞으로 나오는데.

윤재	연우씨, 내 차 타고 갈래요? 디자인 얘기도 좀 하구요.
태하	(!, 성표 옆구리 쿡— 찌르며 눈짓)
성표	(바로) 아, 박연우씬 제가 데려다, (하는데)
연우	넵! 도실장님. 안 그래도 물어볼 거 있었는데~ (헤헤)
태하/하나	(헐! 이 여자??) / (태하 반응 살피는)
태민	(끼어들며) 우리 2차 가죠? 박연우씬 내가 데려다줄게요!
태하	(끼어들며) 도실장 술 마셨죠? 연우씬 홍비서랑 가는 게 좋겠네요.
윤재	(바로) 안 마셨습니다, 차 가져와서. (빙긋)
태하	!! (댕! 안 마셨다고?)
태민	(안 되겠다!) 그럼 나도 도실장 차 타고 가야겠다~ (하는데)
석주	(취한, 태민 끌고 가며) 후배님~ 어딜가요~ 2차 가요, 노래방! 노래방!
현정	(취한, 하나 끌고 가며) 그래~ 가자! 마케팅팀만 2차로!!!

마케팅팀 그렇게 가버리고 윤재, 연우를 데리고 간다. 태하, 벙!쪄서 보는.

성표	(태하 눈치 보며) 저 부대표님 저희도 그만 가죠.
태하	(짜증, O.L) 갈 겁니다! 간다구요!! (획— 혼자 가버리는)
성표	(빤히 보다가, 오~) 좋~다! 성질도 부리고. 이것은 연우님 매직?!!

〰 S#27. 태하 집, 거실 / 밤

평상복 차림의 태하, 소파에 앉아 팔짱을 낀 채 눈을 감고 있다가… 번쩍 뜬다!

태하   도실장인지 도살장인지, 그 자식은 뭔데 지 혼자 술을 안 마
         셔?! (하! 워치 보면, 10시 넘었다!) 대체 뭐 하길래 아직도 안
         와?! 회사선 남남인 척 하자더니 아주 신났네, 신났어! (하며
         현관 째려보는)

⌒ S#28. 태하 동네 일각 / 밤

태하, 짜증스럽게 나오는데 차에서 내리는 윤재와 연우가 보인다! 순간 재
빨리 숨고!

태하   ! (속닥) 강태하, 니가 왜 숨어! (해놓고서도 빼꼼 고개 내밀고 보
         는) ….
윤재   (주변 보는, 부자 동네다) 집이 여기예요?
연우   (둘러대며) 이 근천데 좀 걸으려구요, 배불러서.
윤재   그래요, 그럼. (연우 머리카락에 붙은 밥풀 보고, 훗!) 머리에 이건
         뭐예요? 가져가려구요? (하며 떼어주는데)
태하   !! (저도 모르게) 야!! (하다가, 헉! 해서 입 막고 오만상)
연우/윤재 (그 소리에 돌아보는데 아무도 없다) ??

⌒ S#29. 태하 집, 마당 / 밤

태하, 후다닥 오는데 연우 오는 소리가 들리자 태연하게 달 보는 척 한다.

연우   (태하 발견하고) 나와 있었어요?

태하	(괜히 몸 푸는 척) 그냥 바람 좀 쐬려구요. (슬쩍) 늦었네요?
연우	(신난) 도실장님, 옷에 대해 아는 게 얼마나 많던지 킹왕짱이었 소!
태하	(빠직, 혼잣말처럼) 킹왕짱? (하!) 그런 말은 또 어디서 배워서.
연우	아! 도실장님이 요샌 생활 한복이 더 유행이래요. 근데 도실장 님이… 그래서 도실장님이… 또 도실장님이… 도실장님… 도 실장님! (하는데)

태하의 귀엔 다른 말은 무음이 되고 '도실장님'이란 소리만 들리고, 점점 빡이 친다!

연우	(달 보며) 일 잘~하게 해달라 옥토끼한테 빌어야겠어요! (손 모 으는데)
태하	(비아냥) 옥토끼? 소용없을 텐데, (복수다!) 그 토끼 거기 안 사 니까!
연우	(?!, 보면)
태하	(휴대폰으로 달 사진 찾아 보여주며) 이게 진짜 달입니다. 거긴! 공기도 없고, 돌만 있어요. 그러니 방아 찧고 풀 뜯어 먹는 토 끼 따위, 없다구요!
연우	(쿠쿵- 충격!!!!!) …. (쓰윽- 달을 돌아보는, 절망에 빠진 얼굴!)

〰 S#30. 태하 집, 거실 / 밤

태하	(씩씩거리며 소파로 오는) 취직은 내가 시켜줬는데 입만 열면 도 실장, 도실장이야?!

연우	(따라오며, 화난) 게 서시오! 서!! 아, 서라니까!!
태하	(휙— 돌아보며) 왜요! 뭐!!
연우	옥토끼 얘길 꼭, 오늘, 지금 말해야 했소? 좋은 기분에 왜 초를 치냐고!
태하	(깐죽) 초칠 만해서 쳤는데? 내가 그쪽 기분까지 생각해야 되나?
연우	(빠직!) 그쪼옥~?! (쿠션 들더니 때리며) 그렇게 부르지 말랬지! 어!!
태하	(쿠션으로 맞으며, 유치하게) 아! 아! 왜 반말이야!!
연우	(쿠션으로 계속 때리며) 니가 먼저 했거든!! 이 성질머리 고약하고 못된, 겁내 나쁜 놈아—!! (쿠션 냅다 던지는)
태하	(잽싸게 피하고) 그쪽이야말로 술 취하면 행동에 겁내 문제 있거든!
연우	(하!) 뭔 소리야?! 괜히 쪼잔하게 트집 잡지 말고,
태하	(!) 쪼잔? 트집? 아까도 하려고 했잖아! 술 취하면 잘한다던 그 뽀뽀!!!

연우, 댕!! 해서 보는데 다시 떠오르는 그날의 기억!

〈인서트// 4부 S#1, 두 사람 뽀뽀하던 모습, 과한 뽀샤시 효과.〉

연우	(!!) 뽀… (하다)는 무슨! (미치겠다) 내가 잘하는 건 박치기 거든?! 입술 말고 이마 박치기!! (우씨—) 그땐 기억 안 나서 말실수한 거라고!
태하	(?) 바, 박치기?? (아!!) 그럼 말이 되네. (하는데)
연우	! (창피한) 됐고!! 그 얘긴 그만! 끝!! (하더니 2층으로 도망친다)
태하	(연우 보다가) … (풋! 안도의 웃음 터지는) 박치기…? 박치기였

어? 난 또… 하~ 다행이다, 진짜! (하다) 근데… 뭐가 다행이란 거지? (웅-??)

⌒ S#31. 태하 집, 연우 방 / 밤

연우, 침대로 들어와 이불을 뒤집어썼다가 이불킥 하며 '으아아~' 괴로워한다.

연우   (휙! 이불 거둬내고 앉더니) 박치기든 뽀뽀든, 왜 지가 화를 내? (하다가) 아~ 몰라! 진짜 창피해 죽겠다고오—!! (발버둥치며 울상)

⌒ S#32. 성표 집, 전경 / 다음날, 아침

⌒ S#33. 성표 집, 거실 / 아침

성표, 심각한 얼굴로 '밤, 도련님, 알아서 빠지기, 숙제'라고 쓰인 노트를 보고 있다.

사월   (E) 밤이 됐고! 도련님 왔고! 그럼 알아서 빠져주는 거고! (쯧)
성표   (글자에 마구 동그라미 치며) 이게 무슨 뜻일까?? (흠… 하는데)
나래   (다가와) 출근 안 해? 늦었어! (하다, 노트 보며) 밤, 도련님. 알아서 빠지기?? 얼씨구~ 왜, 보는 것도 모자라 쓸려구? 19금으로?
성표   (엥?) 뭔 소리야? 19금이라니.

나래	딱 각 나오잖아! 밤에 도련님 오니까 알아서 빠져라. 왜?? 뜨밤 보내게.
성표	아~ 뜨밤. (하다가) 뭬야?! 그런 거였어?! (벌떡 일어나 뛰쳐나간다)
나래	오빠! 어디 가?! 오빠! (다시 노트 보며) 아닌가? (갸웃)

〰 S#34. 강회장 집 앞 / 아침

사월이 문밖으로 나오자 기다리던 성표가 덥썩! 사월의 어깨를 잡는다.

성표	안 됩니다, 사월씨랑 우리 부대표님은 안 된다구요!
사월	(성표 밀치며) 자다가 남의 다리 긁는 것도 아니고, 뭔 소리래 아침부터?!
성표	(심각) 숙제, 풀었다구요! 밤! 도련님! 알아서 빠지기!! (괴롭다) 울 부대표님 내가 봐도 멋지지만, 안 돼요. 왜냐면, 왜냐면! (하는데)
사월	(O.L) 얼레얼레! 혼자 방귀 뀌고 똥 싸지르네~ 허여멀거니 힘도 못 쓸 양반을 왜 나한테 찍어 붙여요?! 자고로 사낸 몸뚱이가 8할인데?
성표	몸뚱이요? (바로) 그럼 아니네! 아~ 완전 천만다행!!
사월	다행은 무슨! (알면서, 팅기는) 진짜 속을 모르겠네.
성표	(사월을 보며) 그건… (느끼한 눈빛!) 숙젭니다, 나도!
사월	(은근 기대했다가) 됐네요! 안 풀면 그만이니까! (문 쾅! 닫고 들어가는)
성표	(!) 사월씨! 에이프릴! (문에 대고) 그냥 내 숙제도 좀 풀어봐요, 네?!!

S#35. 고미술 화랑 안 / 낮

강회장, 소파에 앉아 어린연우 그림(*3부 S#23)이 담긴 액자를 보고 있다.

강회장   한 5년쯤은 괜찮겠어, 수고했네.
복원사   매번 복원까지, 보통 정성 아니세요. 소장 가치도 별로 없는 걸
          왜 그리 아끼시는지, (하다가 강회장 보며, 아차!) 죄송합니다.
강회장   어릴 때부터 좋아했던 그림이래두. (허허) 왜, 돈 벌기 싫어?
복원사   아뇨~ 근데 이 그을린 자국은 정말 그냥 두실 거예요?
강회장   냅둬. 그 덕에 아버님 화랑 이어받았으니까. (흠)

이때, 강회장 휴대폰으로 문자(*사진)가 온다. 강회장 사진 넘기며 확인하
는데.

〈인서트// 강회장 휴대폰 화면. 회사에 있는 연우 모습을 누군가 도촬한
사진이다.〉

이때, 화랑 직원이 강회장 앞에 상자를 내려놓고 간다. 강회장, 휴대폰 내
려두고 상자를 열어 보는데 연우의 회중시계*가 보인다!

복원사   이 시곈 좀처럼 고칠 수가 없네요, 고장은 아니라는데 것 참 신
          기하네.
강회장   (흠) 첨부터 이랬던 거라 어쩔 수 없지 뭐. (시계를 빤히 보는)

● 할아버지께 받았을 땐 한 번도 멈춘 적 없었지만, 연우가 우물에 빠진 후 회중시계가 멈춰
   서 움직이지 않고 있다.

～ S#36. SH서울, 마케팅팀 사무실 / 낮

연우, 종이에 디자인 스케치 중(*옆에는 그리다 만 게 잔뜩)인데 하나가 다 가온다.

하나	연우씨, 디자인은 스캔해서 PDF 파일로 만들어주세요. 3D 작업하게.
연우	(그게 뭐지??) … (솔직) 죄송한데 제가 그런 걸 할 줄 몰라서요.
하나	(하!) 그게 말이 돼요? 기본 중의 기본인데. 이러면 cooperation을 어떻게 해요! 컴퓨터 할 줄 몰라요?
연우	(솔직) 네! (씩씩한) 근데 배우면 할 수 있습니다!
하나	됐어요! 디자인 끝나면 석주씨한테 그냥 넘겨요. (가버리는)
연우	(살짝 민망) 알겠습니다. (하고선 스케치 보는데 후… 한숨만 나오는데)

태민, 그런 하나와 연우 보다가 연우에게 다가온다.

태민	(연우 옆에 붙어) 요~! 소복이~ 어때? 할 만해?
연우	(의자 옆으로 쓱 밀면서, 바로) 할 만합니다.
태민	(연우가 그리다 만 스케치 들어 보이며) 아닌 것 같은데?
연우	(!) 이리 줘요! (뺏으려는데)
태민	(획! 스케치 뒤로 빼며) 내가 좀 도와줄까? (빙긋)

～ S#37. SH서울, 복도 / 낮

태하와 성표 걸어오고 있다. 성표, 힐끔 태하 눈치 보다가.

성표	어제 연우님하곤 별일 없으셨죠? 회식 끝나고 많이 화나셨잖아요.
태하	(바로) 내가요? 아닙니다. 화낼 이유가 뭐 있다고.
성표	아~ 이유가 없었구나~ (하다가, 어딘가 보며 장난) 어! 연우님!!
태하	(고개 돌려보는데 연우가 없다) ! (성표 보는데)
성표	(헤헤- 웃으며) 이 아니네요~ (하는데)

이때, 태민이 연우의 등 밀면서 '아, 일단 가봐!' 하며 앞쪽에서 지나간다! 태하, 그 모습에 자기도 모르게 연우 쪽으로 가려는데 성표가 막아선다.

성표	안 됩니다! 여긴 회사예요. 연우님이 신경 쓰이시겠지만 보는 눈도 많고,
태하	(O.L) 태민이 때문입니다. 박연우씨가 아니라.
성표	그게 그거죠~! 어제도 도실장땜에 안절부절못하시던데. (훗!) 괜찮습니다! 한집에 있다 보면 정도 들고 (슬쩍) 좋아도지고 그런 거니까~! 게다가 연우님이 워낙 매력 부자시잖아요!
태하	(감정 동요 없는 척) 무슨 소린지 이해가 안 가네요. 행사에 초대할 VIP 명단이나 체크해서 가져오세요. (무덤덤한 얼굴로 가버린다)
성표	(태하 반응에) 뭐지? 이 까리한 느낌은…? 아닌가? 긴가?? (갸웃하는)

～ S#38. SH서울, 태하 사무실 / 낮

무덤덤한 얼굴로 들어오는 태하, 문을 닫더니 이내 충격 받은 듯 문에 기대어 선다!

태하   내가… 그 금쪽일 좋아…해? (헉!! 다리 힘 풀려 스르륵 문에 기대
       앉는데)

문이 열리면서 석주가 '부대표님!' 하며 들어온다. 태하, 그 반동에 의해
앞으로 튕겨지면서 문 앞 소파 헤드를 양손으로 잡아 팔굽혀펴기 자세가
된다! 태하와 석주, 둘 다 얼음! 묘한 정적이 흐르는데.

태하   (!, 푸시업하며) 요, 요새 몸이 좀 찌뿌둥해서요! 알죠? 푸시업이
       코어에 좋은 거? 코어 중요하잖아요. (하는데, 뭔 소리야? 싶고)
석주   코어… 아… (큼) 서류, 여깄습니다! (후다닥 도망치듯 쾅! 문 닫고
       나가는)
태하   (주먹 꼭 쥐고 이 악물며 소리 없는 비명을 지른다, 으악! 쪽팔려 죽겠다)

～ S#39. SH서울, 매장 일각 / 낮

태민, 연우 손 잡아끌고 사람들 많은 곳으로 간다.

연우   뭐 하는 거예요? 이 손 좀 놓고 가요, 쫌!
태민   쉿! (하더니, 20대 여성들에게 다가가) 안녕하세요. 마케팅팀 직
       원인데요. 뭣 좀 물어봐도 될까요? (미소 날리는)
여자들   (태민의 살인미소에 무장해제, 끄덕이는)
태민   한복 말인데요, 평소에 안 입잖아요. 왜 그런 거 같아요?
연우   ?! (태민 보는)

여자1	그냥 뭐… 불편하다? (친구들 보며) 그치?
여자2	(끄덕) 디자인도 거의 똑같고, 세탁도 힘들고, 가성비 최악이죠.
연우	(나서서) 그럼 세탁하기 좋고, 입기 편한 한복이 있으면요? (눈 반짝이는)
태민	(그런 연우 보고 웃는, 이래야 소복이지!)

(CUT TO) 연우(*노트와 펜까지 들고)와 태민. 다양한 연령대의 사람들(*남녀)을 붙들고 이것저것 물어보는 몽타주 컷컷으로 빠르게 지나간다.

⌒ S#40. SH서울, 복도 / 낮

연우, 노트에 적은 거 보면서 가는 중이고 태민 옆에서 그 모습 보고 있다.

연우	(노트 덮고) 덕분에 좋은 공부 했습니다.
태민	에이~ 말로만? 수고비 정돈 줘야지. 뭐 데이트라든가.
연우	데이트? (어림짐작) 먹는… 겁니까?
태민	(헐) 뭐? 푸하하! 와, 철벽 치는 것도 신박한데? (하다 뭔가 보고) !

보면, 혜숙이 최비서와 함께 다가온다. 연우, 긴장하고…. 태민, 보는데.

혜숙	(연우에게 와) 여러모로 놀랍구나. 회사까지 들어올진 몰랐는데.
태민	(혜숙에게) 보는 눈도 많은데 그만하죠?
혜숙	(연우만 보며) 태하가 뭘 약속했든 어차피 넌, 언제 치워도 상관 없는 장기판 말이야. 그건 아니?
태민	그만 좀 하라고! (하는데)

연우	(혜숙 보며) 장기 말은 필요할 때까지 싸우다 물러나면 됩니다. 잘 알고 있으니 걱정 마세요. (인사하고 가려는데)
혜숙	(연우 손목 잡고 보며) 우리가 뭘 몰라서 널 그냥 두는 줄 알아?
연우	?! (우리…? 해서 보는데)
태민	(혜숙 손잡고) 소리 질러? 미친놈처럼? (혜숙만 보며) 넌 가라, 소복아.
연우	……. (어쩌지 싶은)
태민	가라니까!!!
연우	(어쩔 수 없이 혜숙에게 꾸벅 인사하고 가는)
혜숙	(태민이 잡고 있던 손 빼며) 너, 쟤랑 뭐 하는 거니?
태민	아직 뭘 하는 건 아니고. 그냥 이상한 여잔데 자꾸 눈에 밟혀. 같이 있음 재미도 있고. 그래서 왜 그런지 알아보는 중이야, 나도.
혜숙	(하!) 강태민!! (하는데)
태민	곧 주총인가? 또 알아? 내가 도움 될지. 어차피 목표는 강태하잖아. 그니까 건들지 말라구, 나도 저 여자도. (보다가 휙― 가버리는)
혜숙	! (가는 태민 보다가 주먹을 꼭 쥐는! 박연우… 대체 뭐야?!)

〰 S#41. SH서울, 마케팅팀 사무실 앞 / 낮

태하, 혼자서 중얼거리며 뭔가 골몰히 생각하며 오고 있다.

| 태하 | (중얼) 말도 안 돼. 내가 금쪽일… 아냐, 절대… (하다가 마케팅팀 사무실 앞인 거 인지하고) !! (다리 쳐다보며) 미쳤어? 여긴 왜 왔는데! |

이때, 연우가 태민이를 걱정하며 오다가 사무실 앞에서 우왕좌왕하는 태하를 본다. 연우, 뭐지? 싶어 태하 뒤로 오는데 돌아보는 태하! 연우를 보고 놀라 악! 소리치고.

연우   (!!) 아, 깜짝야!! 갑자기 왜 소린 질러, 아니, 지르십니까! 부대표님?!

태하   (자길 빤히 쳐다보는 연우를 보는데 입술이 마르고 얼굴이 붉어진다) !!

연우   (이상한) 왜 그래요? 무슨 일 있어요?

태하   아… 그게… (뭐라고 하지? 하는데)

윤재   (사무실에서 나오며) 연우씨! (하다 태하 발견하고) 아…. (꾸벅 인사하는)

태하   (인사 받고, 일부러 연우 옆으로 가서 서는)

윤재   (그런 태하 보다가, 연우에게) 원단 샘플 도착했대요. 가서 확인해보죠.

연우   지금요? 알겠습니다.

윤재   (태하 보며) 그럼… (하고는 연우 데리고 가버린다)

태하   ! (가는 연우와 윤재 등 보며) 좀 떨어져서 가라, 좀!! (손으로 두 사람 갈라놓는 듯 행동하는데)

가던 윤재가 힐끔 돌아본다. 태하, 손 슬쩍 내리더니 휙— 뒤돌아서 가버린다. 윤재, 그런 태하를 보며 왜 저러지? 싶고.

〜 S#42. SH서울, 태하 사무실 앞/ 낮

태하, '하… 금쪽이라니…' 기운 빠져서 사무실 문 열리는데 성표가 다급히 달려온다.

성표   (헉헉거리며 오는) 부대표님!! 회장님께서 찾으십니다!
태하   (보는) ?

⌢ S#43. 강회장 집, 거실 / 늦은 오후

성표, 거실에 앉아 있는데 사월이가 컵에 음료수를 담아 들고 오는.

성표   (사월 발견하고, 각 잡고) 아, 감사합니다.
사월   (홍! 하고 가려는데)
성표   사월씨!! (살짝 부끄럽지만) 숙제, 풀어봤습니까?
사월   그놈의 숙제는. (새침) 고거 다 마시면 풀어볼게요.
성표   아뇨! (박력) 다 마시면 오늘부터 1일입니다! (음료수 벌컥벌컥
        마시는)
사월   (오호~ 이 사내 박력 보소?!)
해령   (갑자기 뒤에서 나타나 성표 등 때리며) 홍비서, 언제 왔어!
성표   (쿨럭! 음료수 다 먹지도 못하고 뿜는)
사월   (실망이다!) 으~ 드러…. (괜히 흘겨보고 가는)
성표   (콜록콜록) 사, 사월씨! 사월, 에이프릴~~!! (따라가려는데)
해령   (마아서고, 지 말만) 홍비선 알지? 연우 걔, 정체. 그 찌라시 진짜
        야?!
성표   (우씨─, 복수다) 네! 아주 잘~ 알죠, 그럼!! (해령 귀에 속닥이는)
해령   (헐!!) 뭐?!! 이태리 마… 마피아?!! (입 틀어막는)

〈상상 인서트// 영화 대부 주인공처럼 입고 와인과 시가를 들고 쳐다보는 연우.〉

성표   한마디로 갓파더죠! 곧 거부할 수 없는 제안이 올 겁니다! (하고 가는)

해령   갓… 파더…?!! (푸슈슉~ 다리에 힘 풀려 의자에 앉는)

〜 S#44. 강회장 집, 정원 / 늦은 오후

강회장과 태하, 함께 정원을 걸어가고 있다.

강회장   바쁜데 부른 건 아니고?

태하   바빠도 할아버지가 부르시면 와야죠. 왜, 무슨 일 있으세요?

강회장   이번 주총에서 최이사가 널 SH서울 대표로 올리겠단 안건을 낼 거야.

태하   (!) 최이사가요?

강회장   그게 모양새가 좋아. (하다가) 참, 1주년 행사에 연우는 빼는 게 어떠니? 디자인은 미담이 하면 되는 거고. 괜히 연우 부담 주는 거 아닌가 해서.

태하   괜찮아요. 미담 조건이기도 하고 연우씨 일 좋아해요. 걱정 마세요.

강회장   (따뜻하게 웃어 보이며) 나이 드니 쓸데없는 노파심만 늘어서 그래, 내가.

태하   피곤하실 텐데 그만 들어가세요, 할아버지.

강회장   아냐, 조금만 더 걷자꾸나. 아직 할 얘기도 남았고. (하며 가는)

태하   (무슨 얘기지? 싶은데)

〜 S#45. 강회장 집, 별채 앞 / 늦은 오후

태하, 당황한 눈으로 강회장을 본다. 강회장, 묵묵히 앞만 보는데 보면 별채 앞이다.

태하   (당황한 눈으로 보며) 할아버지… 여긴 왜….
강회장   (태하 보며) 태하야. 여기, 별채에 이젠 들어갈 수 있겠니?
태하   (다시 별채를 쳐다보는데 숨이 턱! 막히는 것만 같다) !!

〜 S#46. 강회장 집 별채, 윤희 방 / 밤 - 태하 회상

죽은 윤희 침대 옆에 주저앉아 귀를 막은 채 겁에 질려 떨고 있는 어린태하 (*6세)가 보인다. 잠시 후, 강회장이 먼저 뛰어 들어오는데 태하를 발견하고 놀란다!

강회장   (!!) 태, 태하야?! (하며 다가가 일으켜 세우려는데)

잠시 뒤, 정훈이가 뛰어 들어오다가 죽은 윤희를 본다!! 놀란 정훈, 천천히 윤희에게 다가가 떨리는 손으로 얼굴을 만지려다 무너지듯 무릎 꿇고는 '으윽!' 이를 악물고 짐승처럼 울부짖는다. 정훈의 오열에 귀를 더 꽉 틀어막는 어린태하!

S#47. 강회장 집, 별채 앞 / 늦은 오후 – 현재

태하   (예전 기억에 괴롭다) …. (발도 못 떼고 서 있는)

강회장   (안쓰럽게 보는) 니가 힘들고 괴로워도 이겨내길 바라지만 민대
표가 버티고 있는 한 절대 못한다는 거, 알고 있어.

태하   !! (주먹 쥐는)

강회장   괜찮으니까 서두르지 마. 대신 SH를 갖기 전까진 민대표에게
틈을 보여선 안 돼. 그래서 너도 연우도 걱정인 거야, 이 할애
빈.

태하   (속상한) … 죄송해요, 걱정만 끼쳐드려서.

강회장   죄송은! 넌 내 새끼야, 그런 말 말아. (태하 어깨 토닥이고 돌아서
는)

태하   (별채를 올려다보는데 표정이 어둡다)

S#48. 태하 집, 전경 / 밤

S#49. 태하 집, 거실 + 주방 / 밤

거실/ 태하, 생각 많은 얼굴로 들어오는데 주방에 불이 켜져 있자 발걸음
을 옮기고.

주방/ 연우가 식탁에 앉아 (*옆엔 돌쇠) 초코파이를 먹으며 디자인을 하고
있다. 태하, 워치 보는데 10시가 넘었다. 연우, 스케치 하다가 하품을 하곤
힐끗 돌쇠 보는.

연우	(돌쇠 보며) 걱정 마. 이거 다 끝날 때까진 안 잘 거야. (하는데 또 하품)! (잠을 깨려는 듯 도리질하더니 초코파이를 앙! 베어 물고 다시 집중한다)
태하	(열심히 일하는 연우를 따뜻하게 보는) …. (연우 자체가 위로가 된다)

〜 S#50. SH서울, 마케팅팀 / 다음날, 아침

다들, 연우의 스케치를 보고 있고… 연우, 살짝 긴장한 표정이다.

미담	(스케치 내려놓고) 어때, 도실장?
윤재	디자인 자체도 감각적이지만, 원단에 들어갈 꽃(*배롱)과 매듭 무늬가 꽤 인상적이네요. 솔직히, 아주 맘에 듭니다.
현/석/태민	(서로 눈 마주치며, 오~~ 하는)
태하	박연우씨, 이 매듭 무늬 특별한 의미가 있나요?
연우	그 매듭은 접니다, 그리고 우리구요. (사이) 사람의 생은,

〈인서트// 1부 S#30. 연우와 연우 부모. / 2부 S#14. 연우에게 헤엄쳐오는
태하. / S#11. 닭을 든 사월과 성표. / S#26. 모두 건배하는 모습 위로,

연우	(E) 인연의 실타래가 얽히고설켜 하나의 매듭이 된다고 생각해요.〉

연우	그 매듭이 아름답게 이어진 인연의 옷을 만들고 싶었습니다.
미담	(끄덕) 인연의 옷…. (태하 보며) 이걸 메인으로 가죠? SH와 미담의 인연, 우리 옷을 입을 고객들과의 인연이란 컨셉으로.
현정	좋은데요? 연우씨가 말한 그대로 카피 문구도 뚝딱 나올 것 같고.

태하	(좋은) 이번 임원 보고회 때 이걸로 브리핑하죠. 유대리, 준비
	해요.
하나	(마지못해) 네, 알겠습니다.
연우	(기분 좋아서 자기 디자인 보며 환하게 웃는데)
태하	(그런 연우를 보는데)
강회장	(E) 1주년 행사에 연우는 빼는 게 어떠니?
태하	(저렇게 행복해하는데 그럴 순 없다)

〰 S#51. SH서울, 태하 사무실 / 낮

태하, 결재서류에 사인해서 연우에게 건네주며,

태하	필요한 건 오팀장한테 얘기하고, 1주년 행사 잘 부탁해요.
연우	네, 알겠습니다.
태하	(보며) 사극체 거의 안 쓰네요, 이제.
연우	겁내 열심히 연습했거든요, 가끔 튀어나오긴 하지만.
태하	(훗- 웃는데)
연우	(슬쩍) 근데 정말 괜찮겠어요? 나한테 이런 큰 행사를 맡겨도.
	옷 만드는 건 자신 있지만, 조선에서 온 내가 잘할지….
태하	그럼, 팀에서 뺄까요?
연우	(!) 아, 아니 내 말은!! (하다) 건 싫소! 절대 안 돼요!
태하	(연우 보며) 어디에 있든 옷을 만드는 건 연우씨예요. 그것만 잊
	지 않으면 분명 잘 해낼 거예요. (하는데)

일순, 연우의 시선에 〈1부 S#44. 내가 어떤 사람인지 마음에 새기고~ 변

치 않을 테니까요.〉라고 말하던 조선태하의 모습과 눈앞의 태하의 모습이
겹쳐 보인다. 연우, 놀란 눈으로 태하를 보자… 태하, 무슨 일이지 싶어?
연우를 보는데.

연우   (태하 시선에) … 알았소! 내 잘해보겠소! (하며 웃는데 표정이 밝
        지 않다)

〜 S#52. SH서울, 태하 사무실 앞 / 낮

연우, 생각 많은 얼굴로 나와서 천천히 걸어가다가 나래에게 전화를 건다.

연우   (통화) 나래씨? 나예요. 지난번에 나래씨가 찾아준 노리개 있
        잖아요. 그것 때문에 부탁 좀 하려구요. (표정)

〜 S#53. 강회장 집, 서재 / 저녁

강회장과 혜숙, 다기 세트를 두고 마주 앉아 있다.

강회장   (차 따라주고) 마셔봐. 내가 아끼는 거야.
혜숙   (한 모금 마시고) 향이 좋네요.
강회장   비싼 놈이니 값은 하겠지. 제값을 못 하면 버리면 되는 거고.
        (흠) 애미 넌, 어떠냐? 네 값어치 말이다.
혜숙   (보며) 적어도 SH를 가질 만큼은 되겠죠.
강회장   틀렸어, 태하를 돕는 게 네 몫이야. (찻잔 드는데) 이번 임원 보

고회 잘 준비해 봐, 태하 옆에서.

혜숙   들러리나 하라구요? (찌르듯) 정훈씨랑 결혼할 때처럼요?

강회장   (멈칫! 했다가) 정훈일 원한 건 너였어. 난 그저 그 부탁을 들어
          준 거고.

혜숙   그러셨어요? 그건 몰랐네요. (찻잔 들어 향 맡는) 이제 보니 향
          이 (강회장 보며) 지독하네요. (차를 다반에 버리고) 쉬세요, 그
          럼. (일어서서 나간다)

강회장   (가는 혜숙 보는 표정)

～ S#54. 강회장 집, 혜숙 방 드레스룸 / 저녁

혜숙, 날카로운 펜을 들고 안으로 들어온다. 한쪽에 버려진 듯 놓여 있는
정훈의 그림이 보이고. (*윤희 뒷모습 그림. 아랫부분에 JH 이니셜) 그림을 바
라보는 혜숙!

～ S#55. 강회장 집, 혜숙 방 / 저녁 - 혜숙의 23년 전 회상

엉망인 몰골로 술에 취한 정훈이 윤희를 그리고 있다. 만삭의 혜숙이 들어
와 정훈이 들고 있는 술병과 붓을 뺏으며 바닥에 내던진다!

혜숙   언제까지 죽은 사람 붙들고 살래! 당신한테 난 뭔데! (절규하
          는) 뭐냐고!

정훈   (바닥에 떨어진 붓을 들더니 다시 그림만 그린다)

혜숙   (원망 가득한 눈으로 정훈을 바라보는)

～ S#56. 강회장 집, 혜숙방 드레스룸 / 저녁 - 현재

혜숙, 펜을 들어 그림을 찢으려다 멈칫! 하는데 시선이 〈JH〉로 향해 있다. 하나 남은 정훈의 그림을 차마 찢을 수 없어 결국 펜을 바닥에 떨구고 원망스럽게 보는데.

～ S#57. SH서울, 주차장 / 저녁

태하, 수리가 끝난 차를 보고 있는데 성표가 검은색 작은 조각을 건넨다.

태하	(조각을 들어 보며) 누가 내 차에 이걸 붙였단 겁니까?
성표	차 바퀴 안쪽과 휠에 부착해서 터트린 모양입니다. … 대표님일까요?
태하	(조각을 쥐고 차를 보며) 이젠 수단 방법 가리지 않겠단 거네요.
성표	(!) 이거 연우님도 위험하지 않을까요?
태하	(잠시 생각하다) 민대표가 쉽게 손댈 수 없게 만들어야죠.
성표	네? 어떻게….
태하	보는 눈이 많아지면, 민대표도 멋대로 할 순 없을 겁니다. (표정)

～ S#58. 창고 어딘가 / 밤

어두운 창고 안. 후드맨이 노트북으로 태하와 함께 있는 연우 / 태하 차에 타는 연우 / 회사로 들어가는 연우 등… 연우를 찍은 사진을 누군가에게 메일*로 보내고 있다.

∼ S#59. SH서울, 대강당 안 / 다른날, 낮(*짧은 몽타주)

어두운 강당 안. 강회장과 혜숙, 미담, 윤재, 마케팅팀, 임원들이 앉아 있고 태하가 단상에서 PPT 자료와 함께 설명 중이다. 강회장, 흐뭇한 얼굴이고 혜숙은 싸늘한데.

∼ S#60. SH서울, 마케팅팀 / 낮

연우(*매듭 노리개 한), 시계를 보고 있다.

연우	여기서 왜 기다리란 거지? (하는데)
성표	(다급히 들어오며) 연우님!! 오래 기다리셨죠? (헤헤)
연우	? (보는)

∼ S#61. SH서울, 대강당 / 낮

브리핑 끝난 상황. 태하, 단상 앞에서 마무리 발언 중.

태하	SH서울 개점 1주년 행사에 임직원 여러분의 많은 성원 부탁드

● 누군가의 메일주소 : tlavka2000(심판2000)@xxx.com다.

립니다.

강당의 불이 켜지면 모두가 웃으며 박수치는데 혜숙과 황명수만 표정이 안
좋고.

사회자	이제 민혜숙 대표님의 마무리 말씀이 있겠습니다.
혜숙	(일어서려는데)
강회장	(일어서며) 내가 하마. 넌 여기 있어. (단상으로 나가는)
혜숙	!!!

강회장이 나가자 다들 웅성거린다. 그러다 강회장이 단상 앞에 서자 이내
조용해지고.

| 강회장 | 오늘 이 자리에서 우린, SH의 새 비전을 명확하게 봤습니다.
이제 SH는 (혜숙 보며) 낡은 건 버리고 (태하 보며) 미래로, 새
시대로 가야 합니다. |
| 혜숙 | !! (팔걸이를 꼭 잡고 애써 화를 참는) |
| 강회장 | 그게 나와 강부대표의 뜻이고, 모든 SH 임직원의 바램이라 믿
습니다. |

사람들, '무슨 소리야?!' '후계자 발표?' '낡은 건 뭐고 새로운 시댄 뭐
야?' 웅성거린다. 강회장, 태하에게 마무리 인사하라며 눈짓한다. 태하,
강회장 옆으로 와 서는.

| 강회장 | (태하에게만 들리게) 다 됐으니 그냥 숟가락만 얹어. (단상을 내
려가고) |

태하 (단상에 서는) 회장님 말씀, 감사드립니다. 마지막으로 이 자리
　　　를 빌려 소개해드릴 분들이 있습니다.

다들, 응? 하는데 이때, 무대 뒤쪽에서 누군가 나오자 강회장과 혜숙의 눈
이 커진다! 보면, 미담과 윤재, 연우가 태하 옆으로 와 선다. 연우, 살짝 긴
장한 표정이고.

태하 이번 1주년 행사의 특별쇼를 담당해주실 미담의 이미담 대표
　　　님과 도윤재 실장, 그리고 (쏙─ 주변을 보더니) 제 아내이자 디
　　　자이너인 박연우씹니다.

연우, 놀라서 태하를 쳐다본다!! 미담과 윤재도 이게 무슨 일이지? 싶은
데. 강회장과 혜숙, 태민, 놀란 눈으로 보고 있고, 다들 무슨 소린가 웅성
이고 있다.

현정 (!) 내가 뭘 들은 거야? 누구…? 연우씨? 설마 저 연우씨?! (놀라
　　　서 딸꾹!)
석주 (멍) 연우씨가 아내고, 아내가 연우씨면 연우씬 연우씬데….
　　　(헐) 나 뭐래?
하나 (주먹을 꼭 쥐고 연우와 태하를 쳐다본다)

태하, 연우와 모두의 시선을 알고 있지만 전혀 동요하지 않는다.

⌢ S#62. SH서울, 대강당 앞 / 늦은 오후

마케팅팀과 미담, 연우, 윤재와 몇몇 임원들 강당 입구에 서서 기다리고 있다. 잠시 후, 태하와 강회장, 그 뒤로 성표, 최이사, 고이사 몇몇 임원들이 따라 나온다.

강회장　(태하 보며) 뭐 한다고 다들 따라 나와. 그만들 가서 일해.

태하　할아버지, 오늘 일은 제가 따로 설명해 드릴게요.

강회장　(농담) 이놈아, 내가 따로국밥이냐? 따로 설명까지 하게. 괜찮아. 됐어! (돌아보며) 최이사.

최이사　네, 회장님. (강회장 에스코트해서 가는)

태하, 가는 강회장 보다가 연우를 쳐다보는데 연우 휙! 시선을 돌린다. 그런 연우가 이상한 태하. 한편, 일각에서 그 모습을 보던 혜숙이 피식— 웃는다.

혜숙　태하가 연우를 꽤 특별하게 생각하나 봐요. 아버님, 어쩌시려나?

황명수　(?!) 예?? 강부대표가 박연울 좋아하기라도 한단 겁니까? (하다, 소근) 둘이 계약결혼인데요? (하다가) 어쩌다, 폴인럽?! (헐!)

혜숙　그 마음, 응원해줘야겠어요. (태하 연우, 보다가 가버리는)

⌢ S#63. SH서울, 주차장 + 차 안 / 낮

강회장, 최이사와 함께 차로 걸어오고 있다. 김기사, 뒷좌석 열어 놓고 서 있는.

최이사	1주년 행사 무리 없이 잘 끝날 것 같아 다행입니다, 회장님. (하다) 아, 근데 그 디자이너분께서 손주며느님이신 줄 정말 몰랐습니다. (웃는)
강회장	(쯧) 자네도 늙은 모양이야. 쓸데없이 혓바닥만 길어지는 거 보면.
최이사	! (당황) 예? 아… 전, 그게 아니라 (하는데)
강회장	(뒷좌석으로 와, 바로 차에 올라타버리다)
최이사	… 조심히 가십시오, 회장님. (꾸벅 인사하고 문 닫는다)

잠시 후, 강회장 차 출발하고… 최이사, 난감한 얼굴로 강회장 차를 보는데.

차 안/ 강회장, 뭔가 잔뜩 불쾌한 표정으로 얼굴이 일그러지는!

〰 S#64. SH서울, 태하 사무실 / 늦은 오후

태하, 안으로 들어와 문을 닫으려는데 턱! 문틈으로 누군가 발을 들이민다. 응? 해서 보면 연우다. 태하, 멈칫! 하고 보는데 연우 안으로 들어와 문을 닫더니 태하를 향해 성큼성큼 다가온다. 태하, 기백에 밀려 뒤로 물러서다가 턱! 소파에 걸리자 비틀!

태하	! (쫄았지만 아닌 척) 뭐, 뭡니까?!
연우	그러는 사기꾼 양반이야말로 뭡니까? 왜, 멋대로, 상의도 없이! 그런 발표 거기서, 자기 맘대로 하냔 말이요!
태하	미리 말 못한 건 미안한데 그게 최선이었어요.
연우	최선?! 뭘 위한 최선이오?! 그러다 계약결혼 들통나서 문제 생

기면 어쩌려구. (속상) 말했잖소, 나 땜에 사기꾼 양반에게 피
해 주긴 싫다고!

태하   나도 그래요! 박연우씨가 나 때문에 힘들어질까 봐 그런 거라
구요.

연우   (하?!) 힘들긴 뭐가 힘들다는 거요?! (하는데)

태하   (답답한) 잊었어요? 민대표, 위험한 사람이라고 했던 거?

연우   ?! (보면)

태하   연우씨가 내 아내란 걸 모두가 알게 되면 그 여자도 쉽게 어쩌
진 못할 테니까, (진심) 당신을 지키려면 이 방법뿐이었어요.

연우   !! (지켜주려고 했던 거야?) … (화낸 게 살짝 뻘쭘해) 아니 그럼 그
렇다고 말을 하든지.

태하   지금도 이렇게 난린데 어떻게 말을 합니까?

연우   (큼!) 어쨌든! 앞으로 이런 일은 상의를 하시오, 상의를! (획-
뒤돌아서 가려다 돌아보며, 진심) 마음 써준 건 고맙소. (하더니 후
다닥 가버린다)

태하   (그런 연우가 귀여워 훗! 웃는)

～ S#65. SH서울, 복도 / 늦은 오후

연우, 걸어 나오는데 휴대폰이 울린다. 보면, 나래다!

～ S#66. SH서울, 1층 야외 정원 / 늦은 오후

바닥엔 작은 분수대가 있고, 고객들이 앉아서 쉬고 있는 작은 야외 공원이

다. 나래, 연우에게 노리개를 준다. 연우, 노리개 받아 드는데.

나래	연우님 말이 맞았어요! 노리개 색이 변한 거 독 때문이래요, 비소요.
연우	!! (사색이 되는) 독이요?
나래	네! (연우 보며) 근데 괜찮으세요?? 얼굴색 안 좋아 보이는데.
연우	나래씨 이거… 우리 둘만 알았으면 좋겠는데.
나래	그건 걱정 마세요. (시계 보더니) 아, 저 알바 땜에 이제 가야 해요.
연우	(애써 웃어 보이며) 고마워요, 도와줘서.
나래	이것도 알반데요, 뭘. 그럼 담에 또 봬요! (인사하고 가는데 뭔가 이상한)
연우	(돌처럼 굳어서 노리개를 보는) 누군가 서방님을 죽이려 했다고? (하는데)

이때, 연우 앞으로 초록나비가 날아가더니 주변의 모든 것이 멈춘다! 연우, 놀라서 보면 솟구치다 멈춘 분수대 사이로 천명이 걸어와 연우 앞에 선다!

연우	(!) 천명…? 진짜 천명 당신이야?!
천명	(연우 앞으로 와 서며 꾸벅 인사하는) 오랜만이네요, 애기씨.
연우	… 당신이야? 당신이 날 여기로 보냈지? 그치?!
천명	그렇기도 하고, 아니기도 하답니다.
연우	(하!) 말장난 그만하고, 왜 그랬어? 왜 이런 짓을 했냐고!
천명	그 답은 애기씨가 찾으셔야 해요, 집으로 돌아가려면.
연우	(!, 천명 팔을 붙들며) 돌아갈 방법? 뭔데, 그게 뭔데!!
천명	인연 시작은 운명이 만들지만, 그 끝은 사람이 만들죠.

천명이 씩— 웃자 연우의 매듭 노리개 장신구가 스스로 매듭을 꼬아 무늬를 만든다. 연우, 놀라서 잡고 있던 천명의 팔을 놓고 매듭을 쳐다보는데.

천명   그 매듭처럼 얽히고설켜 반복되는 인연의 끝을 맺어보세요. 그럼 답이 보일 겁니다. 그리고, (연우의 귀에 뭐라고 속삭인다)

연우   (얘기를 듣다가 눈이 커지고) !!

〰 S#67. SH서울, 복도 / 저녁

연우   (복잡한 얼굴로 걸어오며) … 반복된 인연이 대체 뭐지…? (하는데)

이때, 최비서가 연우에게 와 꾸벅 인사를 한다. 연우, 놀라서 보는데. 한편, 한쪽에서 오던 현정이 연우를 보곤 '연우씨!' 부르려는데 연우가 최비서를 따라 가버린다.

현정   누구지…? (하다) 민대표님 비서 같은데?? (갸웃하는데)

이때, 성표가 오다가 현정을 발견하고 다가와 서는.

성표   오팀장님!! 박연우씨, 아니 부대표님 사모님 사무실에 계십니까?

현정   연우씨요? 좀 전에 최비서님이랑 어디 가던데.

성표   … 최비서? (!) 민대표님 최비서요?

현정   네. (하다가 성표 붙잡으며) 근데 연우씨 진짜 부대표님 와이프예요?

성표   (현정 손 뿌리치며) 예예! 백프로 맞습니다! (하면서 후다닥 뛰어
         가는)

현정   (헐!) 또야? 또? 와… 우리 팀 로열패밀리 집합소였네, 진짜….

〜 S#68. 강회장 집, 별채 앞 / 저녁

덩굴이 건물과 문을 잔뜩 둘러싸고 있는 별채 앞에 연우와 최비서가 서
있다.

연우   여기서 기다리라고 하셨다구요?

최비서   네. 안에 들어가 계시면 민대표님께서 금방 도착하실 겁니다.

연우   (끄덕하며 별채를 올려다보는데 느낌이 이상하다)

〜 S#69. SH서울, 혜숙 사무실 / 저녁

혜숙   (통화 중이다) 수고했어. 아니, 그냥 지켜만 봐. (전화 끊고) 강태
         하, 어디까지 할 수 있으려나? (훗!)

〜 S#70. 도로 위 + 태하 차 안 / 저녁

태하, 평소의 침착함은 사라지고 다른 차들을 마구 추월하면서 빠르게 가
고 있는데 성표에게 전화가 온다. 블루투스로 연결하는.

성표	(F) 부대표님! 연우님 지금 본가 별채에 계신 걸로 확인됐습니다!
태하	(혼잣말) 별채…?! (성표에게) 알겠어요. (끊고, 엑셀을 강하게 붕― 밟는)

〰 S#71. 강회장 집, 별채 안 / 저녁

불은 꺼져 있고 천창과 연결된 중정으로 달빛만 들어오고 있고, 내부의 물건들은 흰 천으로 덮여 있다. 연우, 주변을 살펴보는데 벽 한쪽에 걸린 탈*을 발견하고 놀란다!

〈플래시컷// 1부 S#69. 탈을 쓰고 나타난 사내.〉

연우, 놀란 얼굴로 탈을 만져보는데 순간, 벽이 밀리더니 숨겨진 복도가 드러난다.

〰 S#72. 강회장 집 별채, 윤희 방 / 저녁

안으로 들어오는 연우. 보면, 침대와 물건들 위엔 흰 천이 덮여 있고 목재들이 세워져 있다. 연우, 안을 살펴보다가 목재 밑에서 달빛에 반짝이는 뭔가를 발견한다. 뭐지? 해서 다가가 보면 조개와 작은 소라로 만든 팔찌**다.

* 1부에 연우가 봤던 탈과 비슷한 형태의 탈이다.
** 윤희 팔찌다. 태하가 어릴 때 윤희와 함께 바닷가에 갔을 때 조개를 주워 함께 만든 것.

∼ S#73. 강회장 집, 별채 앞 / 저녁

다급히 뛰어오는 태하. 안으로 들어가려는데 또 발이 떨어지지 않는다! 별채를 보는데 숨이 가빠오고 머리가 찌릿해 온다! 태하, 문 앞에 서서 어쩔줄 몰라하는데.

∼ S#74. 강회장 집 별채, 윤희 방 / 저녁

연우, 팔찌를 꺼내는데 앞에 있던 목재가 끼익— 하며 연우 앞으로 기울어진다! 놀란 연우, 뒤로 물러서는데 와장창! 소리와 함께 연우 발 근처로 쓰러진 목재들! 이때, '연우씨!' 하며 안으로 놀란 태하가 다급히 뛰어 들어온다.

태하　　(연우 발견하고, 한달음에 와) 괜찮아요? 안 다쳤어요?

연우　　(태하가 왜? 하며 보는) 태하씨…?

태하　　(연우가 괜찮아 보이자 저도 모르게 버럭!) 여긴 왜 왔어요?! (움찔! 심장 통증) ! (참고) 일단… 나가…요. 나가서…. (비틀!)

연우　　!! (태하 붙들며) 괜찮아요?!

태하　　(정신 흐릿한) 됐으니까… 밖으로… (가슴 잡고 주저앉아, 숨을 몰아쉬는)

연우　　(!!) 왜 그래요? 숨이 안 쉬어져요?! (태하 셔츠 단추를 풀다가 놀라는) !!

보면, 태하 가슴에 수술 자국이 보인다. 연우, 뭐지? 해서 보는데 성표가 '부대표님' 하고 들어와서는 쓰러진 태하를 보더니 부축해 나간다. 연우,

그 모습 멍하니 보는.

〜 S#75. 태하 집, 연우방 / 밤

연우 복잡한 얼굴로 배롱꽃과 노리개를 보고 있는데 노크와 함께 성표가
들어오는.

성표 부대표님은 좀 전에 잠드셨습니다. 연우님도 놀라셨을 텐데
    쉬세요.
연우 태하씨 가슴의 흉터, 뭐예요? 어디 아픈 거요?
성표 … 죄송합니다. 흉터에 관해선 어떤 말씀도 드릴 수 없습니다.
연우 (보는 표정) ….

〜 S#76. 태하 집, 태하방 / 밤

태하, 잠들어 있고. 연우가 천천히 태하 곁으로 다가오더니 바라본다.

〈플래시컷//
S#51.
태하 어디에 있든 옷을 만드는 건 언우씨예요.

1부 S#44.
태하 어디에 있든 무엇이 되든 그 아름다운 옷을… 변치 않을 테니
    까요.

1부 S#59.

태하   가슴에 병증이 깊어 혼인은 생각도 안 했습니다.

S#74. 태하 가슴에 깊게 남은 수술 자국.〉

〈인서트// S#67.

처명   (여우 귀에다) 곧, 반복되는 운명의 실체를 보시게 될 거예요.〉

연우   (눈가 붉어진, 태하 보며) 그분이 맞아. (하다가, 슬프게) 서방님을
        이제야 알아봤네요, 내가. (하는데)

태하   (스르륵 눈을 뜬다)

연우   (!, 시선 돌리며) 일어났소? 물 좀 가져다줄게요.

연우, 일어서려는데 태하가 연우의 손을 잡는다. 연우, 놀라서 보면. 태하,
자리에서 일어나 앉더니 연우를 가만히 쳐다본다. 연우도 그런 태하 보는데.

∽ S#77. 태하 집, 마당 / 밤

태하와 연우, 마당에 서서 밤하늘을 보고 있다.

태하   … 그 별채에서 엄마가 돌아가셨어요.

연우   !!! (그런 곳이었구나!)

태하   엄말 거기 가둔 것도 죽게 내버려 둔 것도, 민혜숙… 그 여자
        짓이었죠.

〈플래시컷// 4부 S#21. 어린태하, 죽어가는 윤희를 두고 문을 두들기며 '도와주세요!' 하는데 문틈으로 진주알이 흘러 들어온다. 어린태하, 보면 창으로 혜숙이 보이고!〉

〈인서트// 혜숙의 방이다.

어린태하　(진주알을 혜숙에게 던지며) 우리 엄마 살려내! 살려내!! (혜숙을 때리는)

혜숙　(태하의 팔을 잡아 붙들며) 아니야! 아니라고 몇 번을 말해야 알 겠니!

어린태하　(원망, 눈물 가득해서) 거짓말… 내가 봤어, 봤다구!!

혜숙　(하!) 그래? (태하에게 몸을 숙여 나지막하게) 그럼 그땐 넌, 뭘 했 지?〉

태하　그날 이후 내 안엔 커다란 바위가 생겼어요. 매일 그 무게를 견 디면서 다신… 두 번 다신, 그 여자한테 뭐든 절대 안 뺏기겠다 고 다짐했는데… 여전히 난, 아무것도 못했네요. (서글프게 웃 는데)

연우, 반복되는 운명 속에서 고통받고 힘들어하는 태하를 보자 마음이 아파 온다. 그렇게 태하를 바라보다가 와락! 끌어안고! 태하, 순간 멈칫! 하 는데.

연우　(고맙고, 미안한) 아니요, 아니에요. 그런 곳까지 날 데리러 와줬 잖소.

태하　(안긴 채…)

연우　… 이젠 괜찮아요. 내가 왔으니까, 여기 있으니까.

연우, 그렇게 잠시 태하를 안았다가 안고 있던 거 풀면서 태하를 쳐다본다.

연우　　　그 바위 꺼내줄게요, 내가. (다짐하듯) 이번 생엔… 무슨 수를
　　　　　써서라도.
태하　　　(!, 이번… 생?)
연우　　　(보면)
태하　　　(날 보고 있는 게 아니구나) 아뇨, 괜찮아요. (씁쓸한) 난… 연우씨
　　　　　서방님이 아니니까.
연우　　　!!!

놀란 눈으로 태하를 바라보는 연우. 그런 연우를 말없이 보는 태하에서.

　　　　　　　　　　　　　　　　　　　　　　　　　　(엔딩)

열녀박씨 계약결혼뎐 1

초판 1쇄 인쇄 2024년 3월 20일
초판 1쇄 발행 2024년 3월 28일

지은이 고남정
펴낸이 김선식

부사장 김은영
콘텐츠사업2본부장 박현미
책임편집 남슬기 책임마케터 문서희
콘텐츠사업7팀장 김단비 콘텐츠사업7팀 권예경, 이한결, 남슬기
마케팅본부장 권장규 마케팅1팀 최혜령, 오서영, 문서희 채널1팀 박태준
미디어홍보본부장 정명찬 브랜드관리팀 안지혜, 오수미, 김은지, 이소영
뉴미디어팀 김민정, 이지은, 홍수경, 서가을, 문윤정, 이예주
크리에이티브팀 임유나, 박지수, 변승주, 김화정, 장세진, 박장미, 박주현
지식교양팀 이수인, 염아라, 석찬미, 김혜원, 백지은
편집관리팀 조세현, 김호주, 백설희 저작권팀 한승빈, 이슬, 윤제희
재무관리팀 하미선, 윤이경, 김재경, 이보람, 임혜정
인사총무팀 강미숙, 지석배, 김혜진, 황종원
제작관리팀 이소현, 김소영, 김진경, 최완규, 이지우, 박예찬
물류관리팀 김형기, 김선민, 주정훈, 김선진, 한유현, 전태연, 양문현, 이민운
외주스태프 디자인 운용

펴낸곳 다산북스 출판등록 2005년 12월 23일 제313-2005-00277호
주소 경기도 파주시 회동길 490 다산북스 파주사옥
전화 02-702-1724 팩스 02-703-2219 이메일 dasanbooks@dasanbooks.com
홈페이지 www.dasanbooks.com 블로그 blog.naver.com/dasan_books
종이 IPP 인쇄 정민문화사 코팅 및 후가공 평창피앤지 제본 정민문화사

ISBN 979-11-306-5036-4 (04680)
세트 ISBN 979-11-306-5038-8 (04680)